Springer-Lehrbuch

Wolfgang Domschke
Andreas Drexl · Robert Klein
Armin Scholl · Stefan Voß

Übungen und Fallbeispiele zum Operations Research

Fünfte, überarbeitete Auflage

Springer

Professor Dr. Wolfgang Domschke
Dr. Robert Klein
Technische Universität Darmstadt
Institut für Betriebswirtschaftslehre
Fachgebiet Operations Research
Hochschulstraße 1
64289 Darmstadt
E-mail: domschke@bwl.tu-darmstadt.de
E-mail: rklein@bwl.tu-darmstadt.de

Professor Dr. Stefan Voß
Universität Hamburg
Institut für Wirtschaftsinformatik
Von-Melle-Park 5
20146 Hamburg
E-mail: stefan.voss@uni-hamburg.de

Professor Dr. Andreas Drexl
Christian-Albrechts-Universität zu Kiel
Lehrstuhl für Produktion und Logistik
Olshausenstraße 40
24118 Kiel
E-mail: andreas.drexl@bwl.uni-kiel.de

Professor Dr. Armin Scholl
Friedrich-Schiller-Universität Jena
Lehrstuhl für Allgemeine BWL, insbesondere
Betriebswirtschaftliche Entscheidungsanalyse
Carl-Zeiß-Straße 3
07743 Jena
E-mail: a.scholl@wiwi.uni-jena.de

Bibliografische Information Der Deutschen Bibliothek
Die Deutsche Bibliothek verzeichnet diese Publikation in der Deutschen Nationalbibliografie; detaillierte bibliografische Daten sind im Internet über *http://dnb.ddb.de* abrufbar.

ISBN 3-540-23936-7 5. Auflage Springer Berlin Heidelberg New York
ISBN 3-540-43334-1 4. Auflage Springer Berlin Heidelberg New York

Springer ist ein Unternehmen von Springer Science+Business Media
springer.de

Printed in Italy

Umschlaggestaltung: Design & Production GmbH, Heidelberg
Herstellung: Helmut Petri
Druck: Legoprint

SPIN 11360391 Gedruckt auf säurefreiem Papier – 42/3130 – 5 4 3 2 1 0

Vorwort zur 5. Auflage

Die nun vorliegende fünfte Auflage des Übungsbuches unterscheidet sich im Erscheinungsbild erheblich von den bisherigen Auflagen, da das Manuskript erstmals vollständig mit der DTP-Software Adobe Framemaker gestaltet wurde. Außerdem haben wir den Text auf die neue deutsche Rechtschreibung umgestellt.

Aufgrund überaus positiver Resonanz und ermutigender Kommentare seitens vieler Studierender wurde die Grundkonzeption des Buches nicht verändert. Im Blick auf den Inhalt wurden jedoch folgende Änderungen vorgenommen:

- Ergänzung einiger zusätzlicher Aufgaben,
- Modifikation bisher schwer verständlicher Aufgaben und Lösungshinweise,
- Aktualisierung des Kapitels 11 im Hinblick auf neuere Entwicklungen im Bereich der Standardsoftware,
- Korrektur einiger kleinerer Fehler,
- verbesserte Abstimmung mit dem zugehörigen Lehrbuch „Einführung in Operations Research", das soeben in 6. Auflage erschienen ist.

Bei der Neuerfassung und Formatierung des Manuskriptes hat die Sekretärin des erstgenannten Autors, Frau Petra Hechler, erhebliche Arbeit geleistet; dafür sei ihr herzlich gedankt. Bei der Korrektur der dadurch selbst bei größter Sorgfalt nicht zu vermeidenden Fehler und Inkonsistenzen haben sich Frau Dipl.-Kffr. Doreen Krüger und Herr Dipl.-Kfm. Christian Becker (FSU Jena), Frau Dipl.-Wirtsch.-Inf. Anita Petrick und Herr Dipl.-Wirtsch.-Inf. Bernd Wagner (TU Darmstadt) erhebliche Verdienste erworben. Dank gebührt zudem Herrn Christian Lang (Student der TU Darmstadt) für die Umsetzung der Fallbeispiele aus Kapitel 11 in die neue Modellierungssprache von XPress-MP.

Trotz dieser Unterstützung zeichnen für verbleibende Fehler selbstverständlich allein die Autoren verantwortlich, die für Anregungen und Hinweise auf Fehler – wie immer – dankbar sind.

Darmstadt / Hamburg / Jena / Kiel, im September 2004

W. Domschke, A. Drexl, R. Klein, A. Scholl, S. Voß

Aus dem Vorwort zur 3. Auflage

Das Übungsbuch wurde von Lehrenden und Lernenden gut angenommen. In den eigenen Übungsveranstaltungen wurde jedoch der Wunsch geäußert, unter Verwendung von Standardsoftware umfangreichere Fallbeispiele zu bearbeiten, die die vielfältigen Anwendungsmöglichkeiten des Operations Research in der betrieblichen Praxis aufzeigen. Inhaltlich geht es dabei nicht um das manuelle Anwenden von Algorithmen; vielmehr steht die Abbildung eines verbal formulierten Problems in ein mathematisches Modell und dessen Lösung mit moderner Standardsoftware im Vordergrund.

Das neu hinzugefügte Kapitel 11 trägt diesem Wunsch Rechnung. Mittlerweile dreijährige Erfahrungen zeigen, dass die Studierenden bei der Lösung der Fallbeispiele sehr motiviert und mit viel Spaß ans Werk gehen. Entsprechend haben sich die Kenntnisse in Operations Research – und damit auch die Prüfungsergebnisse – verbessert.

Robert Klein, der das Kapitel 11 federführend gestaltet hat, wurde in den Kreis der Autoren aufgenommen. Er ersetzt Birgit Steinbacher, geb. Schildt, die nicht mehr im Hochschulbereich tätig ist.

Darmstadt / Kiel / Braunschweig, im März 2000

W. Domschke, A. Drexl, R. Klein, A. Scholl, S. Voß

Aus dem Vorwort zur 1. Auflage

Dieses Übungsbuch wurde primär als begleitender Text für Vorlesungen, Übungen und Tutorien konzipiert, die als Basislektüre das Lehrbuch „Einführung in Operations Research" der beiden erstgenannten Autoren verwenden. Selbstverständlich ist es als Übungsbuch auch dann geeignet, wenn ein anderes Lehrbuch zugrundeliegt. Es deckt den Stoff einer zwei- bis dreistündigen Einführungsveranstaltung ab. Zu jedem Kapitel finden sich Aufgaben, die grundlegende Methoden behandeln. Einige Aufgaben erweitern und vertiefen darüber hinaus spezielle Fragestellungen, die im Lehrbuch nur knapp behandelt werden.

Ein spezieller Dank geht an die akademischen Lehrer eines der Autoren, deren Übungen zum Operations Research konkrete Vorlagen bzw. Anregungen für einige Aufgaben gegeben haben. Ein herzliches Dankeschön für zahlreiche Anregungen und Verbesserungsvorschläge gilt ferner Frau Dipl.-Kfm. Anita Amberg und Frau Dipl.-Math. Gabriela Krispin sowie den Herren Prof. Dr. Gabriel Bazacliu, Dr. Carsten Jordan, Dipl.-Wirtsch.-Inf. Robert Klein, Dr. Rainer Kolisch und Dr. Arno Sprecher.

Darmstadt / Kiel / Braunschweig, im Juni 1995

W. Domschke, A. Drexl, B. Schildt, A. Scholl, S. Voß

Inhaltsverzeichnis

Symbolverzeichnis

$:=$	definitionsgemäß gleich (Wertzuweisung in Verfahren)
$\mathbb{N}$	Menge der natürlichen Zahlen
$\mathbb{R}, \mathbb{R}_+, \mathbb{R}^n$	Menge der reellen, nichtnegativen reellen bzw. n-elementigen reellen Zahlen
$\mathbb{Z}, \mathbb{Z}_+$	Menge der ganzen bzw. nichtnegativen ganzen Zahlen
ϕ	leere Menge
∞	unendlich; wir definieren $\infty \pm p := \infty$ für $p \in \mathbb{R}$
$i \in I$	i ist Element der Menge I
$I \subseteq J, I \subset J$	I ist Teilmenge bzw. echte Teilmenge von J
$I \cup J$	Vereinigung der Mengen I und J
$f : X \rightarrow \mathbb{R}$	Abbildung f, die jedem Element von X einen Wert aus $\mathbb{R}$ zuordnet
$\min \{a_{ij} \mid i = 1,...,m\}$	Minimum aller $a_{1j}, a_{2j},..., a_{mj}$
$\lvert\delta\rvert, \lvert I\rvert$	Absolutbetrag von δ, Mächtigkeit der Menge I
$\mathbf{A} = (a_{ij})$	Koeffizientenmatrix
$\mathbf{b} = (b_1,..., b_m)$	Vektor der rechten Seiten
$\mathbf{c} = (c_1,...,c_n)$	Vektor der Zielkoeffizienten
$c_{ij} = c(i, j) = c[i, j]$	Kosten (Länge, Zeit, etc.) auf Pfeil (i, j) bzw. auf Kante [i, j]
$c(w)$	Länge des Weges w
$C(G) = (c_{ij})$	Kostenmatrix des Graphen G
E	Kanten- oder Pfeilmenge
$F(.)$	etwa $F(\mathbf{x})$, verwendet für Zielfunktionswert
$G = [V,E]$	ungerichteter, unbewerteter Graph
$G = (V, E)$	gerichteter, unbewerteter Graph
$G = (V, E, c)$	gerichteter Graph mit Kostenbewertung c
GE, ME, ZE	Geldeinheit(en), Mengeneinheit(en), Zeiteinheit(en)
g_i	Grad des Knotens i (in ungerichteten Graphen)
m bzw. n	Anzahl der Restriktionen bzw. Variablen
M	hinreichend große Zahl für fiktive Bewertungen
$\mathcal{N}(i)$	Menge der Nachfolger des Knotens i
$NB(i)$	Menge der Nachbarn des Knotens i
$S[1..n]$	eindimensionales Feld der Länge n
T	Baum
V	Knotenmenge
$\mathcal{V}(i)$	Menge der Vorgänger des Knotens i
$\mathbf{x}$	Vektor von Variablen $\mathbf{x} = (x_1, x_2,..., x_n)$
∇F	Gradient der Funktion F
$A \times B$	kartesisches Produkt der Mengen A und B

Begriffs- und Abkürzungsverzeichnis

B&B	Branch & Bound
d.h.	das heißt
DO	Dynamische Optimierung
GE	Geldeinheit
ggf.	gegebenenfalls
KE	Kapazitätseinheit
LP-Modell bzw. LP	lineares Optimierungsmodell bzw. -problem
ME	Mengeneinheit
o.B.d.A.	ohne Beschränkung der Allgemeinheit
OR	Operations Research
TPP	Transportproblem
TSP	Traveling Salesman-Problem
u.a.	unter anderem
u.U.	unter Umständen
z.B.	zum Beispiel
ZE	Zeiteinheit

Kapitel 1: Einführung – Modellbildung

Aufgabe 1.1:

Eine Raffinerie garantiert pro Einheit eines Produktes P einen Mindestgehalt b_i von jedem der Bestandteile B_i ($i = 1,...,m$) und darüber hinaus einen Höchstgehalt v einer Verunreinigung V.

P wird aus Rohstoffen $R_1,...,R_n$ hergestellt. Eine Einheit R_k ($k = 1,...,n$) kostet c_k GE und enthält a_{ik} Einheiten von B_i und u_k Einheiten von V. Wie viele Einheiten x_k der Rohstoffe R_k sollen verwendet werden, so dass das damit hergestellte Produkt P den garantierten Anforderungen entspricht und die Gesamtkosten der eingesetzten Rohstoffe minimal sind? Formulieren Sie die Aufgabe als lineares Optimierungsmodell (LP)!

Aufgabe 1.2:

Ein Lagerhaus mit der Kapazität C dient zur Lagerung eines Gutes, von dem am Anfang von n Perioden ein Bestand in der Höhe A vorhanden ist. Am Ende jeder Periode i ($i = 1,...,n$) kann der Lagerbestand zum Preis c_i ergänzt, und während der i-ten Periode kann Ware zum Preis b_i verkauft werden. Dabei darf weder die Lagerkapazität überschritten werden, noch kann mehr Ware verkauft werden als auf Lager ist. Gesucht ist eine zulässige Einkaufs- und Verkaufspolitik, so dass der Gewinn (ohne Berücksichtigung von Lagerkosten) im Verlauf der n Perioden maximiert wird. Formulieren Sie die Aufgabe als LP!

Aufgabe 1.3:

Eine Werbeagentur, die ein bestimmtes Budget b zur Verfügung hat, will durch Einsatz von drei Werbeträgern $i = 1, 2, 3$ eine möglichst große Anzahl von Personen erreichen. Dabei wird unterstellt, dass die Mengen der durch die verschiedenen Werbeträger erreichbaren Personen disjunkt sind. Pro eingesetzter Einheit eines Werbeträgers sind

- die Kosten k_i,
- die Zahl p_i der insgesamt erreichbaren Personen,
- die Zahl h_i der erreichbaren Personen mit höherem Einkommen und
- die Zahl m_i der erreichbaren männlichen Personen über 25 Jahre bekannt.

Die Agentur hat folgende Bedingungen zu beachten:

a) Pro Werbeträger müssen mindestens L_i und höchstens U_i Einheiten eingesetzt werden.

b) Die Zahl der erreichbaren Personen mit höherem Einkommen muss mindestens q Prozent der insgesamt erreichbaren Personen betragen.

c) Die Zahl der erreichbaren Männer über 25 Jahre muss mindestens dem Wert z entsprechen.

d) Das Budget darf nicht überschritten werden.

Formulieren Sie ein entsprechendes LP!

Aufgabe 1.4:

In einem Betrieb besteht der folgende zeitabhängige Mindestbedarf an Personal:

von	0	bis	4 Uhr:	3 Personen	von	12	bis	16 Uhr:	8 Personen
von	4	bis	8 Uhr:	8 Personen	von	16	bis	20 Uhr:	14 Personen
von	8	bis	12 Uhr:	10 Personen	von	20	bis	24 Uhr:	5 Personen

Jeder eingesetzte Mitarbeiter hat eine 8-Stunden-Schicht zu absolvieren, die zu einem der folgenden Zeitpunkte beginnen kann: 0, 4, 8, 12, 16 und 20 Uhr

a) Es soll ein Einsatzplan mit minimalem Gesamtpersonalbedarf aufgestellt werden, der die obigen Mindestanforderungen erfüllt. Formulieren Sie ein ganzzahliges lineares Optimierungsmodell und lösen Sie es mit Excel oder XPress-MP (vgl. Kap. 11)!

b) In der Zeit von 6 h bis 22 h beläuft sich der Lohnsatz auf 10 € pro Stunde und Mitarbeiter, während in der übrigen Zeit ein Nachtzuschlag von 40% zu zahlen ist. Wie ändert sich das Modell, wenn nun die pro Tag zu zahlende Lohnsumme minimiert werden soll? Geben Sie den optimalen Zielfunktionswert und mindestens eine optimale Lösung an!

Aufgabe 1.5:

Aus 210 cm breiten Papierrollen (Rohlingen) sind mindestens

30 Rollen mit 62 cm Breite,

60 Rollen mit 55 cm Breite und

60 Rollen mit 40 cm Breite

zuzuschneiden. Es soll die minimale Anzahl an Rohlingen, die für den gewünschten Zuschnitt erforderlich ist, bestimmt werden. Welche eindimensionalen Schnittmuster, d.h. Möglichkeiten der Unterteilung eines Rohlings in die verschiedenen gewünschten Breiten, sind dabei zu verwenden? Formulieren Sie zur Lösung dieses Problems ein ganzzahliges LP!

Aufgabe 1.6:

Eine Fluggesellschaft besitzt n Flugzeugtypen und befliegt m Linien. Folgende Daten sind bekannt:

p_j Flugpreis pro Person auf Linie j

k_{ij} Betriebskosten für Flugzeugtyp i auf Linie j

a_i Anzahl der verfügbaren Flugzeuge von Typ i

c_{ij} Passagierkapazität von Typ i auf Linie j

q_j auf Linie j zu erwartende Passagieranzahl

Alle Größen beziehen sich auf eine Planungsperiode. Formulieren Sie ein ganzzahliges LP, mit dem man einen gewinnmaximalen Einsatzplan für die Flugzeuge ermitteln kann!

Aufgabe 1.7:

i	1	2	3	4	5	6	7
x_i	0	1.5	3	4	6	7	9
y_i	1	1.5	3.2	2.7	3.6	5.7	6.8

In der nebenstehenden Tabelle sind für zwei miteinander zusammenhängende Parameter x und y sieben Paare (x_i, y_i) von Beobachtungswerten gegeben (i = 1,...,7). Der Zusammenhang zwischen x und y soll durch die lineare Beziehung (Regressionsgerade) $y = a + bx$ mit den nichtnegativen Parametern a und b approximiert werden.

a) Stellen Sie die beobachteten Wertepaare in einem Koordinatensystem dar!

b) Formulieren und lösen Sie (z.B. mit Excel oder XPress-MP; vgl. Kap. 11) ein LP zur Ermittlung von a und b unter Berücksichtigung der Zielsetzung "Minimiere die Summe der absoluten Abweichungen der Beobachtungswerte y_i von den durch die Gerade approximierten Werten $a + bx_i$ "!

c) Verändern Sie das Modell aus b), indem Sie nun die Zielsetzung "Minimiere die maximale absolute Abweichung" berücksichtigen!

Aufgabe 1.8:

Frau Weißbrot ist Bäckermeisterin und bietet m verschiedene Backwaren an. Die Nachfrage nach Backwaren ist abhängig von der Tageszeit. Dabei lässt sich der Tag in drei Verkaufsintervalle einteilen. Die Nachfrage nach der Backware i (i=1,...,m) im Intervall j (j=1,2,3) wird durch b_{ij} bezeichnet und ist aufgrund der langjährigen Erfahrung im Bäckereibetrieb bekannt.

Die Produktion der Backwaren erfolgt in drei Produktionsintervallen j (j=1,2,3), die dem jeweils zugehörigen Verkaufsintervall j unmittelbar vorausgehen. Das bedeutet, dass im Produktionsintervall j gebackene Ware im Verkaufsintervall j und allen nachfolgenden Intervallen verkauft werden kann. Da eine Lagerung bis zum nächsten Tag ausgeschlossen wird, müssen alle produzierten, aber bis einschließlich Verkaufsintervall 3 nicht abgesetzten Backwaren weggeworfen werden.

In jedem Produktionsintervall steht eine Backkapazität von Q Quadratmetern (m^2) im Großraumbackofen zur Verfügung. Pro verkauftem Stück der Backware i wird der (tageszeitunabhängige) Preis p_i [in €] erzielt; beim Backen belegt jedes Stück von i eine Fläche c_i [in m^2] im Backofen und es fallen Stückkosten k_i [in €] an. Frau Weißbrot sucht nach einem Produktionsprogramm, das den Gesamtdeckungsbeitrag maximiert.

a) Erstellen Sie ein ganzzahliges LP, das den oben beschriebenen Sachverhalt abbildet! Definieren Sie zunächst geeignete Entscheidungsvariablen für die Produktions- und die Verkaufsmengen der Produkte je Zeitintervall!

b) Frau Weißbrot überlegt nun, ob es wirtschaftlich ist, täglich 3 Produktionsintervalle zu betreiben. Sie errechnet, dass durch den Betrieb jedes der 3 Intervalle (unabhängig von der Produktionsmenge) Kosten in Höhe von K_B anfallen. Ändern Sie Ihr Modell aus Aufgabenstellung a) so, dass zusätzlich entschieden wird, ob in einem Intervall produziert wird oder nicht!

c) Geben Sie die Bedingung an, die für die Problemdaten erfüllt sein muss, damit im Modell aus Aufgabenteil a) die Nachfrage eines ganzen Tages mit einer einzigen Produktionsperiode gedeckt werden kann!

Aufgabe 1.9:

In vielen Zeitungen/Zeitschriften findet man in der Rubrik „Logelei" Knobeleien, zu deren Lösung man Methoden des Operations Research einsetzen kann. Wir betrachten ein Beispiel für eine derartige Aufgabenstellung.

Gegeben sei folgende Liste von Buchstabenkombinationen:

ADV	AFT	BET	BKS	CCW	CIR	DER	DIP	EAT	EGO	FAR	FIN	GHQ
GOO	HAT	HOI	HUG	ION	IVE	JCS	JOE	KEN	KKK	LIP	LYE	MOL
MTG	NES	NTH	OIL	OSF	PIP	PRF	QMG	QUE	ROE	RUG	STG	SIP
TUE	TVA	UTE	VIP	WHO	XIN	YES	ZIP					

Jeder einzelne Buchstabe entspricht einer bestimmten Zahl (dem Alphabet folgend):

A – 1, B – 2, C –3, D – 4, E – 5, F – 6, G – 7, H – 8, I – 9, J – 10, K – 11, L – 12, M – 13, N – 14, O – 15, P – 16, Q – 17, R – 18, S – 19, T – 20, U – 21, V – 22, W – 23, X – 24, Y – 25, Z – 26

Aus der Liste der Buchstabenkombinationen sind genau acht so auszuwählen, dass für sie folgende Eigenschaften erfüllt sind:

- Die Summe der Werte der jeweils ersten Buchstaben muss kleiner sein als die Summe der Werte der jeweils zweiten Buchstaben.
- Die Summe der Werte der jeweils ersten Buchstaben muss kleiner sein als die Summe der Werte der jeweils dritten Buchstaben.

a) Formulieren Sie ein mathematisches Modell mit der Zielsetzung: Maximiere die Summe aller Buchstabenwerte der acht ausgewählten Buchstabenkombinationen!
Hinweis: Verwenden Sie für jede Buchstabenkombination eine Binärvariable! Für die einzelnen Werte der Buchstabenkombinationen können geeignete Parameter definiert werden.

b) Der optimale Zielfunktionswert des obigen Problems ist 330. Es könnte jedoch mehrere optimale Lösungen mit diesem Zielfunktionswert geben. Modifizieren oder ergänzen Sie Ihr Modell so, dass Sie unter allen Lösungen mit dem optimalen Zielfunktionswert von 330 eine Lösung erhalten, für die die Summe der jeweils ersten Buchstabenwerte maximal ist!

c) Eine optimale Lösung des Problems unter b) ergibt für die Summe der jeweils ersten Buchstabenwerte den Wert 108, für die Summe der jeweils zweiten Buchstabenwerte den Wert 113 und für die Summe der jeweils dritten Buchstabenwerte den Wert 109. Kann es weitere optimale Lösungen mit dem Gesamtwert von 330, einer Summe von 108 für die jeweils ersten Buchstabenwerte, aber einer Summe von mehr als 114 für die jeweils zweiten Buchstabenwerte geben? Begründen Sie!

Lösungen zu Kapitel 1: Einführung – Modellbildung

Aufgabe 1.1:

Entscheidungsvariablen x_k: Anzahl der verwendeten Einheiten von R_k mit k = 1,...,n

Zielfunktion: Wie viele Einheiten x_k von R_k sind zu verwenden, um den Gesamtwert der benutzten Rohstoffe bei Stückkosten von c_k zu minimieren? ⇒ Minimiere $F(\mathbf{x}) = \sum_{k=1}^{n} c_k x_k$

Nebenbedingungen:

a) Mindestgehalt b_i pro Einheit des Produktes P von jedem der Bestandteile B_i, wobei jeder Rohstoff R_k pro Einheit a_{ik} Einheiten von B_i enthält ⇒ $\sum_{k=1}^{n} a_{ik} x_k \geq b_i$ für i = 1,...,m

b) Höchstgehalt v an Verunreinigung V pro Einheit von P, wobei Rohstoff R_k pro Einheit u_k Einheiten von V enthält ⇒ $\sum_{k=1}^{n} u_k x_k \leq v$

c) Nichtnegativität ⇒ $x_k \geq 0$ für k = 1,...,n

Damit ergibt sich das folgende lineare Optimierungsmodell:

Minimiere $F(\mathbf{x}) = \sum_{k=1}^{n} c_k x_k$

unter den Nebenbedingungen

$$\sum_{k=1}^{n} a_{ik} x_k \geq b_i \qquad \text{für } i = 1,...,m$$
$$\sum_{k=1}^{n} u_k x_k \leq v$$
$$x_k \geq 0 \qquad \text{für } k = 1,...,n$$

Aufgabe 1.2:

Entscheidungsvariablen:

x_i Verkaufsmenge in Periode i = 1,...,n

y_i Einkaufsmenge am Ende der Periode i = 1,...,n

LP-Modell:

Maximiere $F(\mathbf{x}, \mathbf{y}) = \sum_{i=1}^{n} b_i x_i - \sum_{i=1}^{n} c_i y_i$

unter den Nebenbedingungen

$$y_i \leq C - A - \sum_{j=1}^{i-1} y_j + \sum_{j=1}^{i} x_j \qquad \text{für } i = 1,...,n \qquad \text{(I)}$$
$$x_i \leq A + \sum_{j=1}^{i-1} y_j - \sum_{j=1}^{i-1} x_j \qquad \text{für } i = 1,...,n \qquad \text{(II)}$$
$$x_i, y_i \geq 0 \qquad \text{für } i = 1,...,n$$

Die Nebenbedingungen (I) garantieren, dass die Einkaufsmenge am Ende jeder Periode i nicht größer als die Differenz aus Lagerkapazität und dem aktuellen Lagerbestand ist, also der resultierende Lagerbestand die Kapazität nicht überschreitet.

Die Nebenbedingungen (II) stellen sicher, dass die eingeplante Verkaufsmenge im Laufe jeder Periode i den Lagerbestand, der zu Beginn der Periode verfügbar ist, nicht übersteigt.

Aufgabe 1.3:

Entscheidungsvariablen:

x_i Anzahl der einzusetzenden Einheiten von Werbeträger i = 1, 2, 3

Zielfunktion: Wie viele Einheiten x_i der Werbeträger i sind einzusetzen, so dass die Anzahl der erreichbaren Personen maximal ist? Damit lautet die Zielfunktion formal:

Maximiere $F(\mathbf{x}) = \sum_{i=1}^{3} p_i x_i$

Nebenbedingungen:

a) Mindest- und Höchstanzahl für eingesetzte Einheiten: $L_i \le x_i \le U_i$ für i = 1, 2, 3

b) Mindestens q Prozent der erreichbaren Personen sind solche mit höherem Einkommen:

$$\sum_{i=1}^{3} h_i x_i \ge \frac{q}{100} \cdot \sum_{i=1}^{3} p_i x_i$$

c) Mindestens z Männer über 25 Jahren sind zu erreichen: $\sum_{i=1}^{3} m_i x_i \ge z$

d) Budgetbegrenzung: $\sum_{i=1}^{3} k_i x_i \le b$

Aufgabe 1.4:

a) Wir nummerieren die möglichen Schichtanfänge (0, 4, 8, 12, 16, 20 Uhr) mit i = 1,...,6. Für die zu diesen Zeitpunkten jeweils beginnende Anzahl an Mitarbeitern führen wir *ganzzahlige Entscheidungsvariablen* x_i (i=1,...,6) ein.

Im folgenden *ganzzahligen LP* wird die Gesamtanzahl der zu den verschiedenen Zeitpunkten beginnenden Mitarbeiter minimiert. In den Nebenbedingungen ist zu berücksichtigen, dass jede Schicht zwei aufeinander folgende 4-Stunden-Zeiträume überlappt und somit stets Mitarbeiter aus zwei unterschiedlichen Schichten gleichzeitig tätig sind.

Minimiere $F(x_1,...,x_6) = x_1 + x_2 + x_3 + x_4 + x_5 + x_6$

unter den Nebenbedingungen

$$\begin{array}{llllllllllll}
x_1 & + & x_2 & & & & & & & & \ge & 8 \\
& & x_2 & + & x_3 & & & & & & \ge & 10 \\
& & & & x_3 & + & x_4 & & & & \ge & 8 \\
& & & & & & x_4 & + & x_5 & & \ge & 14 \\
& & & & & & & & x_5 & + x_6 & \ge & 5 \\
x_1 & & & & & & & & & + x_6 & \ge & 3 \\
& & & & & & & & & x_1,...,x_6 & \ge & 0 \text{ und ganzzahlig}
\end{array}$$

Bei Einsatz einer Standardsoftware (vgl. Kap. 11) erhält man den optimalen Zielfunktionswert $F(\mathbf{x}^*) = 27$. Unter zahlreichen Lösungen, die diese minimale Mitarbeiteranzahl erlauben, seien $\mathbf{x}^* = (0,8,2,6,8,3)$ bzw. $\mathbf{x}^* = (0,10,0,12,2,3)$ genannt.

Auch wenn man den Simplex-Algorithmus (vgl. Kap. 2) ohne Berücksichtigung der Ganzzahligkeitsbedingungen anwendet, so erhält man eine optimale ganzzahlige Lösung. Dies beruht auf der speziellen Struktur des Nebenbedingungssystems (totale Unimodularität[1] der Koeffizientenmatrix), die garantiert, dass sämtliche Entscheidungsvariablen ganzzahlige Werte annehmen.

b) Wir bezeichnen den in Schicht i (i = 1,...,6) pro Person zu zahlenden Lohn mit c_i. Betrachten wir etwa die Schicht i = 1, so ist für 6 Stunden (von 0 bis 6 Uhr) der um 40% erhöhte Nachtlohn von 14 € und für 2 Stunden (von 6 bis 8 Uhr) der Normallohn von 10 € zu zahlen. Daher ergeben sich $c_1 = 6 \cdot 14 + 2 \cdot 10 = 104$ € sowie $c_2 = 88$, $c_3 = c_4 = 80$, $c_5 = 88$ und $c_6 = 104$.

Die *Zielfunktion* lautet: $F(\mathbf{x}) = 104x_1 + 88x_2 + 80x_3 + 80x_4 + 88x_5 + 104x_6$

Der optimale Zielfunktionswert ist $F(\mathbf{x}) = 2312$ €. Zwei auch für den Aufgabenteil a) optimale Lösungen sind $\mathbf{x}^* = (3, 5, 5, 9, 5, 0)$ bzw. $\mathbf{x}^* = (0, 8, 2, 12, 2, 3)$.

Aufgabe 1.5:

Man erhält das Modell, indem man zunächst alle *effizienten Schnittmuster* zum Zuschnitt von Rollen mit 62, 55 bzw. 40 cm Breite aus dem Rohling bildet. Ein Schnittmuster ist genau dann effizient, wenn der nicht genutzte Teil (Verschnitt) des Rohlings kleiner als 40 cm ist.

Für jedes effiziente Schnittmuster führen wir eine *ganzzahlige Variable* x_i ein, die angibt, wie oft das Schnittmuster verwendet werden soll; der jeweilige Verschnitt wird durch den Parameter v_i angegeben. Für unser Problem ergeben sich zehn effiziente Schnittmuster:[2]

x_1:	3×62 cm = 186 cm	$v_1 = 24$ cm
x_2:	$2 \times 62 + 1 \times 55 = 179$ cm	$v_2 = 31$ cm
x_3:	$2 \times 62 + 2 \times 40 = 204$ cm	$v_3 = 6$ cm
x_4:	$1 \times 62 + 2 \times 55 = 172$ cm	$v_4 = 38$ cm
x_5:	$1 \times 62 + 1 \times 55 + 2 \times 40 = 197$ cm	$v_5 = 13$ cm
x_6:	$1 \times 62 + 3 \times 40 = 182$ cm	$v_6 = 28$ cm
x_7:	$3 \times 55 + 1 \times 40 = 205$ cm	$v_7 = 5$ cm
x_8:	$2 \times 55 + 2 \times 40 = 190$ cm	$v_8 = 20$ cm
x_9:	$1 \times 55 + 3 \times 40 = 175$ cm	$v_9 = 35$ cm
x_{10}:	$5 \times 40 = 200$ cm	$v_{10} = 10$ cm

Das Verschnittproblem lässt sich nun durch das folgende *ganzzahlige LP* abbilden:

1 Eine Matrix heißt **total unimodular**, wenn sie nur ganzzahlige Koeffizienten enthält und die Determinante jeder quadratischen Teilmatrix nur die Werte 0, –1 oder 1 besitzt. Lineare Optimierungsprobleme mit einer total unimodularen Koeffizientenmatrix besitzen stets Pivotelemente mit Wert 1 oder –1; durch Pivottransformation verliert man diese Eigenschaft nicht. Dies bedeutet, dass bei ganzzahliger rechter Seite ganzzahlige (Basis-) Lösungen entstehen. Siehe hierzu sowie zu einfachen hinreichenden, aber nicht notwendigen Bedingungen für totale Unimodularität Domschke und Drexl (2005, Satz 4.3 und 4.4).

2 Siehe zu weiteren Verschnittproblemen und Lösungsmöglichkeiten u.a. Neumann und Morlock (2002, Kap. 3.4). Ferner enthält Aufgabe 6.3 ebenfalls ein Verschnittproblem.

Minimiere $F(x_1,...,x_{10}) = x_1 + x_2 +...+ x_{10}$

unter den Nebenbedingungen

$$
\begin{array}{lr}
3x_1 + 2x_2 + 2x_3 + x_4 + x_5 + x_6 \geq 30 & \text{(Breite 62)} \\
x_2 + 2x_4 + x_5 + 3x_7 + 2x_8 + x_9 \geq 60 & \text{(Breite 55)} \\
2x_3 + 2x_5 + 3x_6 + x_7 + 2x_8 + 3x_9 + 5x_{10} \geq 60 & \text{(Breite 40)} \\
x_i \geq 0 \text{ und ganzzahlig} \quad \text{für } i = 1,...,10 &
\end{array}
$$

Die zu minimierende Gesamtanzahl benötigter Rohlinge ergibt sich durch Summieren der Entscheidungsvariablen x_i, da diese angeben, wie oft die verschiedenen Schnittmuster i zur Anwendung kommen. Multipliziert man x_i jeweils mit der Häufigkeit, mit der eine bestimmte Breite im Schnittmuster i enthalten ist, und summiert diese Werte, so ergibt sich die Anzahl der zugeschnittenen Rollen der betreffenden Breite (linke Seiten der Nebenbedingungen). Diese sollen gerade den vorgegebenen Bedarfen (rechte Seiten) entsprechen. Da nur effiziente Schnittmuster berücksichtigt werden, ist es jedoch nicht immer möglich, alle geforderten Bedarfe genau zu erfüllen, so dass wir die Nebenbedingungen nicht als Gleichungen formulieren können. Sollten in einer Lösung des Modells überzählige Rollen bestimmter Breiten enthalten sein, kann einfach auf deren Zuschnitt verzichtet werden, ohne dass dadurch ein Rohling eingespart werden könnte.

Aufgabe 1.6:

Entscheidungsvariablen:

z_{ij} Anzahl der von Typ i = 1,...,n auf Linie j = 1,...,m einzusetzenden Flugzeuge

Damit erhalten wir das folgende *ganzzahlige Modell*:

Maximiere $F(\mathbf{z}) = \sum_{j=1}^{m} p_j \cdot \min \{q_j, \sum_{i=1}^{n} c_{ij} z_{ij}\} - \sum_{i=1}^{n} \sum_{j=1}^{m} k_{ij} z_{ij}$

unter den Nebenbedingungen

$\sum_{j=1}^{m} z_{ij} \leq a_i$ für i = 1,...,n

$z_{ij} \geq 0$ und ganzzahlig für alle i und j

Die Zielfunktion und damit auch das Optimierungsmodell lassen sich *linearisieren*, indem man zusätzlich jeweils eine *ganzzahlige Variable* x_j für die auf Linie j insgesamt zu transportierende Passagieranzahl einführt:

Maximiere $F(\mathbf{x},\mathbf{z}) = \sum_{j=1}^{m} p_j x_j - \sum_{i=1}^{n} \sum_{j=1}^{m} k_{ij} z_{ij}$

unter den bisherigen Nebenbedingungen sowie

$x_j \leq q_j$ für j = 1,...,m

$x_j \leq \sum_{i=1}^{n} c_{ij} z_{ij}$ für j = 1,...,m

$x_j \geq 0$ und ganzzahlig für j = 1,...,m

Aufgabe 1.7:

a) Nebenstehende Graphik zeigt die beobachteten Wertepaare (x_i, y_i) sowie die in b) und c) berechneten Regressionsgeraden.

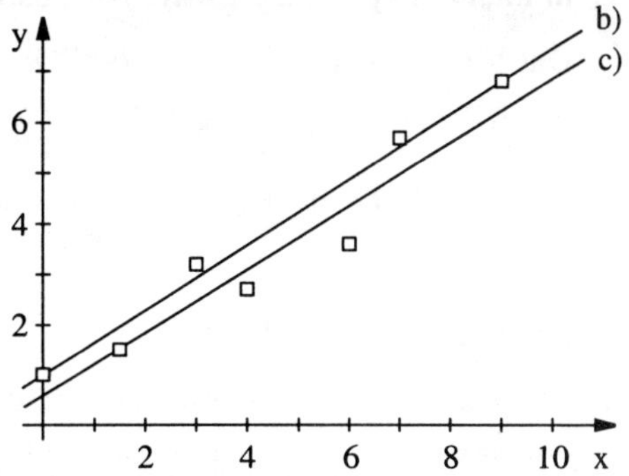

b) Unter Verwendung von *nichtnegativen Variablen* a und b für die gesuchten Parameter sowie u_i bzw. v_i für Abweichungen der Beobachtungswerte y_i von der zugehörigen Schätzung $a+bx_i$ nach oben bzw. unten lässt sich das folgende *LP* formulieren:

Minimiere $F(a,b,\mathbf{u},\mathbf{v}) = \sum_{i=1}^{7} (u_i+v_i)$

unter den Nebenbedingungen

$a+bx_i+u_i-v_i = y_i$ für $i = 1,...,7$

$a, b, u_i, v_i \geq 0$

Als Lösung erhält man $a = 1$, $b = 0.644$, $F = 3.07$. Die größte Abweichung beträgt $v_5 = 1.27$.

c) Möchte man den maximalen Abstand minimieren, so lautet die *Zielfunktion*:

Minimiere $F(a,b,\mathbf{u},\mathbf{v},z) = z$

unter den Nebenbedingungen von Teilaufgabe b) sowie

$u_i \leq z$ und $v_i \leq z$ für $i = 1,...,7$

Als Lösung erhält man a = 0.59, b = 0.625 und F = 0.74. Die größte Abweichung von z = 0.74 ergibt sich für die Wertepaare (3,3.2) und (6,3.6).

Aufgabe 1.8:

a) *Entscheidungsvariablen*:

x_{ij} Produktionsmenge des Produkts i in Zeitintervall j

y_{ij} Verkaufsmenge des Produkts i in Zeitintervall j

Es ergibt sich das folgende *ganzzahlige LP*:

Maximiere $DB(\mathbf{x},\mathbf{y}) = \sum_{i=1}^{m} \sum_{j=1}^{3} (p_i y_{ij} - k_i x_{ij})$

unter den Nebenbedingungen

$\sum_{k=1}^{j} y_{ik} \leq \sum_{k=1}^{j} x_{ik}$ für alle $i = 1,...,m$; $j = 1,...,3$

$\sum_{i=1}^{m} c_i x_{ij} \leq Q$ für alle $j = 1,...,3$

$y_{ij} \leq b_{ij}$ für alle $i = 1,...,m$; $j = 1,...,3$

$x_{ij}, y_{ij} \geq 0$ und ganzzahlig für alle $i = 1,...,m$; $j = 1,...,3$

b) Wir benötigen eine *zusätzliche Binärvariable* z_j mit j=1, 2, 3, die den Wert 1 erhält, wenn in Intervall j produziert wird, und ansonsten den Wert 0.

Das Modell ist wie folgt zu modifizieren:

Maximiere $F(\mathbf{x},\mathbf{y},\mathbf{z}) = \sum_{i=1}^{m}\sum_{j=1}^{3}(p_i\,y_{ij}-k_i\,x_{ij})-\sum_{j=1}^{3}K_B\cdot z_j$

unter den Nebenbedingungen von Teilaufgabe b) sowie

$\sum_{i=1}^{m} x_{ij} \le M\cdot z_j$ für j = 1, 2, 3

mit hinreichend großer Zahl M

c) Die folgende Nebenbedingung ist zusätzlich einzufügen:

$\sum_{i=1}^{m}\sum_{j=1}^{3} b_{ij}\,c_i \le Q$

Aufgabe 1.9:

a) Wir definieren für jede der n = 47 Buchstabenkombinationen eine *binäre Variable*:

$$x_j = \begin{cases} 1 & \text{falls Buchstabenkombination j ausgewählt wird} \\ 0 & \text{sonst} \end{cases} \qquad \text{für } j = 1,...,n$$

Zur Bewertung der Buchstabenkombinationen verwenden wir folgende *Parameter*:

c_{ij} Wert des i-ten Buchstabens der j-ten Kombination (für i = 1, 2, 3 und j = 1,...,n)

Damit lässt sich das Problem wie folgt als binäres LP darstellen:

Maximiere $F(\mathbf{x}) = \sum_{j=1}^{n}\sum_{i=1}^{3} c_{ij}\,x_j$ (Maximiere die Summe der Buchstabenwerte)

unter den Nebenbedingungen

$\sum_{j=1}^{n} x_j = 8$ (Auswahl von genau acht Buchstabenkombinationen)

$\sum_{j=1}^{n}(c_{1j}-c_{2j})\cdot x_j<0$ (ebenfalls möglich: $\sum_{j=1}^{n}(c_{1j}-c_{2j})\cdot x_j \le -1$)

$\sum_{j=1}^{n}(c_{1j}-c_{3j})\cdot x_j<0$ (ebenfalls möglich: $\sum_{j=1}^{n}(c_{1j}-c_{3j})\cdot x_j \le -1$)

$x_j \in \{0,1\}$ für j = 1,...,n

b) Eine Möglichkeit der Ergänzung des Modells besteht darin, die ursprüngliche Zielfunktion als zu satisfizierende Nebenbedingung zu formulieren:

$\sum_{j=1}^{n}\left(\sum_{i=1}^{3} c_{ij}\right)\cdot x_j = \alpha$ (mit $\alpha = 330$ in unserem Fall)

Als neue Zielfunktion erhalten wir:

Maximiere $F(\mathbf{x}) = \sum_{j=1}^{n} c_{1j}\cdot x_j$

c) Aufgrund der Aufgabenstellung gilt: $\sum_{j=1}^{n} c_{1j}\cdot x_j = 108$

Wegen obiger Nebenbedingung $\Sigma_j\,(c_{1j}-c_{3j})\cdot x_j<0$ gilt $\Sigma_j\,c_{3j}\cdot x_j\ge 109$, und damit verbleibt für $\Sigma_j\,c_{2j}\cdot x_j$ höchstens 113 = 330 – 109 – 108. Es kann also unter den gegebenen Voraussetzungen keine bezüglich a) optimale Lösung mit einem Wert von mehr als 114 für die Summe der jeweils zweiten Buchstabenwerte geben.

Kapitel 2: Lineare Optimierung

Aufgabe 2.1:

Lösen Sie zeichnerisch die folgenden LP-Modelle:

a) $\text{Max. } F(x,y) = 4x + 3y$

$$\begin{aligned} x + 3y &\leq 9 \\ -x + 2y &\geq 2 \\ x, y &\geq 0 \end{aligned}$$

b) $\text{Max. } F(x,y) = x + y$

$$\begin{aligned} 5x + y &\leq 10 \\ x + 2y &\leq 6 \\ x - y &\geq 1 \\ x, y &\geq 0 \end{aligned}$$

c) $\text{Max. } F(x,y) = x - y$

$$\begin{aligned} 2x - y &\leq 0 \\ x + 2y &\leq 1 \\ 2x + y &\geq 2 \\ x, y &\geq 0 \end{aligned}$$

d) $\text{Max. } F(x,y) = 2x + y$

$$\begin{aligned} -x + y &\leq 1 \\ x + 3y &\geq 6 \\ x, y &\geq 0 \end{aligned}$$

e) $\text{Max. } F(x,y) = 4x + 3y$

$$\begin{aligned} n(n-1)x + ny &\leq n + (n-1)^2 \qquad \text{für } n = 1,2,\ldots \\ x, y &\geq 0 \end{aligned}$$

Aufgabe 2.2:

Formulieren Sie zur Lösung der folgenden Probleme jeweils ein LP und bestimmen Sie graphisch eine optimale Lösung!

a) Eine Bergwerksgesellschaft besitzt zwei verschiedene Gruben (bzw. Minen), in denen bestimmte Erzarten gefördert werden. Die Gruben befinden sich in verschiedenen Landesteilen und verfügen über unterschiedliche Kapazitäten. Nach dem Brechen werden bei Erz drei Klassen unterschieden, grob-, mittel- und feinkörniges Erz. Nach jeder Erzart besteht eine gewisse Nachfrage. Die Bergwerksgesellschaft konzentriert sich darauf, einem Hüttenwerk wöchentlich mindestens 12t grob-, 8t mittel- und 24t feinkörniges Erz zu liefern. Die Betriebskosten für die Gruben sind 200 GE pro Tag bei Grube 1 und 160 GE bei Grube 2. In der Grube 1 werden dabei pro Tag 6t grob-, 2t mittel- und 4t feinkörniges Erz gefördert, während die zweite Grube eine tägliche Leistung von 2t grob-, 2t mittel- und 12t feinkörnigem Erz hat. Wie viele Tage sollte jede der Gruben pro Woche befahren werden, um die Aufträge der Firma auf wirtschaftliche Weise zu erfüllen?

b) Der Automobilfabrikant Dingeldein stellt in zwei Werken Personenkraftwagen (PKW) und Lastkraftwagen (LKW) her. Im ersten Werk, in dem die grundlegenden Montagearbeiten durchgeführt werden, werden fünf Mann-Tage pro LKW und zwei Mann-Tage pro PKW benötigt. Im zweiten Werk, in dem die Endmontage erfolgt, sind pro PKW und pro LKW je drei Mann-Tage notwendig. Die Kapazität des ersten Werkes beträgt 180 und die des zweiten Werkes 135 Mann-Tage pro Woche. Wie viele PKW und LKW sollte der Fabrikant herstellen, um seinen Gewinn zu maximieren? Als weitere Information ist bekannt, dass der Fabrikant an einem LKW 3000 GE und an einem PKW 2000 GE verdient.

Aufgabe 2.3:

Gegeben sei das nebenstehende LP mit einem positiven Parameter β_i.

Man bestimme für $\beta_1 = 18$, $\beta_2 = 12$ und $\beta_3 = 6$ jeweils graphisch die Menge der zulässigen und die Menge der optimalen Lösungen!

Maximiere $F(x_1, x_2) = 2x_1 + x_2$

unter den Nebenbedingungen

$$\begin{aligned} 2x_1 - 5x_2 &\geq 0 \\ x_1 + 2x_2 &\geq 9 \\ 2x_1 + x_2 &\leq \beta_i \\ x_1, x_2 &\geq 0 \end{aligned}$$

Aufgabe 2.4:

Lösen Sie das folgende lineare Gleichungssystem nach x_1, x_2 und x_3 auf und bestimmen Sie eine Lösung des Systems mit nichtnegativen Variablenwerten, für welche die Funktion $F(x_1,...,x_6) = 20 - 5x_1 - 3x_2 + 2x_3 - 23x_4 + 5x_5 - 16x_6$ einen maximalen Wert annimmt:

$$\begin{aligned} 2x_1 + x_2 - 3x_3 + 13x_4 - 4x_5 + 9x_6 &= 0 \\ 3x_1 - x_2 - 2x_3 + 12x_4 - x_5 - 4x_6 &= 0 \\ x_1 + 2x_2 - x_3 + 7x_4 - 3x_5 + 9x_6 &= 2 \end{aligned}$$

Aufgabe 2.5:

Untersuchen Sie, ob $\mathbf{x} = (12, 13, 6, 0)$ eine optimale Lösung des Ungleichungssystems

$$\begin{aligned} 2x_1 + 3x_2 + 4x_3 + x_4 &\leq 87 \\ x_1 + x_2 + 5x_3 + 2x_4 &\leq 55 \\ 3x_1 + x_2 + 2x_3 + x_4 &\leq 61 \\ x_1, x_2, x_3, x_4 &\geq 0 \end{aligned}$$

bezüglich der zu maximierenden Zielfunktion $F(x_1,...,x_4) = 17x_1 + 9x_2 + 20x_3 + 8x_4$ ist!

Aufgabe 2.6:

Das System $A\mathbf{x} = \mathbf{b}$, $x_1 \in \mathbb{R}$, $x_i \geq 0$ für $i = 2,...,n$ geht durch die Substitution $x_1 := x_1' - x_1''$ mit $x_1' \geq 0$ und $x_1'' \geq 0$ in ein LP mit nichtnegativen Entscheidungsvariablen über.

Zeigen Sie, dass in jeder Basislösung $x_1' \cdot x_1'' = 0$ gilt!

Aufgabe 2.7:

Die Firma Wichtelmann GmbH & Co. KG fertigt Vorgartenzwerge. Interessierten Kleingärtnern steht folgendes reichhaltige Sortiment zur Auswahl:

1) Wächter-Zwerg Hugo mit Laterne und Hellebarde, besonders romantisch.
2) Gärtner-Zwerg Jan mit Schaufel, besonders eindrucksvoll in Blumenbeeten.
3) Räuberhauptmann-Zwerg Hotzenplotz, Luxusausführung.
4) Seemanns-Zwerg Freddy mit Akkordeon, singt auf Wunsch 10 einfühlsame Seemannslieder, ideal für den seefahrtsliebenden Gärtner.
5) Zwerg Anton mit Pfeife, kartenspielend, für gesellige Gärtner.

Für die Herstellung der Zwerge werden drei verschiedene Tonarten A, B, C verwendet, von denen jeweils nur ein begrenzter Vorrat pro Periode zur Verfügung steht. Je nach Artikel werden unterschiedliche Mengen Ton (gemessen in kg) zur Herstellung eines Zwerges benötigt. Gesucht ist das gewinnmaximale Produktionsprogramm für die nächste Periode, wenn man davon ausgeht, dass die hergestellten Produkte vollständig abgesetzt werden können. Die planungsrelevanten Daten sind in obiger Tabelle zusammengestellt.

Tonart	Tonbedarf pro ME des Artikels					Vorrat
	1	2	3	4	5	
A	1	2	1	0	1	100
B	0	1	1	1	1	80
C	1	0	1	1	0	50
Gewinn/ME	2	1	3	1	2	

a) Formulieren Sie ein LP, dessen Lösung das gewinnmaximale Produktionsprogramm pro Periode angibt!

b) Errechnen Sie die optimale Lösung mit Hilfe des Simplex-Algorithmus!

c) Untersuchen Sie den Lösungsverlauf! Warum ergibt sich eine ganzzahlige Lösung?

d) Geben Sie eine ökonomische Interpretation des Optimaltableaus!

Aufgabe 2.8:

Ein Betrieb kann fünf Produkte P_i ($i = 1,...,5$) herstellen. Jedes der Produkte durchläuft drei Arbeitsprozesse A_1, A_2, A_3 auf Maschinen, die mit einer Kapazität von 6000, 2000 bzw. 1000 Maschinenstunden pro Woche zur Verfügung stehen. Der Kapazitätsbedarf an Maschinenstunden pro ME der einzelnen Produkte ist nebenstehender Tabelle zu entnehmen.

	P_1	P_2	P_3	P_4	P_5
A_1	2	6	6	4	5
A_2	5	1	1	4	4
A_3	12	6	8	20	10

Welche Mengen x_i der Produkte P_i sind pro Woche herzustellen, wenn der Gewinn 8, 9, 6, 12 bzw. 10 GE pro Einheit von $P_1, P_2,..., P_5$ ist und der Gesamtgewinn maximiert werden soll?

Aufgabe 2.9:

Lösen Sie das nebenstehende LP (siehe Domschke und Drexl (2005, Kap. 2.2)) mit dem Simplex-Algorithmus! Wählen Sie dabei als Pivotspalte nicht diejenige mit dem kleinsten negativen, sondern die erste mit negativem Wert bei Betrachtung der F-Zeile von links nach rechts (Pivotstrategie "first-fit")! Stellen Sie die Folge der Eckpunkte auf dem Weg zum Optimum graphisch dar und vergleichen Sie diese mit derjenigen, die sich bei Anwendung der üblichen Pivotstrategie "steepest ascent" ergibt!

Maximiere $F(\mathbf{x}) = 10x_1 + 20x_2$

unter den Nebenbedingungen

$$
\begin{aligned}
x_1 + x_2 &\le 100 && (1)\\
6x_1 + 9x_2 &\le 720 && (2)\\
x_2 &\le 60 && (3)\\
x_1, x_2 &\ge 0
\end{aligned}
$$

Aufgabe 2.10:

Ermitteln Sie sämtliche Basislösungen des nebenstehenden LPs, veranschaulichen Sie graphisch deren Lage, und berechnen Sie die optimale Lösung mit dem Simplex-Algorithmus!

Maximiere $F(\mathbf{x}) = 40x_1 + 30x_2$

unter den Nebenbedingungen

$$\begin{array}{rcrcl} x_1 &+& x_2 &\leq& 8 \quad (1)\\ 2x_1 &+& x_2 &\leq& 12 \quad (2)\\ 2x_1 &+& 3x_2 &\leq& 18 \quad (3)\\ && x_1, x_2 &\geq& 0 \end{array}$$

Aufgabe 2.11:

Gegeben ist das nebenstehende LP.

Bestimmen Sie eine (optimale) Lösung

a) mit der M-Methode und

b) mit dem primalen Simplex-Algorithmus!

Hinweis: Bevor Sie das jeweilige Verfahren anwenden, sollten Sie das Modell in die Maximierungsform mit ≤-Nebenbedingungen bzw. in die Normalform überführen.

Minimiere $F(\mathbf{x}) = x_1 + x_2 + 3x_3$

unter den Nebenbedingungen

$$\begin{array}{rcrcrcl} x_1 &-& x_2 && &\geq& -10\\ x_1 && &-& x_3 &\geq& 12\\ -x_1 &+& x_2 &+& x_3 &\geq& -8\\ 2x_1 &-& x_2 &+& x_3 &\geq& 2\\ &&&& x_1, x_2, x_3 &\geq& 0 \end{array}$$

Aufgabe 2.12:

Lösen Sie das nebenstehende LP mit Hilfe des Simplex-Algorithmus!

Hinweis: Ermitteln Sie eine zulässige Startlösung mit Hilfe des dualen Simplex-Algorithmus oder der M-Methode!

Minimiere $F(\mathbf{x}) = x_1 + x_2$

unter den Nebenbedingungen

$$\begin{array}{rcrcl} x_1 &+& 2x_2 &\geq& 6\\ 2x_1 &+& x_2 &\geq& 6\\ x_1 &+& x_2 &=& 4\\ && x_1, x_2 &\geq& 0 \end{array}$$

Aufgabe 2.13:

Gegeben ist das folgende Simplextableau. Es zeigt eine zulässige Basislösung eines erweiterten Modells, die unter Verwendung der M-Methode entstanden ist.

	x_1	x_2	x_3	x_4	x_5	y_1	y_2	b_i
	−1	2	5	1				15
		−1	3		−1	1		3
	2		−1				1	7
F	−4	1	2					0
M-Zeile	−2M	M	−2M		M			−10M

a) Geben Sie diese Basislösung explizit an!

b) Welches Maximierungsmodell P (ohne Schlupf- und künstliche Variablen) liegt dem erweiterten Tableau zugrunde? Wie bezeichnet man die Variablen x_1, x_2, x_3?

c) Gibt es eine zulässige Lösung für P? Wenn ja, geben Sie eine an!

d) Ermitteln Sie eine optimale Lösung von P! Wie viele optimale Lösungen gibt es, und woran lässt sich dies erkennen?

Aufgabe 2.14:

Gegeben sei das nebenstehende LP.

Maximiere $F(\mathbf{x}) = 6x_1 + 4x_2$
unter den Nebenbedingungen

$$\begin{aligned} x_1 + 2x_2 &\leq 8 \\ 3x_1 + x_2 &\leq 9 \\ x_1, x_2 &\geq 0 \end{aligned}$$

a) Wie lautet das dazu duale LP?

b) Geben Sie das duale LP in Maximierungsform mit ≤-Nebenbedingungen an und berechnen Sie eine Optimallösung mit dem dualen Simplex-Algorithmus!

c) Bestimmen Sie anhand des Optimaltableaus des dualen LPs die Optimallösung des primalen LPs!

Aufgabe 2.15:

Seien A eine reellwertige Matrix mit m Zeilen und n Spalten, **b** ein reellwertiges m-Tupel und **c** ein reellwertiges n-Tupel; dann sind die beiden folgenden LPe zueinander dual:

Maximiere $\mathbf{c}^T\mathbf{x}$	Minimiere $\mathbf{b}^T\mathbf{y}$
unter den Nebenbedingungen	unter den Nebenbedingungen
$A\mathbf{x} \leq \mathbf{b}$	$A^T\mathbf{y} \geq \mathbf{c}$
$\mathbf{x} \geq \mathbf{0}$	$\mathbf{y} \geq \mathbf{0}$

Man zeige, dass unter den genannten Voraussetzungen

(1) Maximiere $\mathbf{c}^T\mathbf{x}$ unter den Nebenbedingungen $A\mathbf{x} = \mathbf{b}$ und $\mathbf{x} \geq \mathbf{0}$

(2) Minimiere $\mathbf{b}^T\mathbf{y}$ unter den Nebenbedingungen $A^T\mathbf{y} \geq \mathbf{c}$ und $\mathbf{y} \in \mathbb{R}^m$

zueinander duale LPe sind!

Hinweis: Man verwende ggf. die Lösung der Aufgabe 2.6!

Aufgabe 2.16:

Es soll ein Ernährungsplan mit minimalen Kosten erstellt werden, bei dem mindestens 21 ME Kalorien und mindestens 12 ME Vitamine pro Essensration angeboten werden. Dafür stehen fünf Lebensmittelsorten zur Verfügung, aus denen sich der Kalorien- bzw. Vitamingehalt (K bzw. V) wie folgt ermitteln lässt:

$$\begin{aligned} K &= x_1 + x_3 + x_4 + 2x_5 \\ V &= x_2 + 2x_3 + x_4 + x_5 \end{aligned} \qquad (x_i = \text{Menge des Lebensmittels } i)$$

Die Kosten für die Lebensmittel betragen pro Ration:

$$F(\mathbf{x}) = 20x_1 + 20x_2 + 31x_3 + 11x_4 + 12x_5$$

a) Formulieren Sie diese Aufgabe als LP!

b) Formulieren Sie das dazu duale LP!

c) Ermitteln Sie eine Lösung des primalen LPs, indem Sie zunächst das duale LP graphisch lösen und anschließend die gesuchte Lösung mit Hilfe der Dualitätstheorie herleiten!

Aufgabe 2.17:

Gegeben sei das nebenstehende LP-Modell P.

$$\text{Maximiere } F(\mathbf{x}) = 2x_1 + x_2 + 3x_3 + x_4$$

unter den Nebenbedingungen

$$\begin{array}{rcrcrcrcr} x_1 & + & x_2 & + & x_3 & + & x_4 & \le & 5 \\ -2x_1 & + & x_2 & - & 3x_3 & & & = & 4 \\ -x_1 & & & + & x_3 & - & x_4 & \le & -1 \end{array}$$

$$x_1, x_3 \ge 0 \text{ sowie } x_2, x_4 \in \mathbb{R}$$

a) Geben Sie das zu P duale Modell D an! Ermitteln Sie dabei D durch direkte Anwendung der Dualisierungsregeln auf P, ohne dieses Modell vorher zu transformieren!

b) Formulieren Sie ein zu P äquivalentes Modell P1, das ausschließlich Gleichheitsrestriktionen sowie nichtnegative Variablen enthält!

c) Geben Sie das zu P1 duale Modell D1 an!

d) Sind die Modelle D und D1 äquivalent?

Aufgabe 2.18:

Gegeben sei das nebenstehende LP.

$$\text{Maximiere } F(\mathbf{x}) = 3x_1 + 5x_2$$

unter den Nebenbedingungen

$$\begin{array}{rcrcr} x_1 & & & \le & 4 \\ & & 2x_2 & \le & 12 \\ 3x_1 & + & 2x_2 & \le & 18 \\ & & x_1, x_2 & \ge & 0 \end{array}$$

a) Bestimmen Sie eine optimale Lösung mit Hilfe des revidierten Simplex-Algorithmus!

b) Verwenden Sie zur Bestimmung einer optimalen Lösung den Simplex-Algorithmus mit impliziter Berücksichtigung oberer Schranken!

Aufgabe 2.19:

Lösen Sie das nebenstehende LP durch Anwendung des Simplex-Algorithmus mit impliziter Berücksichtigung oberer Schranken!

$$\text{Maximiere } F(\mathbf{x}) = 2x_1 + x_2$$

unter den Nebenbedingungen

$$\begin{array}{rcrcr} x_1 & - & x_2 & \le & 3 \\ x_1 & + & 2x_2 & \le & 16 \end{array}$$

$$x_1 \in [0,6], \; x_2 \in [0,5]$$

Aufgabe 2.20:

Gegeben ist folgendes LP:

Maximiere $F(\mathbf{x}) = 3x_1 + x_2 + 4x_3 \; (= c_1x_1 + c_2x_2 + c_3x_3)$

unter den Nebenbedingungen

$$\begin{array}{rcrcrcrl} 6x_1 & + & 3x_2 & + & 5x_3 & \le & 25 & (= b_1) \\ 3x_1 & + & 4x_2 & + & 5x_3 & \le & 20 & (= b_2) \\ & & x_1, x_2, x_3 & & & \ge & 0 & \end{array}$$

a) Lösen Sie das Problem mit dem primalen Simplex-Algorithmus!

b) Betrachten Sie unabhängig voneinander folgende Datenänderungen, und ermitteln Sie die jeweilige optimale Lösung, ausgehend von dem in a) erhaltenen Optimaltableau:

(i) $b_1 = 10$ (ii) $b_2 = 10$ (iii) $c_2 = 5$ (iv) $c_3 = 2$

c) In welchem Intervall $[b_k - b_k^-, b_k + b_k^+]$ können b_1 bzw. b_2 variiert werden, ohne dass die unter a) ermittelte optimale Basislösung die Optimalitätseigenschaft verliert, d.h. ohne dass ein Basistausch erforderlich wird?

d) In welchem Intervall $[c_k - c_k^-, c_k + c_k^+]$ können c_2 bzw. c_3 variiert werden, ohne dass die unter a) ermittelte optimale Basislösung ihre Optimalitätseigenschaft verliert?

Aufgabe 2.21:

Bestimmen Sie für das nebenstehende LP die optimalen Basislösungen und optimalen Zielfunktionswerte in Abhängigkeit des reellwertigen Parameters μ! Veranschaulichen Sie den Verlauf des Zielfunktionswertes F_μ in Abhängigkeit von μ!

Maximiere $F_\mu(x_1, x_2) = x_1 + x_2$

unter den Nebenbedingungen

$$
\begin{aligned}
2x_1 + x_2 &\le 8 + 2\mu \\
x_1 + 2x_2 &\le 7 + 7\mu \\
x_2 &\le 3 + 2\mu \\
x_1, x_2 &\ge 0
\end{aligned}
$$

Aufgabe 2.22:

Bestimmen Sie nichtnegative Variablenwerte x_1, x_2, x_3, x_4 unter Beachtung der nebenstehenden Nebenbedingungen so, dass die Funktion $F_1(\mathbf{x}) = x_1 - 3x_2 - 4x_3 + x_4$ maximiert wird und dabei die Summe $F_2(\mathbf{x}) = x_1 + x_2$ möglichst klein ist!

$$
\begin{aligned}
9x_1 + 2x_2 + x_3 + 2x_4 &\le 16 \\
4x_1 \qquad\quad - x_3 + x_4 &\le 1 \\
x_1 + x_2 + x_3 \qquad &\ge 6
\end{aligned}
$$

Aufgabe 2.23:

Ein Unternehmen fertigt drei Produkte. Es verfolgt damit neben dem langfristigen Gewinnziel weitere Zielsetzungen. In der nebenstehenden Tabelle sind das jeweils angestrebte Ziel, die Zielbeiträge der einzelnen Produkte pro ME und ein entsprechender Gewichtungsfaktor angegeben.

Zielart	Produkt			Gewichtungs-faktor
	1	2	3	
Gewinn	12	9	15	0.5
Prestige	5	3	4	0.2
Umweltvertr.	5	7	8	0.3

Bezeichnet man mit x_1, x_2 und x_3 die zu produzierenden Mengen der Produkte 1, 2 und 3, so ist das folgende Nebenbedingungssystem zu berücksichtigen:

$$
\begin{aligned}
6x_1 + 3x_2 + 5x_3 &\le 25 \quad \text{(Kapazitätsrestriktion im Produktionsbereich)} \\
3x_1 + 4x_2 + 5x_3 &\le 20 \quad \text{(Absatzrestriktion)} \\
x_1, x_2, x_3 &\ge 0
\end{aligned}
$$

a) Lösen Sie dieses Problem mit Mehrfachzielsetzung (Gewinnmaximierung; höchstmögliches Prestige des Unternehmens, das durch die einzelnen Produkte unterschiedlich beeinflusst wird; maximale Umweltverträglichkeit der Produkte) durch Zielgewichtung!

b) Bestimmen Sie eine Zielkompromisslösung auf der Grundlage der Minimierung von Abstandsfunktionen (siehe Domschke und Drexl (2005, Kap. 2.7.4)) mit $p = 1$ sowie $p = \infty$ und unter Verwendung der oben angegebenen Gewichtungen!

Aufgabe 2.24:

Gegeben sei das 2-Personen-Nullsummen-Matrixspiel mit der nebenstehenden Auszahlungsmatrix von Spieler B an Spieler A.

	b_1	b_2	b_3	b_4
a_1	–3	2	0	2
a_2	3	–1	1	–2
a_3	0	0	–2	–1

a) Man prüfe, ob sich die Matrix reduzieren lässt! Das ist immer dann der Fall, wenn es für Spieler A eine Strategie a_k gibt, die bei keiner Entscheidung von B günstiger ist als eine andere Strategie a_i. Man sagt, a_k wird von a_i *dominiert* oder a_k ist *ineffizient*. Entsprechend besitzt evtl. auch B eine oder mehrere dominierte bzw. ineffiziente Strategien.

b) Berechnen Sie den unteren und oberen Spielwert des verbleibenden Spiels!

c) Formulieren und lösen Sie für das Spiel ein LP! Geben Sie die optimalen Strategien des Spiels in der gemischten Erweiterung und den Spielwert an!

Aufgabe 2.25:

Das Papier-Stein-Schere-Knobeln ist ein 2-Personen-Nullsummen-Matrixspiel mit nebenstehender Auszahlungsmatrix von Spieler B an Spieler A.

	b_1 = Papier	b_2 = Stein	b_3 = Schere
a_1 = Papier	0	1	–1
a_2 = Stein	–1	0	1
a_3 = Schere	1	–1	0

a) Ermitteln Sie den unteren und oberen Spielwert des Spiels in reinen Strategien!

b) Bestimmen Sie optimale Strategien des Spiels in der gemischten Erweiterung mittels linearer Optimierung!

Lösungen zu Kapitel 2: Lineare Optimierung

Aufgabe 2.1:

a) Optimale Lösung:
$x^* = 2.4$, $y^* = 2.2$
$F^* = 16.2$

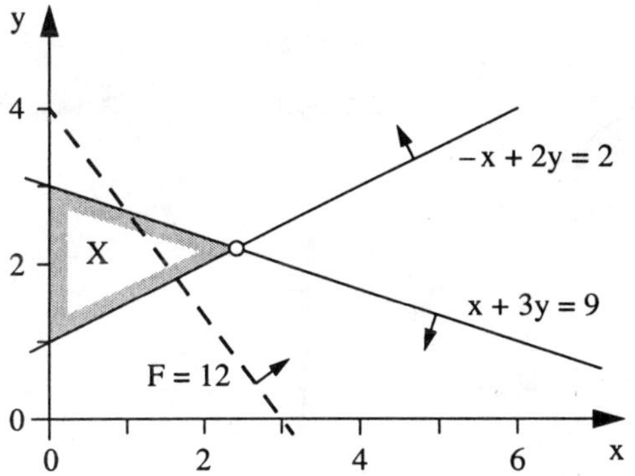

b) Optimale Lösung:
$x^* = 11/6 = 1.833$
$y^* = 5/6 = 0.833$
$F^* = 8/3 = 2.67$

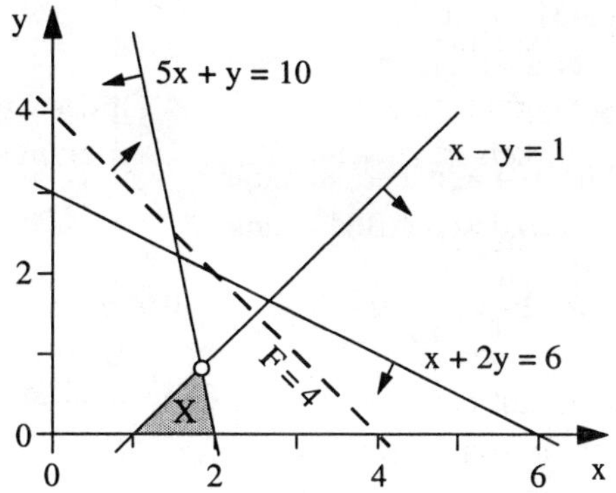

c) Es existiert keine zulässige Lösung.

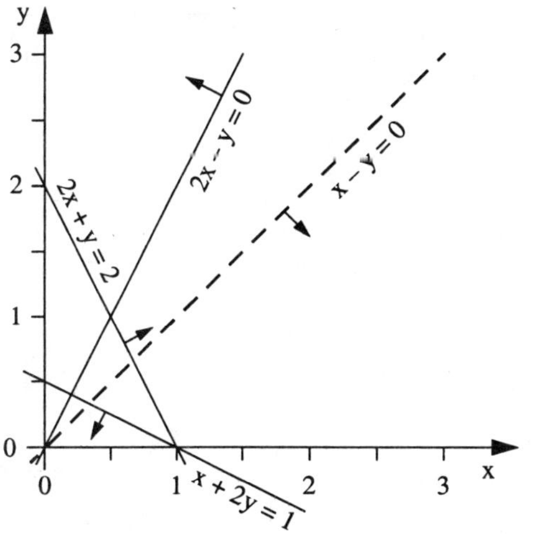

d) Der zulässige Bereich ist unbeschränkt. Der Zielfunktionswert lässt sich beliebig steigern; somit ist keine optimale Lösung angebbar.

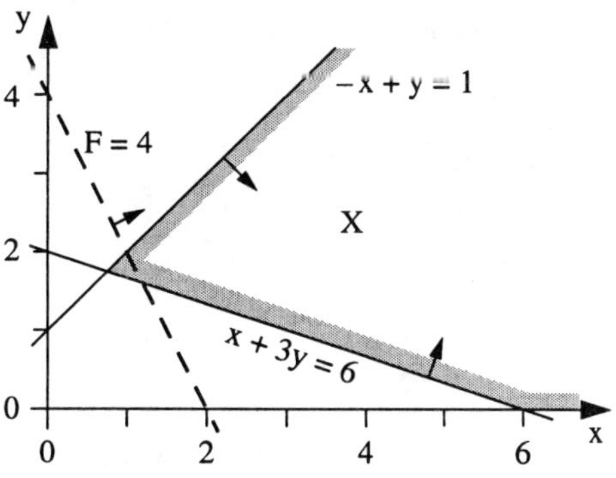

e) n = 1: $y \leq 1$

n = 2: $2x + 2y \leq 3$

n = 3: $6x + 3y \leq 7$

n = 4: $12x + 4y \leq 13$ usw.

Die optimale Lösung befindet sich im Schnittpunkt der Restriktionen für n = 2 und n = 3. Sie lautet $x^* = 0.833$, $y^* = 0.667$ und besitzt den Zielfunktionswert $F^* = 5.333$.

Für $n \to \infty$ nähert sich die Restriktion der Bedingung $x \leq 1$ an.

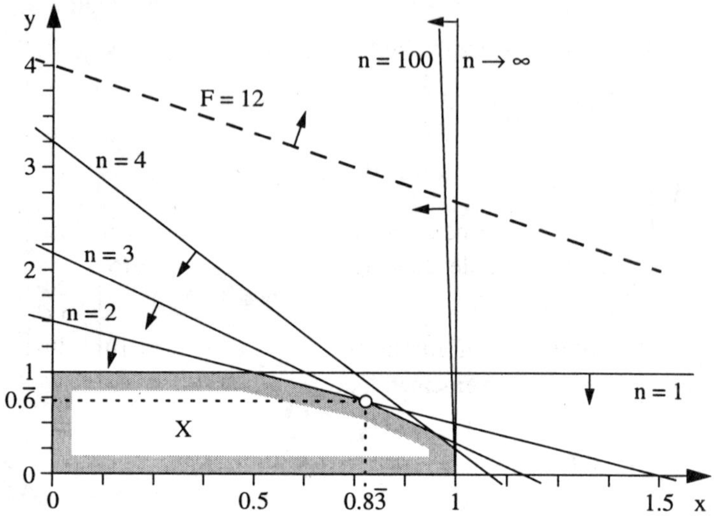

Aufgabe 2.2:

a) Formulierung als LP:

x_1 Anzahl der Arbeitstage in Grube 1

x_2 Anzahl der Arbeitstage in Grube 2

Minimiere $F(\mathbf{x}) = 200x_1 + 160x_2$

unter den Nebenbedingungen

$$6x_1 + 2x_2 \geq 12 \quad (1)$$
$$2x_1 + 2x_2 \geq 8 \quad (2)$$
$$4x_1 + 12x_2 \geq 24 \quad (3)$$
$$x_1, x_2 \leq 7 \quad (4)$$
$$x_1, x_2 \geq 0 \quad (5)$$

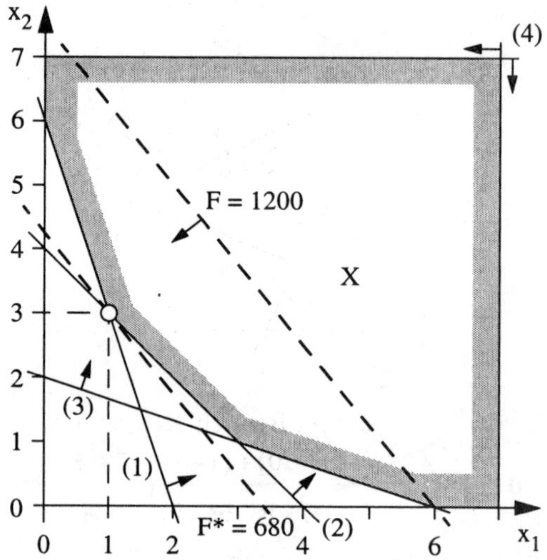

Die anhand der nebenstehenden Abbildung graphisch ermittelte optimale Lösung ist $x_1^* = 1$, $x_2^* = 3$ mit $F^* = 680$.

b) Formulierung als LP:

x_1 Anzahl der zu produzierenden LKW

x_2 Anzahl der zu produzierenden PKW

Minimiere $F(\mathbf{x}) = 3000x_1 + 2000x_2$

unter den Nebenbedingungen

$$5x_1 + 2x_2 \leq 180 \qquad (1)$$

$$3x_1 + 3x_2 \leq 135 \qquad (2)$$

$$x_1, x_2 \geq 0 \text{ und ganzzahlig}$$

Die anhand nebenstehender Abbildung graphisch ermittelte optimale Lösung ist $x_1^* = 30$, $x_2^* = 15$ und $F^* = 120000$.

Sie erfüllt die geforderte Ganzzahligkeit; dies ist bei LPen im Allgemeinen jedoch nicht der Fall.

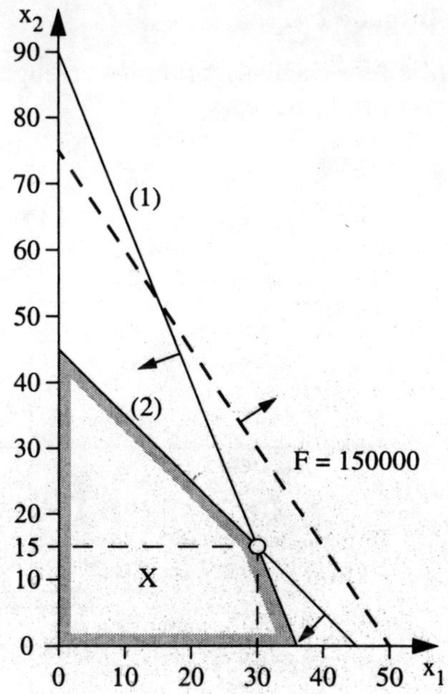

Aufgabe 2.3:

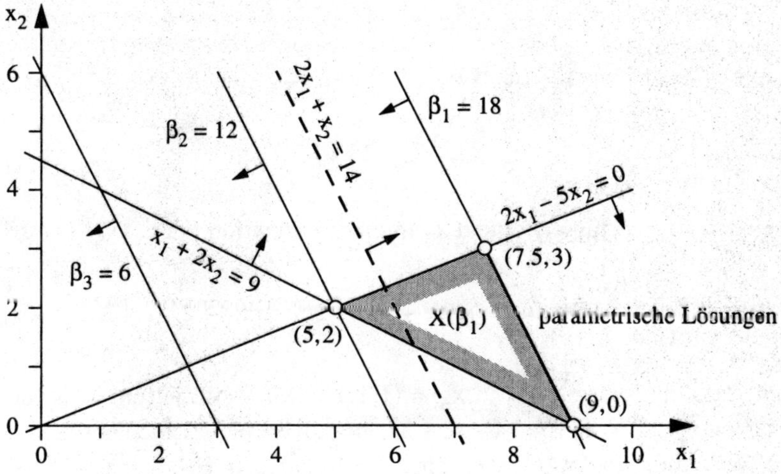

$\beta_1 = 18$: zulässiger Bereich $X(\beta_1)$, parametrische optimale Lösungen $\mathbf{x}^* = \lambda \cdot (9,0) + (1-\lambda) \cdot (7.5,3)$ mit $\lambda \in [0,1]$

$\beta_2 = 12$: $\mathbf{x}^* = (5,2)$ ist die einzige zulässige und damit optimale Lösung

$\beta_3 = 6$: Menge der zulässigen und damit der optimalen Lösungen ist leer

Aufgabe 2.4:

Mit dem Gauß-Algorithmus erzeugen wir unter den Variablen x_1, dann x_3 und schließlich x_2 einen Einheitsvektor.

$$
\begin{array}{rcrcrcrcrcrcr}
2x_1 & + & x_2 & - & 3x_3 & + & 13x_4 & - & 4x_5 & + & 9x_6 & = & 0 \\
3x_1 & - & x_2 & - & 2x_3 & + & 12x_4 & - & x_5 & - & 4x_6 & = & 0 \\
x_1 & + & 2x_2 & - & x_3 & + & 7x_4 & - & 3x_5 & + & 9x_6 & = & 2 \\
\hline
 & - & 3x_2 & - & x_3 & - & x_4 & + & 2x_5 & - & 9x_6 & = & -4 \\
 & - & 7x_2 & + & x_3 & - & 9x_4 & + & 8x_5 & - & 31x_6 & = & -6 \\
x_1 & + & 2x_2 & - & x_3 & + & 7x_4 & - & 3x_5 & + & 9x_6 & = & 2 \\
\hline
 & & 3x_2 & + & x_3 & + & x_4 & - & 2x_5 & + & 9x_6 & = & 4 \\
 & - & 10x_2 & & & - & 10x_4 & + & 10x_5 & - & 40x_6 & = & -10 \\
x_1 & + & 5x_2 & & & + & 8x_4 & - & 5x_5 & + & 18x_6 & = & 6 \\
\hline
 & & 3x_2 & + & x_3 & + & x_4 & - & 2x_5 & + & 9x_6 & = & 4 \\
 & & x_2 & & & + & x_4 & - & x_5 & + & 4x_6 & = & 1 \\
x_1 & + & 5x_2 & & & + & 8x_4 & - & 5x_5 & + & 18x_6 & = & 6 \\
\hline
\end{array}
$$

$$
\begin{array}{llll}
x_3 - 2x_4 + x_5 - 3x_6 = 1 & \Rightarrow & x_3 = 1 + 2x_4 - x_5 + 3x_6 & \text{(I)} \\
x_2 + x_4 - x_5 + 4x_6 = 1 & \Rightarrow & x_2 = 1 - x_4 + x_5 - 4x_6 & \text{(II)} \\
x_1 + 3x_4 - 2x_6 = 1 & \Rightarrow & x_1 = 1 - 3x_4 + 2x_6 & \text{(III)}
\end{array}
$$

Setzen wir nun diese Gleichungen für x_1, x_2 und x_3 in die Zielfunktion $F(x_1,...,x_6)$ ein, so erhalten wir:

$$
\begin{aligned}
F &= 20 - 5 + 15x_4 - 10x_6 - 3 + 3x_4 - 3x_5 + 12x_6 + 2 + 4x_4 - 2x_5 + 6x_6 - 23x_4 + 5x_5 - 16x_6 \\
&= 14 - x_4 - 8x_6
\end{aligned}
$$

Daraus ist ersichtlich, dass eine Lösung $(x_1,...,x_6) = (1,1,1,0,0,0)$ den Zielfunktionswert 14 erbringt. Da die Variablen x_4 und x_6 in $F = 14 - x_4 - 8x_6$ negative Koeffizienten besitzen, lässt sich F durch positive Werte für x_4 und x_6 nicht erhöhen. Da ferner x_5 in $F = 14 - x_4 - 8x_6$ nicht vorkommt, beeinflusst der Wert dieser Variablen den Zielfunktionswert nicht. Aufgrund des Gleichungssystems (I) – (III) ist erkennbar, dass x_5 beliebige reelle Werte aus dem Intervall [0,1] annehmen kann. Werte größer als 1 sind nicht möglich, weil dadurch x_3 negativ würde.

Aufgabe 2.5:

Transformation der Ungleichungen in Gleichungen durch Einführen von Schlupfvariablen x_5, x_6, x_7 liefert das folgende Simplextableau. Für die Transformation des ersten in das zweite Tableau geben wir die anzuwendenden Zeilenoperationen an; Pivotelemente werden durch eckige Klammern gekennzeichnet.

		x_1	x_2	x_3	x_4	x_5	x_6	x_7	b_i	
	x_5	2	3	4	1	1			87	$-4\cdot(*)$
	x_6	1	1	[5]	2		1		55	$:5$
	x_7	3	1	2	1			1	61	$-2\cdot(*)$
	F	–17	–9	–20	–8				0	$+20\cdot(*)$
	x_5	6/5	11/5		–3/5	1	–4/5		43	
(*)	x_3	1/5	1/5	1	2/5		1/5		11	
	x_7	[13/5]	3/5		1/5		–2/5	1	39	
	F	–13	–5		0		4		220	
	x_5		[25/13]		–9/13	1	–8/13	–6/13	25	
	x_3		2/13	1	5/13		3/13	–1/13	8	
	x_1	1	3/13		1/13		–2/13	5/13	15	
	F		–2		1		2	5	415	
	x_2		1		–9/25	13/25	–8/25	–6/25	13	
	x_3			1	11/25	–2/25	7/25	–1/25	6	
	x_1	1			4/25	–3/25	–2/25	11/25	12	
	F				7/25	26/25	34/25	113/25	441	

Das letzte Tableau enthält die optimale Basislösung $\mathbf{x}^* = (12, 13, 6, 0; 0, 0, 0)$ mit dem Zielfunktionswert $F^* = 441$.

Alternativ: Transformation der Ungleichungen in Gleichungen durch Einführen von Schlupfvariablen und Auflösen nach x_1, x_2 und x_3 liefert:

$$\begin{aligned} x_1 &= 12 - 4/25x_4 + 3/25x_5 + 2/25x_6 - 11/25x_7 \\ x_2 &= 13 + 9/25x_4 - 13/25x_5 + 8/25x_6 + 6/25x_7 \\ x_3 &= 6 - 11/25x_4 + 2/25x_5 - 7/25x_6 + 1/25x_7 \end{aligned}$$

Durch Einsetzen von x_1, x_2 und x_3 in die Zielfunktion erhalten wir:

$$\text{Maximiere } F(\mathbf{x}) = 441 - 7/25x_4 - 26/25x_5 - 34/25x_6 - 113/25x_7$$

Die Funktion nimmt ihr Maximum bei $x_4 = x_5 = x_6 = x_7 = 0$ an.

Aufgabe 2.6:

Das Produkt $x_1' \cdot x_1''$ kann nur dann ungleich Null sein, wenn x_1' und x_1'' Basisvariablen sind. Da sich die beiden zugehörigen Spaltenvektoren in der Koeffizientenmatrix A jedoch nur durch den Faktor -1 unterscheiden, sind sie linear abhängig und können somit nicht gleichzeitig in der Basis sein.

Aufgabe 2.7:

a) Das LP enthält die folgenden reellwertigen *Entscheidungsvariablen*:

x_i Produktionsmenge [in ME] für Gartenzwerg i = 1,...,5 pro Periode

Zielfunktion zur Bestimmung des gewinnmaximalen Produktionsprogramms:

Maximiere $F(\mathbf{x}) = 2x_1 + x_2 + 3x_3 + x_4 + 2x_5$

Nebenbedingungen: Der sich aufgrund des Produktionsprogramms ergebende Tonbedarf darf für keine der Tonarten A, B, C die vorrätige Menge überschreiten:

$$x_1 + 2x_2 + x_3 + x_5 \le 100 \quad \text{(Tonart A)}$$
$$x_2 + x_3 + x_4 + x_5 \le 80 \quad \text{(Tonart B)}$$
$$x_1 + x_3 + x_4 \le 50 \quad \text{(Tonart C)}$$

Nichtnegativitätsbedingungen: $x_1, x_2, x_3, x_4, x_5 \ge 0$

b) Bei Anwendung des Simplex-Algorithmus ergibt sich folgender Lösungsgang:

	x_1	x_2	x_3	x_4	x_5	x_6	x_7	x_8	b_i
x_6	1	2	1	0	1	1	0	0	100
x_7	0	1	1	1	1	0	1	0	80
x_8	1	0	[1]	1	0	0	0	1	50
F	–2	–1	– 3	–1	– 2	0	0	0	0
x_6	0	2	0	–1	1	1	0	–1	50
x_7	–1	1	0	0	[1]	0	1	–1	30
x_3	1	0	1	1	0	0	0	1	50
F	1	–1	0	2	– 2	0	0	3	150
x_6	[1]	1	0	–1	0	1	–1	0	20
x_5	–1	1	0	0	1	0	1	–1	30
x_3	1	0	1	1	0	0	0	1	50
F	–1	1	0	2	0	0	2	1	210
x_1	1	1	0	–1	0	1	–1	0	20
x_5	0	2	0	–1	1	1	0	–1	50
x_3	0	–1	1	2	0	–1	1	1	30
F	0	2	0	1	0	1	1	1	230

Wir erhalten die optimale Lösung $\mathbf{x}^* = (20,0,30,0,50)$ mit einem maximalen Gewinn von 230 GE. Dies bedeutet, es werden die Gartenzwerge 1, 3 und 5 gefertigt.

c) Es ergibt sich eine ganzzahlige Lösung, da das Pivotelement in jeder Iteration den Wert 1 besitzt. Dadurch bleibt die Pivotzeile jeweils unverändert. Bei anfänglich ganzzahligen

Daten werden somit nur Additionen und Multiplikationen mit ganzzahligen Konstanten ausgeführt.

Die Ganzzahligkeit einer optimalen Lösung ist bei allgemeinen LPen wie dem vorliegenden Produktionsplanungsproblem nicht garantiert. Es gibt jedoch Problemklassen, z.B. das klassische Transportproblem in Kap. 4, deren spezielle Struktur der Koeffizientenmatrix bei ganzzahligen rechten Seiten stets zu ganzzahligen Lösungen führt (vgl. Satz 4.3 und 4.4 in Domschke und Drexl (2005); siehe auch Aufgabe 1.4).

d) Wir betrachten beispielhaft die Nichtbasisvariablen x_4 und x_6.

x_4 ist Strukturvariable und steht für die zu produzierenden ME von Zwerg 4. Seine Aufnahme in das Produktionsprogramm mit 1 ME würde aufgrund des zugehörigen Spaltenvektors im Optimaltableau dazu führen, dass von Zwerg 1 sowie von Zwerg 5 genau 1 ME mehr und von Zwerg 3 genau 2 ME weniger gefertigt werden könnten. Aufgrund der Bewertung der Produktionsmengen in der Zielfunktion ergäbe dies eine Gewinnänderung von $c_4 + c_1 + c_5 - 2c_3 = 1 + 2 + 2 - 6 = -1$ GE.

x_6 ist Schlupfvariable der Nebenbedingung für Tonart A. Würde man x_6 um eine Einheit erhöhen, also die verfügbare Kapazität der Tonart A auf 99 ME reduzieren, so müssten von Zwerg 1 und 5 jeweils 1 ME weniger und von Zwerg 3 genau 1 ME mehr gefertigt werden. Auch dadurch entstünde ein Rückgang des Gewinns um 1 GE. Umgekehrt gilt: Könnte man die Kapazität von Tonart A kostenlos um 1 ME erhöhen, so ergäbe sich ein Gewinnanstieg um 1 GE. Der Wert der knappen Kapazität von Tonart A beträgt somit (wie bei Tonart B und C, die dieselben Schattenpreise besitzen) 1 GE.

Aufgabe 2.8:

Das LP besitzt folgendes Aussehen:

Maximiere $F(\mathbf{x}) = 8x_1 + 9x_2 + 6x_3 + 12x_4 + 10x_5$

unter den Nebenbedingungen

$$2x_1 + 6x_2 + 6x_3 + 4x_4 + 5x_5 \le 6000 \quad \text{Kapazitätsrestriktion Maschine 1}$$
$$5x_1 + x_2 + x_3 + 4x_4 + 4x_5 \le 2000 \quad \text{Kapazitätsrestriktion Maschine 2}$$
$$12x_1 + 6x_2 + 8x_3 + 20x_4 + 10x_5 \le 1000 \quad \text{Kapazitätsrestriktion Maschine 3}$$
$$x_1,\ldots,x_5 \ge 0$$

Nach Einführung der Schlupfvariablen x_6, x_7 und x_8 in den Kapazitätsrestriktionen der drei Maschinen ergeben sich die folgenden Simplextableaus:

	x_1	x_2	x_3	x_4	x_5	x_6	x_7	x_8	b_i
x_6	2	6	6	4	5	1			6000
x_7	5	1	1	4	4		1		2000
x_8	12	6	8	[20]	10			1	1000
F	–8	–9	–6	–12	–10				0

	x_1	x_2	x_3	x_4	x_5	x_6	x_7	x_8	b_i
x_6	–2/5	24/5	22/5		3	1		–1/5	5800
x_7	13/5	–1/5	–3/5		2		1	–1/5	1800
x_4	3/5	[3/10]	2/5	1	1/2			1/20	50
F	–4/5	–27/5	–6/5		–4			3/5	600
x_6	–10		–2	–16	–5	1		–1	5000
x_7	3		–1/3	2/3	7/3		1	–1/6	5500/3
x_2	2	1	4/3	10/3	5/3			1/6	500/3
F	10		6	18	5			3/2	1500

Eine gewinnmaximale Lösung ist **x*** = (0,500/3,0,0,0) mit F* = 1500. Es sollte also nur Produkt P_2 mit 500/3 ME pro Woche gefertigt werden.

Aufgabe 2.9:

Beim Simplex-Algorithmus wird in der Regel vorgeschlagen, jeweils eine Spalte mit dem kleinsten negativen Koeffizienten in der F-Zeile als Pivotspalte zu wählen. Dies entspricht einem Fortschreiten innerhalb des Lösungsbereiches in Richtung des steilsten Anstieges des Zielfunktionswertes (*steepest ascent*). Es ist jedoch ebenso möglich, jede beliebige Spalte mit negativem Koeffizienten zu wählen. Man erhält auch hierbei in der Regel (den Fall der primalen Degeneration ausgeschlossen, bei dem der Wert unverändert bleibt) in jedem Schritt eine Lösungsverbesserung, benötigt jedoch u.U. mehr Iterationen.

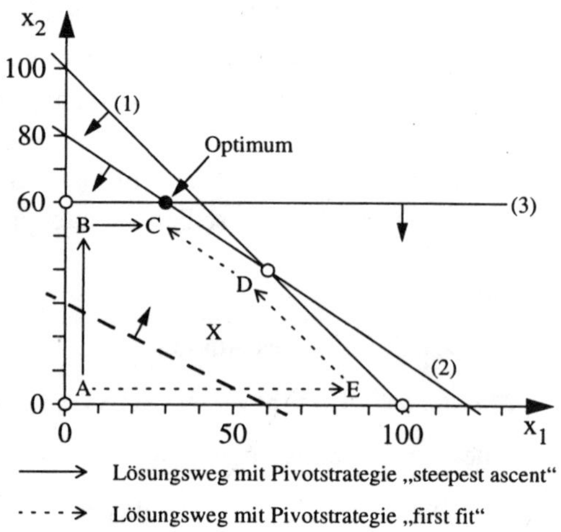

Wählen wir jeweils die erste Spalte mit negativem Koeffizienten (*first fit*), so ergibt sich bei Anwendung des Simplex-Algorithmus folgender Lösungsgang:

	x_1	x_2	x_3	x_4	x_5	b_i	
x_3	[1]	1	1			100	
x_4	6	9		1		720	A = (0, 0)
x_5	0	1			1	60	
F	–10	–20				0	
x_1	1	1	1			100	
x_4		[3]	–6	1		120	E = (100, 0)
x_5		1			1	60	
F		–10	10			1000	

	x_1	x_2	x_3	x_4	x_5	b_i	
x_1	1		3	–1/3		60	
x_2		1	–2	1/3		40	D = (60, 40)
x_5			[2]	–1/3	1	20	
F			–10	10/3		1400	
x_1	1			1/6	–3/2	30	
x_2		1			1	60	C = (30, 60)
x_3			1	–1/6	1/2	10	
F				5/3	5	1500	

Aufgabe 2.10:

Das LP besitzt folgende Basislösungen, die sich durch systematische Kombination der Variablen zu Dreiergruppen (je drei Basisvariablen) bestimmen lassen. Die jeweils nicht angegebenen Variablen sind Nichtbasisvariablen mit Wert 0.

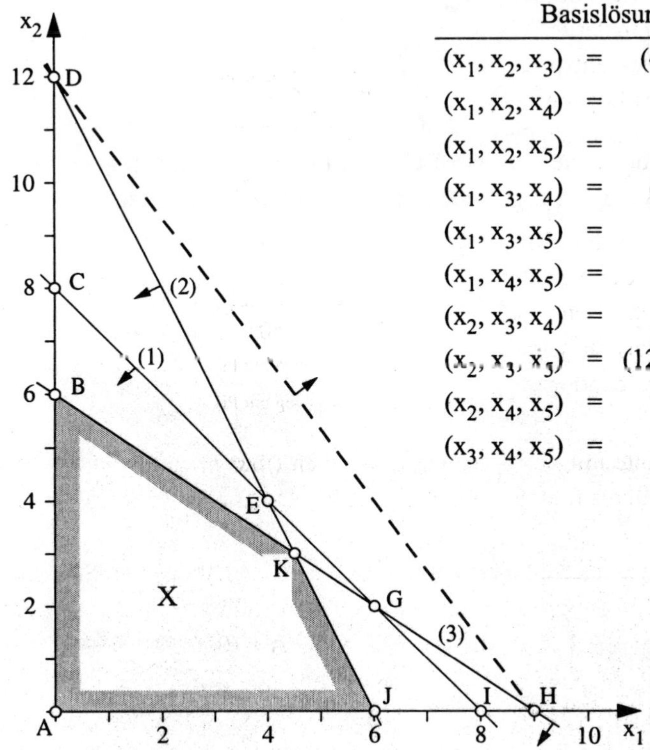

Basislösung			Punkt	Eigenschaft
(x_1, x_2, x_3)	=	$(4.5, 3, 0.5)$	K	optimal
(x_1, x_2, x_4)	=	$(6, 2, -2)$	G	unzulässig
(x_1, x_2, x_5)	=	$(4, 4, -2)$	E	unzulässig
(x_1, x_3, x_4)	=	$(9, -1, -6)$	H	unzulässig
(x_1, x_3, x_5)	=	$(6, 2, 6)$	J	zulässig
(x_1, x_4, x_5)	=	$(8, -4, 2)$	I	unzulässig
(x_2, x_3, x_4)	=	$(6, 2, 6)$	B	zulässig
(x_2, x_3, x_5)	=	$(12, -4, -18)$	D	unzulässig
(x_2, x_4, x_5)	=	$(8, 4, -6)$	C	unzulässig
(x_3, x_4, x_5)	=	$(8, 12, 18)$	A	zulässig

Die optimale Lösung lässt sich mit Hilfe des Simplex-Algorithmus ermitteln:

	x_1	x_2	x_3	x_4	x_5	b_i	
x_3	1	1	1			8	
x_4	[2]	1		1		12	A = (0, 0)
x_5	2	3			1	18	
F	−40	−30				0	
x_3		1/2	1	−1/2		2	
x_1	1	1/2		1/2		6	J = (6, 0)
x_5		[2]		−1	1	6	
F		−10		20		240	
x_3			1	−1/4	−1/4	1/2	K = (9/2, 3)
x_1	1			3/4	−1/4	9/2	$\mathbf{x}^* = (9/2, 3, 1/2, 0, 0)$
x_2		1		−1/2	1/2	3	$F(\mathbf{x}^*) = 270$
F				15	5	270	

Aufgabe 2.11:

a) Lösung mit der M-Methode:

Multiplikation der Zielfunktion sowie der ersten und der dritten Nebenbedingung mit −1 führt zu einem äquivalenten Maximierungsmodell mit positiven rechten Seiten:

Maximiere $G(\mathbf{x}) = -x_1 - x_2 - 3x_3 \quad (= -F(\mathbf{x}))$

unter den Nebenbedingungen

$$\begin{aligned} -x_1 + x_2 \quad\quad & \leq 10 \\ x_1 \quad\quad - x_3 & \geq 12 \\ x_1 - x_2 - x_3 & \leq 8 \\ 2x_1 - x_2 + x_3 & \geq 2 \\ x_1, x_2, x_3 & \geq 0 \end{aligned}$$

Nach Einfügen von nichtnegativen Schlupfvariablen x_4, x_5, x_6, x_7 erhält man ein Maximierungsmodell, dessen Nebenbedingungssystem nur Gleichungen enthält:

Maximiere $G(\mathbf{x}) = -x_1 - x_2 - 3x_3$

unter den Nebenbedingungen

$$
\begin{array}{rcl}
-x_1 + x_2 + x_4 & = & 10 \\
x_1 - x_3 - x_5 & = & 12 \\
x_1 - x_2 - x_3 + x_6 & = & 8 \\
2x_1 - x_2 + x_3 - x_7 & = & 2 \\
x_1, x_2, x_3, x_4, x_5, x_6, x_7 & \geq & 0
\end{array}
$$

Durch Einführung künstlicher Basisvariablen y_1 und y_2 in die Gleichungen, deren Schlupfvariablen den Koeffizienten -1 aufweisen, erhalten wir das folgende Starttableau mit einer für das erweiterte Modell zulässigen Basislösung:

	x_1	x_2	x_3	x_4	x_5	x_6	x_7	y_1	y_2	b_i
x_4	–1	1		1						10
y_1	1		–1		–1			1		12
x_6	1	–1	–1			1				8
y_2	[2]	–1	1				–1		1	2
G	1	1	3							0
M-Zeile	–3M	M			M		M			–14M

Da die Variablen y_1 und y_2 im Ausgangsmodell nicht enthalten sind, müssen sie in der gesuchten Optimallösung den Wert 0 besitzen. Um dies zu erreichen, gewichtet man sie mit hohen Strafkosten in der Zielfunktion. Bei einer zu maximierenden Zielfunktion erreicht man dies durch Koeffizienten $-M$, wobei M eine hinreichend große Zahl ist.

Aus dem Simplextableau entnimmt man:

$$
\begin{array}{rcl}
y_1 & = & 12 - x_1 + x_3 + x_5 \\
y_2 & = & 2 - 2x_1 + x_2 - x_3 + x_7
\end{array}
$$

Damit erhält man die um die Strafkosten erweiterte Zielfunktion:

$$
\begin{aligned}
\text{Maximiere } H(\mathbf{x}, \mathbf{y}) &= -x_1 - x_2 - 3x_3 - My_1 - My_2 \\
&= -x_1 - x_2 - 3x_3 - M(12 - x_1 + x_3 + x_5) - M(2 - 2x_1 + x_2 - x_3 + x_7) \\
&= (-1 + 3M)x_1 + (-1 - M)x_2 - 3x_3 - Mx_5 - Mx_7 - 14M
\end{aligned}
$$

Im Simplextableau unterteilt man diese Zielfunktion in eine Zeile für die ursprüngliche Zielfunktion G und eine M-Zeile für die Strafkostenterme.

Iterationen mit dem Simplex-Algorithmus:

	x_1	x_2	x_3	x_4	x_5	x_6	x_7	y_1	y_2	b_i
x_4		1/2	1/2	1			−1/2		■	11
y_1		1/2	-3/2		−1		1/2	1	■	11
x_6		−1/2	−3/2			1	[1/2]		■	7
x_1	1	−1/2	1/2				−1/2		■	1
G		3/2	5/2				1/2		■	−1
M-Zeile		−M/2	3M/2		M		−M/2		■	−11M
x_4			−1	1		1			■	18
y_1		[1]			−1	−1		1	■	4
x_7		−1	−3			2	1		■	14
x_1	1	−1	−1			1			■	8
G		2	4			−1			■	−8
M-Zeile		−M			M	M			■	−4M
x_4			−1	1		1		■	■	18
x_2		1			−1	−1		■	■	4
x_7			−3		−1	1	1	■	■	18
x_1	1		−1		−1			■	■	12
G			4		2	1		■	■	−16

Die so erhaltene optimale Lösung ist $\mathbf{x}^* = (12,4,0)$ mit $F^* = -G^* = 16$.

b) Um den primalen Simplex-Algorithmus anwenden zu können, bilden wir zunächst das duale Modell:

Maximiere $FD(\mathbf{w}) = -10w_1 + 12w_2 - 8w_3 + 2w_4$

unter den Nebenbedingungen

$$\begin{aligned} w_1 + w_2 - w_3 + 2w_4 &\leq 1 \\ -w_1 + w_3 - w_4 &\leq 1 \\ -w_2 + w_3 + w_4 &\leq 3 \\ w_1, w_2, w_3, w_4 &\geq 0 \end{aligned}$$

Lösung des dualen Modells mit dem primalen Simplex-Algorithmus:

	w_1	w_2	w_3	w_4	w_5	w_6	w_7	b_i
w_5	1	[1]	−1	2	1			1
w_6	−1		1	−1		1		1
w_7		−1	1	1			1	3
FD	10	−12	8	−2				0
w_2	1	1	−1	2	1			1
w_6	−1		[1]	−1		1		1
w_7	1			3	1		1	4
FD	22		−4	22	12			12
w_2		1		1	1	1		2
w_3	−1		1	−1		1		1
w_7	1			3	1		1	4
FD	18			18	12	4		16

Die optimale Lösung des dualen Modells ist $\mathbf{w}^* = (0,2,1,0)$ mit $FD^* = 16$. Die Lösung des primalen Modells lässt sich aus dem Optimaltableau für das duale ebenfalls ablesen. Da die Werte von x_1, x_2 bzw. x_3 den Schattenpreisen von w_5, w_6 bzw. w_7 entsprechen, ergibt sich $\mathbf{x}^* = (12,4,0)$ mit $F^* = 16$ (vgl. zur Begründung auch Aufgabe 2.20).

Aufgabe 2.12:

Das LP lässt sich mit dem dualen Simplex-Algorithmus lösen. Dazu ist die im Nebenbedingungssystem enthaltene Gleichung durch die beiden Ungleichungen $x_1 + x_2 \le 4$ und $x_1 + x_2 \ge 4$ zu ersetzen. Anschließend sind sämtliche Ungleichungen in $\le$-Bedingungen umzuwandeln, wodurch negative Werte auf der rechten Seite entstehen. Die Zielfunktion wird in Maximiere $G(\mathbf{x}) = -x_1 - x_2$ umgeformt.

	x_1	x_2	x_3	x_4	x_5	x_6	b_i
x_3	−1	[−2]	1				−6
x_4	−2	−1		1			−6
x_5	1	1			1		4
x_6	−1	−1				1	−4
G	1	1					0
x_2	1/2	1	−1/2				3
x_4	[−3/2]		−1/2	1			−3
x_5	1/2		1/2		1		1
x_6	−1/2		−1/2			1	−1
G	1/2		1/2				−3

	x_1	x_2	x_3	x_4	x_5	x_6	b_i
x_2		1	–2/3	1/3			2
x_1	1		1/3	–2/3			2
x_5			1/3	1/3	1		0
x_6			–1/3	–1/3		1	0
G			1/3	1/3			–4

Nachfolgend sind die bei Durchführung des dualen Simplex-Algorithmus entstehenden Tableaus dargestellt. Die finale Lösung mit $\mathbf{x}^* = (2,2)$ und $G^* = -4$, d.h. $F^* = 4$, ist primal zulässig, da alle b_i nichtnegativ sind. Sie ist gleichzeitig optimal, da alle c_j ebenfalls nichtnegativ sind. Darüber hinaus handelt es sich um eine primal degenerierte Basislösung, da die Basisvariablen x_5 und x_6 den Wert 0 aufweisen.

Das LP lässt sich auch mit der M-Methode lösen, wobei der Gleichung ebenso wie den beiden Ungleichungen jeweils eine künstliche Variable hinzuzufügen ist. Die M-Methode führt zu folgendem Anfangstableau, auf das der primale Simplex-Algorithmus angewendet wird.

	x_1	x_2	x_3	x_4	y_1	y_2	y_3	b_i
y_1	1	2	–1		1			6
y_2	[2]	1		–1		1		6
y_3	1	1					1	4
G	1	1						0
M-Zeile	–4M	–4M	M	M				–16M
y_1		3/2	–1	1/2	1	■		3
x_1	1	1/2		–1/2		■		3
y_3		[1/2]		1/2		■	1	1
G		1/2		1/2		■		–3
M-Zeile		–2M	M	–M		■		–4M
y_1			–1	–1	1	■	■	0
x_1	1			–1		■	■	2
x_2		1		1		■	■	2
G						■	■	–4
M-Zeile			M	M		■	■	0M

Da im letzten Tableau die künstliche Variable y_1 als Basisvariable den Wert 0 besitzt und sämtliche Einträge in den Ergebniszeilen nichtnegativ sind, liegt eine zulässige und optimale Lösung des eigentlichen Modells vor. Eine optimale Basislösung dieses Modells erhält man durch Aufnahme von x_3 für y_1 in die Basis. Durch eine graphische Darstellung lässt sich veranschaulichen, dass die optimale Lösung $x_1^* = x_2^* = 2$ mit dem Zielfunktionswert $F^* = -G^* = 4$ die einzige zulässige Lösung des Modells ist.

Aufgabe 2.13:

a) Das Tableau enthält die Basislösung $x_4 = 15$, $x_1 = x_2 = x_3 = x_5 = 0$ sowie $y_1 = 3$, $y_2 = 7$.

b) Maximiere $F(\mathbf{x}) = 4x_1 - x_2 - 2x_3$ (P)

unter den Nebenbedingungen

$$\begin{array}{rcrcrcl} -x_1 & + & 2x_2 & + & 5x_3 & \le & 15 \\ & & -x_2 & + & 3x_3 & \ge & 3 \\ 2x_1 & & & - & x_3 & = & 7 \\ & & & & x_1,\ldots,x_3 & \ge & 0 \end{array}$$

(Strukturvariablen von P)

c) Mit Hilfe des primalen Simplex-Algorithmus ergibt sich:

	x_1	x_2	x_3	x_4	x_5	y_1	y_2	b_i
x_4	–1	2	5	1				15
y_1		–1	3		–1	1		3
y_2	[2]		–1				1	7
F	–4	1	2					0
M-Zeile	–2M	M	–2M		M			–10M
x_4		2	9/2	1	0		■	37/2
y_1		–1	[3]		–1	1	■	3
x_1	1	0	–1/2		0		■	7/2
F		1					■	14
M-Zeile		M	–3M		M		■	–3M
x_4		7/2		1	3/2	■	■	14
x_3		–1/3	1		–1/3	■	■	1
x_1	1	–1/6			–1/6	■	■	4
F		1			0	■	■	14

Da die künstlichen Variablen y_i aus der Basis eliminiert werden konnten, hat das Modell P eine zulässige Basislösung, nämlich $x_1 = 4$, $x_3 = 1$, $x_4 = 14$, $x_2 = x_5 = 0$.

d) Das obige Tableau zeigt bereits eine optimale Basislösung, da in der F-Zeile keine negativen Einträge enthalten sind. Da die Nichtbasisvariable x_5 den Schattenpreis 0 besitzt, existieren mindestens zwei optimale Basislösungen. Zusätzlich sind sämtliche Linearkombinationen auf der Strecke zwischen den entsprechenden Eckpunkten des zulässigen Bereichs optimal (Fall parametrischer Lösungen).

Aufgabe 2.14:

a) Duales LP:

Minimiere $FD(\mathbf{w}) = 8w_1 + 9w_2$

unter den Nebenbedingungen

$$\begin{aligned} w_1 + 3w_2 &\geq 6 \\ 2w_1 + w_2 &\geq 4 \\ w_1, w_2 &\geq 0 \end{aligned}$$

b) Maximiere $-FD(\mathbf{w}) = -8w_1 - 9w_2$

unter den Nebenbedingungen

$$\begin{aligned} -w_1 - 3w_2 &\leq -6 \\ -2w_1 - w_2 &\leq -4 \\ w_1, w_2 &\geq 0 \end{aligned}$$

Die Anwendung des dualen Simplex-Algorithmus ergibt:

	w_1	w_2	w_3	w_4	b_i
w_3	–1	[–3]	1		–6
w_4	–2	–1		1	–4
–FD	8	9			
w_2	1/3	1	–1/3		2
w_4	[–5/3]		–1/3	1	–2
–FD	5		3		–18
w_2		1	–2/5	1/5	8/5
w_1	1		1/5	–3/5	6/5
–FD			2	3	–24

Optimale Lösung:
$w_1^* = 6/5$, $w_2^* = 8/5$
$FD^* = 24$

c) Aus der Zielfunktionszeile lassen sich unter den Schlupfvariablen w_3 und w_4 die optimalen Werte $x_1^* = 2$ und $x_2^* = 3$ der Strukturvariablen des primalen LPs ablesen. Die Zielfunktionswerte beider Modelle sind im Optimum identisch; daher gilt $F^* = 24$.

Aufgabe 2.15:

Die Dualitätsdefinition in der Aufgabenstellung ist nicht direkt anwendbar, weil Gleichheit in den Nebenbedingungen von (1) gilt und für die Dualvariablen in (2) keine Nichtnegativitätsbedingungen existieren.

Beweis: Wir überführen zunächst das duale LP (2) in die Form (2') mit Nichtnegativitätsbedingungen, indem wir jede Variable y_i durch die Differenz zweier nichtnegativer Variablen y_i^+ und y_i^- ersetzen (vgl. Aufgabe 2.6):[1]

(2') Minimiere $\mathbf{b}^T \cdot (\mathbf{y}^+ - \mathbf{y}^-)$ $\Leftrightarrow$ Minimiere $(\mathbf{b}^T, -\mathbf{b}^T) \cdot \begin{bmatrix} \mathbf{y}^+ \\ \mathbf{y}^- \end{bmatrix}$

unter den Nebenbedingungen

$\mathbf{A}^T \cdot (\mathbf{y}^+ - \mathbf{y}^-) \geq \mathbf{c}$ $\Leftrightarrow$ $(\mathbf{A}^T, -\mathbf{A}^T) \cdot \begin{bmatrix} \mathbf{y}^+ \\ \mathbf{y}^- \end{bmatrix} \geq \mathbf{c}$

$\mathbf{y}^+, \mathbf{y}^- \geq \mathbf{0}$

Dualisiert man dieses Modell gemäß der Aufgabenstellung, so erhält man:

(1') Maximiere $\mathbf{c}^T \cdot \mathbf{x}$

unter den Nebenbedingungen

$\begin{bmatrix} \mathbf{A} \\ -\mathbf{A} \end{bmatrix} \cdot \mathbf{x} \leq \begin{bmatrix} \mathbf{b} \\ -\mathbf{b} \end{bmatrix}$ $\Leftrightarrow$ $A \cdot \mathbf{x} \leq \mathbf{b}$ und $A \cdot \mathbf{x} \geq \mathbf{b} \Leftrightarrow A \cdot \mathbf{x} = \mathbf{b}$

$\mathbf{x} \geq \mathbf{0}$

Da (1') und (2') zueinander dual sind, folgt aus der Äquivalenz von (1') und (1) sowie von (2') und (2) unmittelbar die zu zeigende Aussage.

Aufgabe 2.16:

a) Minimiere $F(\mathbf{x}) = 20x_1 + 20x_2 + 31x_3 + 11x_4 + 12x_5$

unter den Nebenbedingungen

$$\begin{array}{rcrcrcrcrcl} x_1 & & & + & x_3 & + & x_4 & + & 2x_5 & \geq & 21 \\ & & x_2 & + & 2x_3 & + & x_4 & + & x_5 & \geq & 12 \\ & & & & & & & & x_1,\ldots,x_5 & \geq & 0 \end{array}$$

b) Maximiere $FD(\mathbf{w}) = 21w_1 + 12w_2$

unter den Nebenbedingungen

$$\begin{array}{rcrcll} w_1 & & & \leq & 20 & (1) \\ & & w_2 & \leq & 20 & (2) \\ w_1 & + & 2w_2 & \leq & 31 & (3) \\ w_1 & + & w_2 & \leq & 11 & (4) \\ 2w_1 & + & w_2 & \leq & 12 & (5) \\ & & w_1, w_2 & \geq & 0 & \end{array}$$

c) Aus der nachfolgenden graphischen Darstellung des dualen Modells liest man $\mathbf{w}^* = (1, 10)$ mit dem Zielfunktionswert $FD^* = 141$ als dessen optimale Lösung ab. Aufgrund des Einschließungssatzes gilt für die optimalen Zielfunktionswerte des primalen und dualen LPs $F^* = FD^* = 141$.

Aus dem Satz vom komplementären Schlupf (vgl. z.B. Domschke und Drexl (2005, Kap. 2.5.1)) folgt für die Variablenwerte in den optimalen Lösungen des primalen LPs:

---

1 Das Transponiertzeichen T verwenden wir nur dann, wenn es für das Verständnis notwendig erscheint.

- Wegen $w_1, w_2 > 0$ müssen die korrespondierenden Nebenbedingungen des primalen LPs als Gleichungen erfüllt sein (kein Schlupf):

$$\begin{aligned} x_1 \quad\quad + x_3 + x_4 + 2x_5 &= 21 \\ x_2 + 2x_3 + x_4 + x_5 &= 12 \end{aligned}$$

- Es gilt $x_1 = x_2 = x_3 = 0$, da die korrespondierenden Nebenbedingungen (1), (2) und (3) des dualen LPs positiven Schlupf besitzen. Durch Einsetzen in obige Gleichungen erhält man $x_4 + 2x_5 = 21$ sowie $x_4 + x_5 = 12$. Dieses Gleichungssystem mit zwei Variablen und zwei Gleichungen besitzt die Lösung $x_4 = 3$, $x_5 = 9$.

Daher ist $\mathbf{x}^* = (0,0,0,3,9)$ eine optimale Lösung des primalen LPs mit $F^* = 141$.

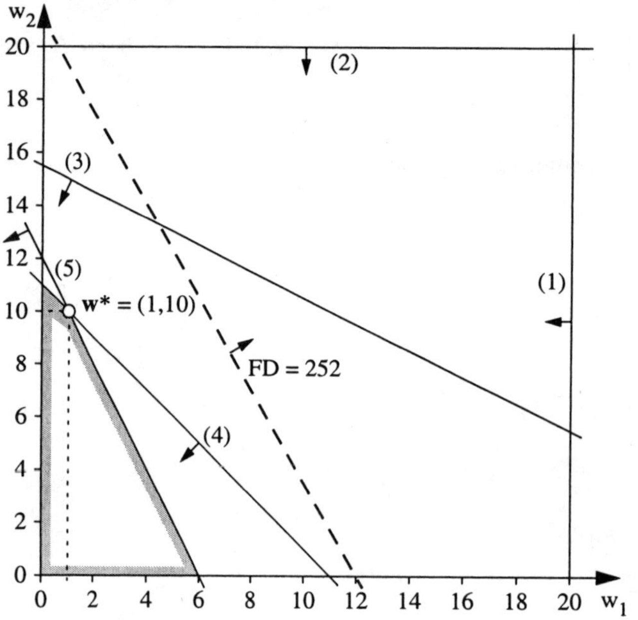

Aufgabe 2.17:

a) Das zu P duale Modell D lautet:

Minimiere $FD(\mathbf{w}) = 5w_1 + 4w_2 - w_3$

unter den Nebenbedingungen

$$\begin{aligned} w_1 - 2w_2 - w_3 &\geq 2 \\ w_1 + w_2 \quad\quad &= 1 \\ w_1 - 3w_2 + w_3 &\geq 3 \\ w_1 \quad\quad - w_3 &= 1 \\ w_1, w_3 &\geq 0 \\ w_2 &\in \mathbb{R} \end{aligned}$$

b) Man erhält das zu P äquivalente Modell P1:

Maximiere $F1(\mathbf{x}) = 2x_1 + x_2^+ - x_2^- + 3x_3 + x_4^+ - x_4^-$

unter den Nebenbedingungen

$$\begin{array}{rcl} x_1 + x_2^+ - x_2^- + x_3 + x_4^+ - x_4^- + x_5 & = & 5 \\ -2x_1 + x_2^+ - x_2^- - 3x_3 & = & 4 \\ -x_1 + x_3 - x_4^+ + x_4^- + x_6 & = & -1 \\ x_1, x_2^+, x_2^-, x_3, x_4^+, x_4^-, x_5, x_6 & \geq & 0 \end{array}$$

c) Das zu P1 duale Modell D1 ergibt sich zu:

Minimiere $FD1(\mathbf{w}) = 5w_1 + 4w_2 - w_3$

unter den Nebenbedingungen

$$\begin{array}{rcl} w_1 - 2w_2 - w_3 & \geq & 2 \\ w_1 + w_2 & \geq & 1 \\ -w_1 - w_2 & \geq & -1 \\ w_1 - 3w_2 + w_3 & \geq & 3 \\ w_1 - w_3 & \geq & 1 \\ -w_1 + w_3 & \geq & -1 \\ w_1, w_3 & \geq & 0 \\ w_2 & \in & \mathbb{R} \end{array}$$

d) Die Äquivalenz der Modelle D und D1 ist unmittelbar ersichtlich.

Aufgabe 2.18: (vgl. Fußnote 1 auf S. 35)

a) Wir bezeichnen mit $\tilde{A} := \left[\begin{array}{cc|c} A & \mathbf{0} & \mathbf{b} \\ -\mathbf{c}^T & 1 & c_0 \end{array}\right]$ das Ausgangstableau für den Simplex-Algorithmus.

Seien $\mathbf{x}_B^T := (x_{k_1}, ..., x_{k_m})$ sowie F die Basisvariablen einer zu bestimmenden Basislösung in Iteration k, so enthalte die Teilmatrix B die entsprechenden Spaltenvektoren aus $\tilde{A}$. Zu Beginn gilt für die zu lösende Aufgabe (mit der Einheitsmatrix I):

$$\tilde{A} := \left[\begin{array}{cccccc|c} 1 & 0 & 1 & 0 & 0 & 0 & 4 \\ 0 & 2 & 0 & 1 & 0 & 0 & 12 \\ 3 & 2 & 0 & 0 & 1 & 0 & 18 \\ -3 & -5 & 0 & 0 & 0 & 1 & 0 \end{array}\right]; \quad \mathbf{x}_B = \begin{bmatrix} x_3 \\ x_4 \\ x_5 \end{bmatrix} = \begin{bmatrix} 4 \\ 12 \\ 18 \end{bmatrix}; \quad B = B^{-1} = I; \quad c_0 = 0$$

1. Iteration:

Mit $B = B^{-1} = I$ ergibt sich die Pivotspalte $t = 2$ und wegen $b_s/a_{st} = \min\{12/2, 18/2\} = 6$ die Pivotzeile $s = 2$.

Durch Aufnahme von x_2 für x_4 in die Basis verändert sich B aus einer 4×4-Einheitsmatrix zu:

$$B := \begin{bmatrix} 1 & 0 & 0 & 0 \\ 0 & 2 & 0 & 0 \\ 0 & 2 & 1 & 0 \\ 0 & -5 & 0 & 1 \end{bmatrix} \quad \text{sowie} \quad B^{-1} := \begin{bmatrix} 1 & 0 & 0 & 0 \\ 0 & 1/2 & 0 & 0 \\ 0 & -1 & 1 & 0 \\ 0 & 5/2 & 0 & 1 \end{bmatrix}$$

2. Iteration:

Schritt 1 (Wahl der Pivotspalte t): Multiplikation der Zielfunktionszeile von B^{-1} mit den Nichtbasisvektoren $\mathbf{a}_1$ und $\mathbf{a}_4$ von $\tilde{A}$ liefert: $(0, 5/2, 0, 1) \cdot \begin{bmatrix} 1 & 0 \\ 0 & 1 \\ 3 & 0 \\ -3 & 0 \end{bmatrix} = (-3, 5/2)$

Daher ergibt sich die Pivotspalte t = 1 und x_1 ist in die Basis aufzunehmen.

Schritt 2 (Wahl der Pivotzeile s): Zur Bestimmung der Pivotzeile werden die Pivotspalte und die rechte Seite durch Multiplikation von B^{-1} mit $\mathbf{a}_1$ und $\mathbf{b}$ ermittelt:

$$\begin{bmatrix} 1 & 0 & 0 & 0 \\ 0 & 1/2 & 0 & 0 \\ 0 & -1 & 1 & 0 \\ 0 & 5/2 & 0 & 1 \end{bmatrix} \cdot \begin{bmatrix} 1 & 4 \\ 0 & 12 \\ 3 & 18 \\ -3 & 0 \end{bmatrix} = \begin{bmatrix} \mathbf{a}'_1 & \mathbf{b}' \\ 1 & 4 \\ 0 & 6 \\ 3 & 6 \\ -3 & 30 \end{bmatrix}$$

Pivotzeile s = 3 wegen $b'_s / a'_{s1} = \min\{4/1, 6/3\} = 2$

Schritt 3 (Modifikation von B^{-1}): Durch Aufnahme von x_1 für x_5 in die Basis verändern sich B und deren Inverse zu:

$$B := \begin{bmatrix} 1 & 0 & 1 & 0 \\ 0 & 2 & 0 & 0 \\ 0 & 2 & 3 & 0 \\ 0 & -5 & -3 & 1 \end{bmatrix}; \quad B^{-1} := \begin{bmatrix} 1 & 1/3 & -1/3 & 0 \\ 0 & 1/2 & 0 & 0 \\ 0 & -1/3 & 1/3 & 0 \\ 0 & 3/2 & 1 & 1 \end{bmatrix}$$

3. Iteration:

Schritt 1: Multiplikation der Zielfunktionszeile von B^{-1} mit den Nichtbasisvektoren $\mathbf{a}_4$ und $\mathbf{a}_5$ von $\tilde{A}$ liefert: $(0, 3/2, 1, 1) \cdot \begin{bmatrix} 0 & 0 \\ 1 & 0 \\ 0 & 1 \\ 0 & 0 \end{bmatrix} = (3/2, 1)$

Damit stellt $\mathbf{x}_B^T = (x_1, x_2, x_3)$ eine optimale Basislösung dar. Die zugehörigen Werte und den optimalen Zielfunktionswert erhält man durch Multiplikation von B^{-1} mit $\mathbf{b}$:

$$\begin{matrix} x_3 \\ x_2 \\ x_1 \\ F \end{matrix} \begin{bmatrix} 1 & 1/3 & -1/3 & 0 \\ 0 & 1/2 & 0 & 0 \\ 0 & -1/3 & 1/3 & 0 \\ 0 & 3/2 & 1 & 1 \end{bmatrix} \cdot \begin{bmatrix} 4 \\ 12 \\ 18 \\ 0 \end{bmatrix} = \begin{bmatrix} 2 \\ 6 \\ 2 \\ 36 \end{bmatrix}$$

b) Für x_1 bzw. x_2 sind implizit die oberen Schranken $\kappa_1 = 4$ bzw. $\kappa_2 = 6$ zu berücksichtigen. Es ergibt sich folgender Lösungsgang (zur Vorgehensweise und den verwendeten Bezeichnungen vgl. Domschke und Drexl (2005, Kap. 2.6.1)):

	x_1	x_2	x_3	b_i	
x_3	3	[2]	1	18	$x_t = x_2$; $q_1 = 9$; $q_2 = \infty$; $\kappa_2 = 6$
F	−3	−5	0	0	Fall 3; $x_2 := 6 - x_2'$

Nach der üblichen Wahl der Pivotspalte ist $x_t = x_2$ in die Basis aufzunehmen. Bei der Wahl der Pivotzeile ist zu beachten, dass keine der bisherigen Basisvariablen einen negativen Wert (Fall 1) oder einen ihre obere Schranke überschreitenden Wert (Fall 2) erhält. Zusätzlich darf der Wert von x_t die Schranke κ_t nicht übersteigen (Fall 3). Da x_2 die obere Schranke erreicht, bevor der Wert von x_3 negativ werden kann ($q_1 = 18/2 = 9$), wird x_2 durch $x_2' := 6 - x_2 = 0$ mit der oberen Schranke $\kappa_2' = 6$ substituiert. Dadurch ergibt sich das folgende modifizierte Tableau mit x_2' als Nichtbasisvariable:

	x_1	x_2'	x_3	b_i	
x_3	[3]	− 2	1	6	$x_t = x_1$; $q_1 = 2$; $q_2 = \infty$; $\kappa_1 = 4$
F	−3	5	0	30	Fall 1; x_1 für x_3 in die Basis
x_1	1	−2/3	1/3	2	Optimale Lösung:
F	0	3	1	36	$x_1^* = 2$, $x_2^* = 6 - x_2' = 6$; $F^* = 36$

Aufgabe 2.19:

Als obere Schranken sind implizit $\kappa_1 = 6$ und $\kappa_2 = 5$ zu berücksichtigen. Es ergibt sich folgender Lösungsgang (zur Vorgehensweise und den verwendeten Bezeichnungen vgl. Domschke und Drexl (2005, Kap. 2.6.1)):

	x_1	x_2	x_3	x_4	b_i	
x_3	[1]	−1	1		3	$x_t = x_1$; $q_1 = 3$, $q_2 = \infty$, $\kappa_1 = 6$
x_4	1	2		1	16	Fall 1 (x_3 verlässt für x_1 die Basis)
F	−2	−1			0	
x_1	1	[−1]	1		3	$x_t = x_2$; $q_1 = 13/3$, $q_2 = 3$, $\kappa_2 = 5$
x_4		3	−1	1	13	Fall 2 (x_1 erreicht κ_1)
F		−3	2		6	

Wird x_2 auf 3 erhöht, so erreicht x_1 die obere Schranke $\kappa_1 = 6$; es wird durch $x_1 := \kappa_1 - x_1'$ ersetzt. Anschließend wird die Nichtbasisvariable x_2 für x_1' in die Basis aufgenommen.

	x_1'	x_2	x_3	x_4	b_i	
x_1'	1	[1]	–1		3	x_2 für x_1' in die Basis aufnehmen
x_4		3	–1	1	13	
F		–3	2		6	
x_2	1	1	–1		3	$x_t = x_3$; $q_1 = 2$, $q_2 = 2$, $\kappa_3 = \infty$
x_4	–3		[2]	1	4	Fall 1 (x_4 verlässt für x_3 die Basis)
F	3		–1		15	
x_2	–1/2	1		1/2	5	Optimale Lösung: $x_1' = 0$,
x_3	–3/2		1	1/2	2	somit $x_1^* = 6$, $x_2^* = 5$ und $F^* = 17$
F	3/2			1/2	17	

Aufgabe 2.20: (vgl. Fußnote 1 auf S. 35)

a) Lösung des LPs mit dem primalen Simplex-Algorithmus:

	x_1	x_2	x_3	x_4	x_5	b_i
x_4	6	3	5	1	0	25
x_5	3	4	[5]	0	1	20
F	–3	–1	–4	0	0	0
x_4	[3]	–1	0	1	–1	5
x_3	3/5	4/5	1	0	1/5	4
F	–3/5	11/5	0	0	4/5	16
x_1	1	–1/3	0	1/3	–1/3	5/3
x_3	0	1	1	–1/5	2/5	3
F	0	2	0	1/5	3/5	17

Die optimale Lösung ist $\mathbf{x}^* = (5/3, 0, 3; 0, 0)$ mit dem Zielfunktionswert $F^* = 17$.

b) Um zu prüfen, wie sich das Optimaltableau eines LPs bei modifizierten **b** bzw. **c** verändert und ob die gegebene Basislösung nach wie vor optimal ist, kann man grundsätzlich den revidierten Simplex-Algorithmus verwenden. Dazu ist im Wesentlichen die Basisinverse B^{-1} zu berechnen (vgl. auch Aufgabe 2.18). Wir wollen im Folgenden zeigen, dass B^{-1} nicht explizit berechnet werden muss, sondern aus dem Optimaltableau des Ausgangsmodells abgelesen werden kann. Gleichzeitig liefern die Überlegungen zusätzlich Erläuterungen zur Herleitung eines dualen LPs.

Wir gehen davon aus, dass das primale Ausgangsmodell in Normalform mit Strukturvariablen $x_1,...,x_p$ und Schlupfvariablen $y_1,...,y_m$ gegeben ist:

Maximiere $F(\mathbf{x}, \mathbf{y}) = \mathbf{c}^T\mathbf{x} + \mathbf{0}^T\mathbf{y}$

unter den Nebenbedingungen

$A\,\mathbf{x} + S\,\mathbf{y} = \mathbf{b}, \quad \mathbf{x}, \mathbf{y} \geq \mathbf{0}$

Dabei gilt $\mathbf{b} \geq \mathbf{0}$, und S ist eine Einheitsmatrix.

Das Optimaltableau habe dann folgendes Aussehen:

	x_1	x_2	...	x_p	y_1	y_2	...	y_m	b_i
x_{B_1}	a'_{11}	a'_{12}	...	a'_{1p}	s'_{11}	s'_{12}	...	s'_{1m}	b'_1
x_{B_2}	a'_{21}	a'_{22}	...	a'_{2p}	s'_{21}	s'_{22}	...	s'_{2m}	b'_2
:		:				:			:
x_{B_m}	a'_{m1}	a'_{m2}	...	a'_{mp}	s'_{m1}	s'_{m2}	...	s'_{mm}	b'_m
F	v_1	v_2	...	v_p	w_1	w_2	...	w_m	F'

Die nichtnegativen Schattenpreise bzw. Reduzierten Kosten $w_1,...,w_m$ bzw. $v_1,...,v_p$ des primalen Modells sind zugleich die Struktur- bzw. Schlupfvariablen des dualen Modells; denn es gelten folgende Zusammenhänge:

- Die Koeffizienten s'_{ij} der Schlupfvariablen sind durch Lineartransformation aus der Einheitsmatrix S entstanden. Daher gibt s'_{ij} das Vielfache der ursprünglichen Zeile j an, das zur Berechnung der aktuellen Zeile i hinzuaddiert wurde. Wenn $(\mathbf{a}_j, \mathbf{s}_j, b_j)$ die ursprünglichen Zeilen j = 1,...,m und $(\mathbf{a}'_i, \mathbf{s}'_i, b'_i)$ eine aktuelle Zeile i bezeichnen, dann gilt:

  $$(\mathbf{a}'_i, \mathbf{s}'_i, b'_i) = \sum_{j=1}^{m} s'_{ij} \cdot (\mathbf{a}_j, \mathbf{s}_j, b_j) \qquad \text{für } i = 1,...,m$$

- w_i ist das Vielfache der ursprünglichen Zeile i, das zur Berechnung der aktuellen zur ursprünglichen Zielfunktionszeile hinzuaddiert wurde. Wenn $(-\mathbf{c}^T, \mathbf{0}^T, 0)$ die ursprüngliche und $(\mathbf{v}^T, \mathbf{w}^T, F')$ die aktuelle Zielfunktionszeile bezeichnen, dann gilt:

  $$(\mathbf{v}^T, \mathbf{w}^T, F') = (-\mathbf{c}^T, \mathbf{0}^T, 0) + \sum_{i=1}^{m} w_i \cdot (\mathbf{a}_i, \mathbf{s}_i, b_i)$$

- Optimalitätsbedingungen für das primale Modell P (nichtnegative Einträge in der Ergebniszeile):

  $$v_j = \sum_{i=1}^{m} w_i \cdot a_{ij} - c_j \geq 0 \qquad \text{für } j = 1,...,p$$

  $$w_i \geq 0 \qquad \text{für } i = 1,...,m$$

Dies entspricht exakt dem Nebenbedingungssystem des dualen LPs. Die Zielfunktionszeile enthält in jeder Iteration dessen Variablenwerte. Solange negative Einträge vorhanden sind, ist die entsprechende duale Lösung nicht zulässig. Aus dem Optimaltableau lässt sich neben einer optimalen Basislösung $\mathbf{x}_B^* = (x_{B_1}^*,...,x_{B_m}^*) = \mathbf{b}'$ des primalen eine zulässige und wegen des Einschließungssatzes der linearen Optimierung zugleich optimale Lösung $\mathbf{w}^* = \mathbf{w}$ des dualen LPs ablesen. Die Zielfunktionswerte beider Lösungen sind identisch.

Die Matrix B^{-1} lässt sich aus dem Optimaltableau anhand folgender Überlegungen gewinnen: Durch geeignete Lineartransformationen (Gauß-Jordan-Verfahren) entsteht aus einer Matrix [Z|I] die Matrix $[I|Z^{-1}]$, wobei Z eine beliebige quadratische Matrix und I die entsprechend dimensionierte Einheitsmatrix bezeichnen. Da der Simplex-Algorithmus unter den aktuellen Basisvariablen eine Einheitsmatrix erzeugt, ergibt sich an der Stelle der ursprünglichen Einheitsmatrix S die Inverse zur Basismatrix. In der beim revidierten Simplex-Algorithmus verwendeten erweiterten Darstellung von B (sie enthält zusätzlich einen Einheitsvektor für den Zielfunktionswert sowie die Zielfunktionskoeffizienten der Basisvariablen mit negativem Vorzeichen) gilt:

$$B^{-1} = \begin{bmatrix} S' & \mathbf{0} \\ \mathbf{w}^T & 1 \end{bmatrix}$$

Seien nun $\bar{\mathbf{b}}$ und $\bar{\mathbf{c}}$ die geänderten Daten des primalen LPs, so verändert sich die aktuelle (bislang optimale) Basislösung wie folgt:

$$\bar{\mathbf{x}}_B = S' \cdot \bar{\mathbf{b}}$$

$$\bar{\mathbf{v}} = A^T \cdot \mathbf{w} - \bar{\mathbf{c}}$$

$$\bar{F} = \mathbf{w}^T \cdot \bar{\mathbf{b}}$$

Liegt die so veränderte Lösung in Normalform vor (d.h. ist sie primal zulässig $(\bar{\mathbf{x}}_B \geq \mathbf{0})$, die Einträge der Basisvariablen in der Ergebniszeile sind 0), und ist sie dual zulässig $(\bar{\mathbf{v}} \geq \mathbf{0})$, so bleibt die aktuelle Basislösung optimal. Ist die Lösung jedoch primal unzulässig, so wendet man zunächst den dualen Simplex-Algorithmus an. Falls Basisvariablen Ergebniszeileneinträge ungleich 0 besitzen, so sind diese durch geeignete Lineartransformationen auf den Wert 0 zu bringen. Ist die Lösung dual unzulässig, so verwendet man den primalen Simplex-Algorithmus und erreicht oft nach wenigen Schritten das Optimum des modifizierten Modells.

(i) $\bar{\mathbf{b}} = (10, 20)$, $\bar{\mathbf{c}} = \mathbf{c}$:

$$\bar{\mathbf{x}}_B = S' \cdot \bar{\mathbf{b}} = \begin{bmatrix} 1/3 & -1/3 \\ -1/5 & 2/5 \end{bmatrix} \cdot \begin{bmatrix} 10 \\ 20 \end{bmatrix} = \begin{bmatrix} -10/3 \\ 6 \end{bmatrix}$$

$$\bar{F} = \mathbf{w}^T \cdot \bar{\mathbf{b}} = (1/5, 3/5) \cdot \begin{bmatrix} 10 \\ 20 \end{bmatrix} = 2 + 12 = 14$$

$\bar{\mathbf{v}} = \mathbf{v}$, da $\bar{\mathbf{c}} = \mathbf{c}$

Aufgrund der primalen Unzulässigkeit wird der duale Simplex-Algorithmus angewendet:

	x_1	x_2	x_3	x_4	x_5	b_i
x_1	1	−1/3	0	1/3	[−1/3]	−10/3
x_3	0	1	1	−1/5	2/5	6
F	0	2	0	1/5	3/5	14
x_5	−3	1	0	−1	1	10
x_3	6/5	3/5	1	1/5	0	2
F	9/5	7/5	0	4/5	0	8

Neue optimale Lösung:

$\mathbf{x}^* = (0, 0, 2;\ 0, 10)$ mit $F^* = 8$

(ii) $\bar{\mathbf{b}} = (25, 10)$, $\bar{\mathbf{c}} = \mathbf{c}$:

$$\bar{\mathbf{x}}_B = S' \cdot \bar{\mathbf{b}} = \begin{bmatrix} 1/3 & -1/3 \\ -1/5 & 2/5 \end{bmatrix} \cdot \begin{bmatrix} 25 \\ 10 \end{bmatrix} = \begin{bmatrix} 5 \\ -1 \end{bmatrix}$$

$$\bar{F} = \mathbf{w}^T \cdot \bar{\mathbf{b}} = (1/5, 3/5) \cdot \begin{bmatrix} 25 \\ 10 \end{bmatrix} = 5 + 6 = 11$$

$\bar{\mathbf{v}} = \mathbf{v}$, da $\bar{\mathbf{c}} = \mathbf{c}$

Aufgrund der primalen Unzulässigkeit wird der duale Simplex-Algorithmus angewendet:

	x_1	x_2	x_3	x_4	x_5	b_i
x_1	1	−1/3	0	1/3	−1/3	5
x_3	0	1	1	[−1/5]	2/5	−1
F	0	2	0	1/5	3/5	11
x_1	1	4/3	5/3	0	1/3	10/3
x_4	0	−5	−5	1	−2	5
F	0	3	1	0	1	10

Neue optimale Lösung:

$\mathbf{x}^* = (10/3, 0, 0;\ 5, 0)$

mit $F^* = 10$

(iii) $\bar{\mathbf{c}} = (3, 5, 4)$, $\bar{\mathbf{b}} = \mathbf{b}$:

$\bar{\mathbf{x}}_B = \mathbf{b}'$ und $\bar{F} = F'$, weil $\bar{\mathbf{b}} = \mathbf{b}$

$$\bar{\mathbf{v}} = A^T \cdot \mathbf{w} - \bar{\mathbf{c}} = \begin{bmatrix} 6 & 3 \\ 3 & 4 \\ 5 & 5 \end{bmatrix} \cdot \begin{bmatrix} 1/5 \\ 3/5 \end{bmatrix} - \begin{bmatrix} 3 \\ 5 \\ 4 \end{bmatrix} = \begin{bmatrix} 3 \\ 3 \\ 4 \end{bmatrix} - \begin{bmatrix} 3 \\ 5 \\ 4 \end{bmatrix} = \begin{bmatrix} 0 \\ -2 \\ 0 \end{bmatrix}$$

Aufgrund der dualen Unzulässigkeit wird der primale Simplex-Algorithmus angewendet:

	x_1	x_2	x_3	x_4	x_5	b_i
x_1	1	−1/3	0	1/3	−1/3	5/3
x_3	0	[1]	1	−1/5	2/5	3
F	0	−2	0	1/5	3/5	17
x_1	1	0	1/3	[4/15]	−1/5	8/3
x_2	0	1	1	−1/5	2/5	3
F	0	0	2	−1/5	7/5	23
x_4	15/4	0	5/4	1	−3/4	10
x_2	3/4	1	5/4	0	1/4	5
F	3/4	0	9/4	0	5/4	25

Neue optimale Lösung:

$\mathbf{x}^* = (0, 5, 0;\ 10, 0)$

mit $F^* = 25$

(iv) $\bar{\mathbf{c}} = (3, 1, 2)$, $\bar{\mathbf{b}} = \mathbf{b}$:

$\bar{\mathbf{x}}_B = \mathbf{b}'$ und $\bar{F} = F'$, weil $\bar{\mathbf{b}} = \mathbf{b}$

$$\bar{\mathbf{v}} = A^T \cdot \mathbf{w} - \bar{\mathbf{c}} = \begin{bmatrix} 6 & 3 \\ 3 & 4 \\ 5 & 5 \end{bmatrix} \cdot \begin{bmatrix} 1/5 \\ 3/5 \end{bmatrix} - \begin{bmatrix} 3 \\ 1 \\ 2 \end{bmatrix} = \begin{bmatrix} 3 \\ 3 \\ 4 \end{bmatrix} - \begin{bmatrix} 3 \\ 1 \\ 2 \end{bmatrix} = \begin{bmatrix} 0 \\ 2 \\ 2 \end{bmatrix}$$

Es ergibt sich ein Simplex-Tableau mit positivem Ergebniszeileneintrag für die Basisvariable x_3. Daher wird zunächst das Doppelte der zweiten Zeile von der Zielfunktionszeile subtrahiert. Dadurch entsteht ein negativer Ergebniszeileneintrag für x_5; somit ist anschließend der primale Simplex-Algorithmus anzuwenden.

	x_1	x_2	x_3	x_4	x_5	b_i
x_1	1	–1/3	0	1/3	–1/3	5/3
x_3	0	1	1	–1/5	2/5	3
F	0	2	2	1/5	3/5	17
x_1	1	–1/3	0	1/3	–1/3	5/3
x_3	0	1	1	–1/5	[2/5]	3
F	0	0	0	3/5	–1/5	11
x_1	1	1/2	5/6	1/6	0	25/6
x_5	0	5/2	5/2	–1/2	1	15/2
F	0	1/2	1/2	1/2	0	25/2

Neue optimale Lösung:

$\mathbf{x}^* = (25/6, 0, 0;\ 0, 15/2)$

mit $F^* = 25/2$

c) Im unter a) erhaltenen Optimaltableau sind x_4 und x_5 Nichtbasisvariablen. Unter Verwendung der Bezeichnungen aus Aufgabenteil b) erhält man:

$b_1^- = b_1'/s_{11}' = 5$ und $b_1^+ = -b_2'/s_{21}' = 15$

$b_2^- = b_2'/s_{22}' = 7{,}5$ und $b_2^+ = -b_1'/s_{12}' = 5$

Damit ergibt sich $\bar{b}_1 \in [20, 40]$ sowie $\bar{b}_2 \in [12.5, 25]$.

d) Die Schwankungsbereiche lassen sich wie folgt bestimmen:

x_2 ist Nichtbasisvariable; es gilt $c_2^- = \infty$ und $c_2^+ = v_2 = 2$.

x_3 ist Basisvariable; es gilt $c_3^- = w_2/s_{22}' = 1.5$ und $c_3^+ = -w_1/s_{21}' = 1$.

Damit ergibt sich $\bar{c}_2 \in (-\infty, 3]$ sowie $\bar{c}_3 \in [2.5, 5]$.

Aufgabe 2.21:

Die Aufgabe lässt sich als parametrisches Optimierungsmodell formulieren, in dem der Parameter μ nur in der Zielfunktion steht. Dies erreicht man durch Bilden des dualen Modells:

Minimiere $FD_\mu(\mathbf{w}) = (8+2\mu)w_1 + (7+7\mu)w_2 + (3+2\mu)w_3$

unter den Nebenbedingungen

$$
\begin{aligned}
2w_1 + w_2 \phantom{{}+ w_3} &\geq 1 \\
w_1 + 2w_2 + w_3 &\geq 1 \\
w_1, w_2, w_3 &\geq 0
\end{aligned}
$$

Lösung mit Hilfe der M-Methode:

	w_1	w_2	w_3	w_4	w_5	y_1	y_2	b_i
y_1	2	1	0	–1	0	1		1
y_2	1	2	1	0	–1		1	1
FD_μ	$8+2\mu$	$7+7\mu$	$3+2\mu$	0	0			0
M-Zeile	–3M	–3M	–M	M	M			–2M

Nach zwei Iterationen, in denen w_1 und w_2 in die Basis aufgenommen werden und dafür die künstlichen Variablen die Basis verlassen, erhält man folgendes Tableau:

	w_1	w_2	w_3	w_4	w_5	b_i	
w_1	1	0	–1/3	–2/3	1/3	1/3	optimal für
w_2	0	1	2/3	1/3	–2/3	1/3	$-1/2 \le \mu \le 1/2$
FD_μ	0	0	$1-2\mu$	$3-\mu$	$2+4\mu$	$-5-3\mu$	

Fall 1 ($-1/2 \le \mu \le 1/2$): Alle Einträge in der Ergebniszeile sind nichtnegativ. Die optimale Lösung des primalen Modells lautet $x_1^* = 3-\mu$ und $x_2^* = 2+4\mu$ mit dem Zielfunktionswert $F_\mu^*(\mathbf{x}) = -FD_\mu^*(\mathbf{w}) = 5+3\mu$.

Fall 2 ($\mu > 1/2$): Die Reduzierten Kosten von w_3 sind negativ, und es ist ein weiterer Basistausch durchzuführen:

	w_1	w_2	w_3	w_4	w_5	b_i	
w_1	1	1/2	0	–1/2	0	1/2	optimal für
w_3	0	3/2	1	1/2	–1	1/2	$1/2 \le \mu \le \infty$
FD_μ	0	$-3/2+3\mu$	0	5/2	$3+2\mu$	$-11/2-2\mu$	

Für diesen Wertebereich des Parameters μ lautet die optimale Lösung des primalen Modells $x_1^* = 5/2$ und $x_2^* = 3+2\mu$ mit dem Zielfunktionswert $F_\mu^*(\mathbf{x}) = 11/2+2\mu$.

Fall 3 ($\mu < -1/2$): Im vorletzten Tableau ist der Schattenpreis von w_5 negativ. Der notwendige Basistausch liefert das folgende Tableau:

	w_1	w_2	w_3	w_4	w_5	b_i	
w_5	3	0	–1	–2	1	1	optimal für
w_2	2	1	0	–1	0	1	$-1 \le \mu \le -1/2$
FD_μ	$-6-12\mu$	0	$3+2\mu$	$7+7\mu$	0	$-7-7\mu$	

Fall 3a ($-1 \le \mu \le -1/2$): Als optimale Lösung des primalen Modells ergibt sich $x_1^* = 7+7\mu$ und $x_2^* = 0$ mit Zielfunktionswert $F_\mu^*(\mathbf{x}) = 7+7\mu$.

Fall 3b ($\mu<-1$): Es ergibt sich ein negativer Schattenpreis für w_4; wegen ausschließlich negativer Elemente in der Pivotspalte ist das (duale) LP unbeschränkt, und es existiert keine zulässige Lösung des primalen LPs.

Damit ergibt sich der in nebenstehender Abbildung wiedergegebene Verlauf des optimalen Zielfunktionswertes $F^*_\mu(\mathbf{x})$ in Abhängigkeit vom Parameter μ.

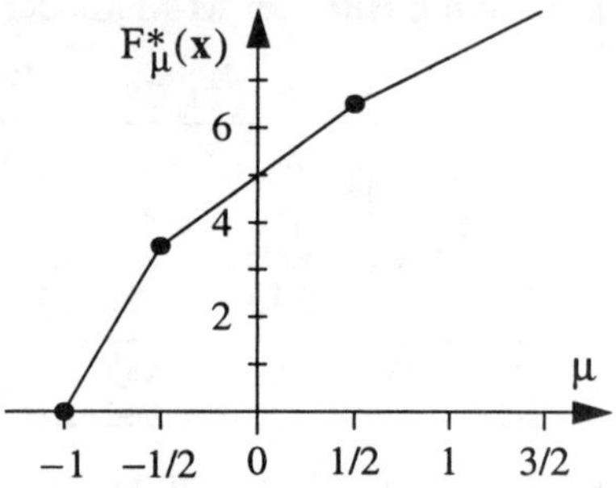

Alternativer Lösungsansatz:

Wir betrachten das primale LP und lösen es mit dem primalen Simplex-Algorithmus:

	x_1	x_2	x_3	x_4	x_5	b_i
x_3	2	1	1	0	0	$8+2\mu$
x_4	1	2	0	1	0	$7+7\mu$
x_5	0	1	0	0	1	$3+2\mu$
F_μ	−1	−1	0	0	0	0

Eine notwendige Bedingung für eine zulässige Lösung ist wegen der nichtnegativen Elemente der Koeffizientenmatrix A, dass die rechten Seiten nichtnegativ sind. Daraus ergibt sich $\mu \geq \max\{-8/2, -7/7, -3/2\} = -1$. Für $\mu<-1$ liegt demnach Fall 3b vor.

Wählen wir Spalte 1 als Pivotspalte, so ist im Falle $\mu<-1/2$ die Zeile 1, im Falle $\mu>-1/2$ die Zeile 2 und für $\mu=-1/2$ entweder Zeile 1 oder Zeile 2 als Pivotzeile zu verwenden.

Nach Durchführen eines Basistausches ergibt sich für $-1\leq\mu\leq-1/2$ (Fall 3a) das folgende Optimaltableau mit $x_1^* = 7+7\mu$, $x_2^* = 0$ und $F^*_\mu(\mathbf{x}) = 7+7\mu$:

	x_1	x_2	x_3	x_4	x_5	b_i
x_3	0	−3	1	−2	0	$-6-12\mu$
x_1	1	2	0	1	0	$7+7\mu$
x_5	0	1	0	0	1	$3+2\mu$
F_μ	0	1	0	1	0	$7+7\mu$

Für $-1/2\leq\mu$ ergibt sich nach dem ersten Basistausch das folgende Tableau:

	x_1	x_2	x_3	x_4	x_5	b_i
x_4	0	3/2	−1/2	1	0	$3+6\mu$
x_1	1	1/2	1/2	0	0	$4+\mu$
x_5	0	1	0	0	1	$3+2\mu$
F_μ	0	−1/2	1/2	0	0	$4+\mu$

Bei der Wahl der Zeile 2 als Pivotzeile erhält man den obigen Fall 1, bei der Wahl der Zeile 3 den Fall 2.

Aufgabe 2.22:

Zunächst wird eine optimale Lösung bezüglich $F_1(\mathbf{x})$ mit Hilfe der M-Methode ermittelt:

	x_1	x_2	x_3	x_4	x_5	x_6	x_7	y_1	b_i
x_5	9	2	1	2	1				16
x_6	[4]		–1	1		1			1
y_1	1	1	1				–1	1	6
F_1	–1	3	4	–1					
M-Zeile	–M	–M	–M				M		–6M
x_5		2	[13/4]	–1/4	1	–9/4			55/4
x_1	1		–1/4	1/4		1/4			1/4
y_1		1	5/4	–1/4		–1/4	–1	1	23/4
F_1		3	15/4	–3/4		1/4			1/4
M-Zeile		–M	–5/4 M	M/4		M/4	M		–23/4 M
x_3		8/13	1	–1/13	4/13	–9/13			55/13
x_1	1	2/13		3/13	1/13	1/13			17/13
y_1		3/13		–2/13	–5/13	[8/13]	–1	1	6/13
F_1		9/13		–6/13	–15/13	37/13			–203/13
M-Zeile		–3/13 M		2/13M	5/13 M	–8/13M	M		–6/13M
x_3		7/8	1	–1/4	–1/8		–9/8	■	19/4
x_1	1	1/8		1/4	1/8		1/8	■	5/4
x_6		[3/8]		–1/4	–5/8	1	–13/8	■	3/4
F_1		–3/8		1/4	5/8		37/8	■	–71/4
x_3			1	1/3	4/3	–7/3	8/3	■	3
x_1	1			1/3	1/3	–1/3	2/3	■	1
x_2		1		–2/3	–5/3	8/3	–13/3	■	2
F_1				0	0	1	3	■	–17

Es handelt sich um den Fall der dualen Degeneration, da die Zielfunktionszeile unter den Nichtbasisvariablen x_4 und x_5 den Wert 0 enthält. Daher ist die ermittelte Lösung $\mathbf{x}^* = (1,2,3,0)$ nicht die einzige, die den optimalen Zielfunktionswert $F_1^* = -17$ aufweist.

Unter all diesen optimalen Lösungen wird nun eine solche gesucht, die die nachgeordnete Zielfunktion $F_2(\mathbf{x}) = x_1 + x_2$ minimiert. Dazu kann man die zusätzliche Nebenbedingung

$$x_1 - 3x_2 - 4x_3 + x_4 \geq -17 \text{ oder } -x_1 + 3x_2 + 4x_3 - x_4 + x_8 = 17$$

mit Basisvariable x_8 in das Tableau einführen, die aufgrund der übrigen Nebenbedingungen nur als Gleichung erfüllbar ist. In der Ergebniszeile wird nun die zweite Zielfunktion wie üblich eingetragen. Erzeugen wir unter den aktuellen Basisvariablen x_1, x_2, x_3 und x_8 durch geeignete Linearkombinationen eine Einheitsmatrix, so ergibt sich folgendes Tableau:

	x_1	x_2	x_3	x_4	x_5	x_6	x_7	x_8	b_i
x_3			1	1/3	4/3	–7/3	8/3		3
x_1	1			1/3	1/3	–1/3	2/3		1
x_2		1		–2/3	–5/3	8/3	–13/3		2
x_8						[1]	3	1	0
F_2				1/3	4/3	–7/3	11/3		–3

Nach dem Austausch von x_8 gegen x_6 stellt man fest, dass die für F_1 ermittelte Lösung $\mathbf{x}^* = (1,2,3,0)$ zugleich optimal für F_2 ist mit dem Zielfunktionswert $F_2^* = 3$. Dies gilt nicht für die Basislösung $\mathbf{x}^{*\prime} = (0,6,0,1)$, die zwar optimal bezüglich der ersten, aber nicht bezüglich der zweiten Zielfunktion ist (es gilt $F_2(\mathbf{x}^{*\prime}) = 6$).

Aufgabe 2.23:

a) Die zu maximierenden Zielfunktionen bezüglich der drei angegebenen Ziele Gewinn, Prestige bzw. Umweltverträglichkeit lauten:

$F_1(\mathbf{x}) = 12x_1 + 9x_2 + 15x_3$ $\quad F_2(\mathbf{x}) = 5x_1 + 3x_2 + 4x_3$ $\quad F_3(\mathbf{x}) = 5x_1 + 7x_2 + 8x_3$

Mit den vorgegebenen Gewichtungsfaktoren erhalten wir die Zielfunktion:

$$\text{Maximiere } F(\mathbf{x}) = 0.5\cdot(12x_1+9x_2+15x_3)+0.2\cdot(5x_1+3x_2+4x_3) + 0.3\cdot(5x_1+7x_2+8x_3) = 8.5x_1+7.2x_2+10.7x_3$$

unter den Nebenbedingungen

$$6x_1 + 3x_2 + 5x_3 \le 25$$
$$3x_1 + 4x_2 + 5x_3 \le 20$$
$$x_1, x_2, x_3 \ge 0$$

Mit dem Simplex-Algorithmus ergibt sich folgender Lösungsgang:

	x_1	x_2	x_3	x_4	x_5	b_i
x_4	6	3	5	1	0	25
x_5	3	4	[5]	0	1	20
F	–8.5	–7.2	–10.7	0	0	0
x_4	[3]	–1	0	1	–1	5
x_3	3/5	4/5	1		1/5	4
F	–2.08	1.36	0	0	2.14	42.8
x_1	1	–1/3	0	1/3	–1/3	5/3
x_3	0	1	1	–1/5	2/5	3
F	0	2/3	0	0.693	1.447	46.27

Als optimale Lösung erhält man $\mathbf{x}^* = (5/3, 0, 3;\ 0, 0)$ mit $F^* = 46.27$.

b) Zunächst löst man das Optimierungsproblem isoliert bezüglich jeder der drei Zielsetzungen und erhält die optimalen Lösungen:

$\mathbf{x}^1 = (5/3, 0, 3)$ mit $F_1^*(\mathbf{x}^1) = 65$

$\mathbf{x}^2 = (8/3, 3, 0)$ mit $F_2^*(\mathbf{x}^2) = 67/3$

$\mathbf{x}^3 = (0, 5, 0)$ mit $F_3^*(\mathbf{x}^3) = 35$

Minimierung der Abstandsfunktion für p = 1: Wir erhalten die folgende Zielfunktion:

$$\text{Minimiere } \Phi(\mathbf{x}) = 0.5 \cdot |65 - 12x_1 - 9x_2 - 15x_3| + 0.2 \cdot |67/3 - 5x_1 - 3x_2 - 4x_3| + 0.3 \cdot |35 - 5x_1 - 7x_2 - 8x_3| = 47.467 - 8.5x_1 - 7.2x_2 - 10.7x_3$$

Aufgrund der Vorgabe der für die isolierten Probleme optimalen Lösungen kann auf die Betragsstriche verzichtet werden, so dass wiederum eine lineare Zielfunktion entsteht. Äquivalent dazu ist: Maximiere $\Psi(\mathbf{x}) = 8.5x_1 + 7.2x_2 + 10.7x_3$ (siehe Aufgabenteil a))

Minimierung der Abstandsfunktion bei p = ∞: Zu lösen ist das folgende LP:

Minimiere $\Phi(\mathbf{x}, d) = d$

unter den Nebenbedingungen

$$\begin{aligned}
0.5 \cdot (65 - 12x_1 - 9x_2 - 15x_3) &\le d\\
0.2 \cdot (67/3 - 5x_1 - 3x_2 - 4x_3) &\le d\\
0.3 \cdot (35 - 5x_1 - 7x_2 - 8x_3) &\le d\\
6x_1 + 3x_2 + 5x_3 &\le 25\\
3x_1 + 4x_2 + 5x_3 &\le 20\\
x_1, x_2, x_3 &\ge 0
\end{aligned}$$

Durch Ausmultiplizieren der ersten drei Nebenbedingungen und Anordnen aller Variablen auf der linken Seite ergibt sich z.B. für die erste Bedingung:

$$6x_1 + 4.5x_2 + 7.5x_3 + d \ge 32.5$$

Nach Anwenden des Simplex-Algorithmus erhält man die optimale Lösung $x_1^* = 17/9$, $x_2^* = 2/3$, $x_3^* = 7/3$ und $d^* = 2/3$ mit dem Zielfunktionswert $\Phi^* = 2/3$.

Aufgabe 2.24:

a) Die Strategie b_2 wird durch b_4 dominiert und kann daher eliminiert werden.

b) Der untere Spielwert des verbleibenden Spieles ist $\underline{e}_{i*} = -2$ (Strategien a_2 und a_3), der obere Spielwert ist $\bar{e}_{j*} = 1$ (Strategie b_3). Das Spiel besitzt keine Lösung in reinen Strategien.

	b_1	b_3	b_4	$\underline{e}_i$
a_1	–3	0	2	–3
a_2	3	1	–2	–2*
a_3	0	–2	–1	–2*
$\bar{e}_j$	3	1*	2	

c) Für Spieler A lässt sich ein LP mit Variablen p_1, p_2 und p_3 formulieren, die den Wahrscheinlichkeiten für die Auswahl der Strategien a_1, a_2 und a_3 entsprechen. Da die Summe der Variablen 1 sein muss, kann p_3 durch $1 - p_1 - p_2$ ersetzt werden. Es ergeben sich die folgenden alternativen Formulierungen (in eckigen Klammern stehen die mit den Nebenbedingungen korrespondierenden Dualvariablen, d.h. hier Wahrscheinlichkeiten für die Wahl der Strategien b_1, b_3 bzw. b_4):

Maximiere $F(p_1, p_2, p_3, z) = z$

unter den Nebenbedingungen

$$\begin{array}{rcl} -3p_1 + 3p_2 & \geq & z \quad [q_1] \\ p_2 - 2p_3 & \geq & z \quad [q_3] \\ 2p_1 - 2p_2 - p_3 & \geq & z \quad [q_4] \\ p_1 + p_2 + p_3 & = & 1 \\ p_1, p_2, p_3 & \geq & 0 \\ z & \in & \mathbb{R} \end{array}$$

oder

Maximiere $F(p_1, p_2, z) = z$

unterdenNebenbedingungen

$$\begin{array}{rcl} -3p_1 + 3p_2 & \geq & z \\ 2p_1 + 3p_2 & \geq & z + 2 \\ 3p_1 - p_2 & \geq & z + 1 \\ p_1 + p_2 & \leq & 1 \\ p_1, p_2 & \geq & 0 \\ z & \in & \mathbb{R} \end{array}$$

Optimale gemischte Strategien sind $\mathbf{p} = (p_1, p_2, p_3) = (0.5, 0.5, 0)$ und $\mathbf{q} = (q_1, q_3, q_4) = (0.4, 0, 0.6)$; der Spielwert ist $z = 0$.

Aufgabe 2.25:

a) Es gilt: $\underline{e}_{i*} = -1$ für alle a_i und $\bar{e}_{j*} = 1$ für alle b_j

b) Der LP-Ansatz entspricht demjenigen in Aufgabe 2.24. Als optimale Strategien erhält man $\mathbf{p} = \mathbf{q} = (1/3, 1/3, 1/3)$, der Spielwert ist $z = 0$.

Kapitel 3: Graphentheorie

Aufgabe 3.1:

Gegeben sei der gerichtete Graph G = (V, E) mit V = {1,2,3,4,5,6} und E = {(1,2), (1,5), (1,6), (2,3), (2,6), (3,1), (3,4), (3,6), (5,4), (5,6), (6,4)}.

Zeichnen Sie G und bestimmen Sie die Vorgängermengen $\mathcal{V}(i)$ und Nachfolgermengen $\mathcal{N}(i)$ für i = 1,...,6! Ist G ein Digraph (Begründung)? Geben Sie einen Weg mit Anfangsknoten $j_0 = 1$ und Endknoten $j_t = 4$ an, der mindestens drei Pfeile enthält! Welche besondere Eigenschaft besitzt Knoten 4?

Aufgabe 3.2:

Betrachten Sie das folgende Verkehrsnetz (Entfernungen als Kantenbewertungen):

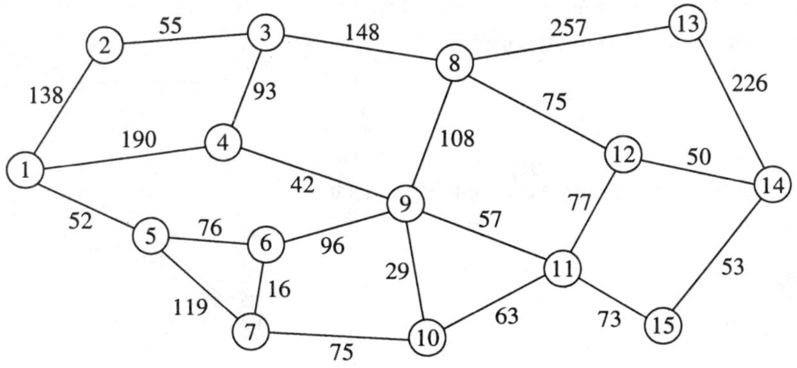

a) Bestimmen Sie mit Hilfe des Dijkstra-Algorithmus den kürzesten Weg von Knoten 1 zu Knoten 4 sowie von Knoten 1 zu Knoten 7. Beenden Sie das Verfahren frühestmöglich!

b) Bestimmen Sie einen kürzesten Weg von 1 nach 13 mit Hilfe des Dijkstra-Algorithmus. Verwenden Sie ggf. Teilergebnisse aus a)!

Aufgabe 3.3:

Als Maß für den Rechen(zeit)aufwand eines Algorithmus verwendet man die Zahl der (im ungünstigsten Fall) auszuführenden elementaren Operationen (arithmetische, Vergleichs-, Verzweigungs- und Zuweisungsoperationen). In Domschke und Drexl (2005) wird dafür in Kap. 6.2 die so genannte O-Notation eingeführt.

Zeigen Sie, dass die Rechenzeit des Dijkstra-Algorithmus $O(n^2)$ beträgt! Dabei sei n die Anzahl der Knoten des Graphen. Der Dijkstra-Algorithmus kann wie folgt angegeben werden:

Voraussetzung: Ein Digraph G = (V, E, c) mit n Knoten und Bewertungen $c_{ij} \geq 0$ für alle Pfeile (i,j); Felder D[1..n] und R[1..n] zur Speicherung kürzester Entfernungen und Wege; Menge MK markierter Knoten.

Start: Setze MK := {a}, D[a]:= 0 sowie D[i]:= ∞ für alle Knoten $i \neq a$;

Iteration μ (= 1,2,...):

(1) Wähle einen Knoten h aus MK mit D[h] = min {D[i] | $i \in$ MK};

(2) **for** (all) $j \in \mathcal{N}(h)$ **do**

if $D[j] > D[h] + c_{hj}$ **then**

begin $D[j]:=D[h] + c_{hj}$; R[j]:=h; MK:= MK $\cup$ {j} **end;**

(3) Eliminiere h aus MK;

Abbruch: MK= ϕ;

Aufgabe 3.4:

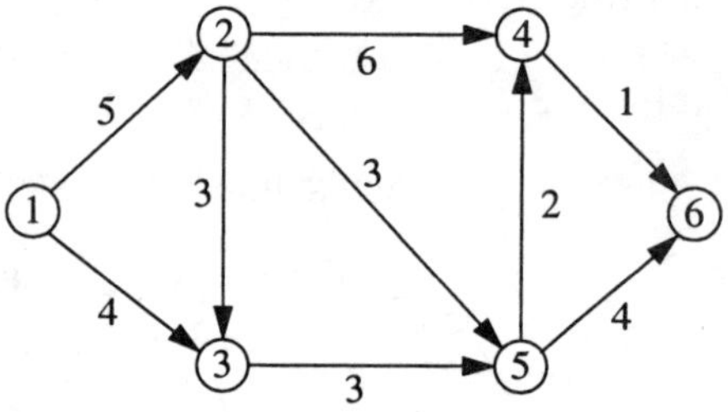

a) Speichern Sie den rechts dargestellten Graphen als knotenorientierte Liste!

b) Ermitteln Sie den kürzesten Weg von Knoten 1 zu Knoten 6 mit Hilfe des FIFO-Algorithmus!

Aufgabe 3.5:

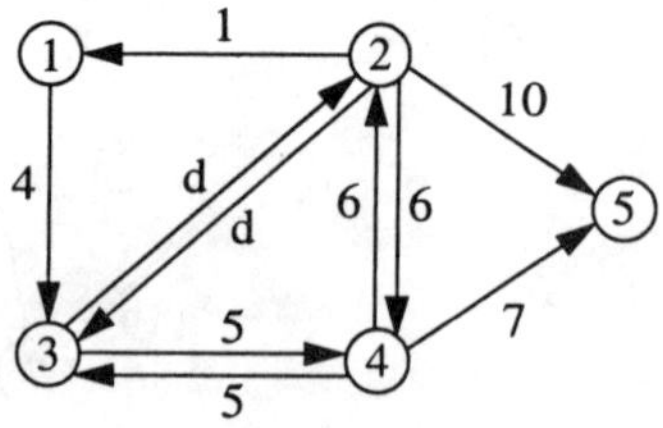

Bestimmen Sie für alle Knotenpaare (i, j) des rechts dargestellten Graphen den kürzesten Weg von i nach j mit Hilfe des Tripel-Algorithmus,

a) falls d = 2 ist!

b) Was erhält man für d = –6?

Aufgabe 3.6:

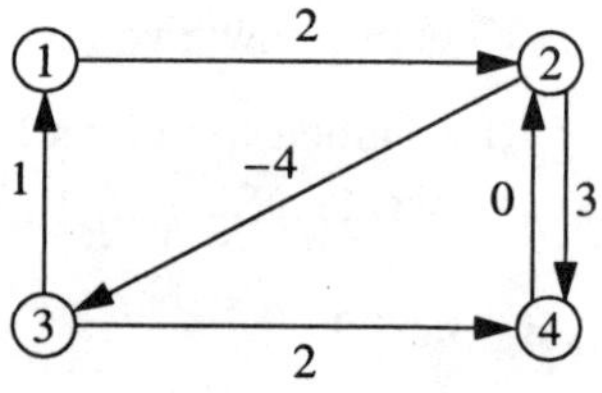

Gegeben sei der rechts dargestellte Graph.

a) Führen Sie den Tripel-Algorithmus so lange aus, bis Sie einen Zyklus negativer Länge identifizieren können!

b) Ermitteln Sie auf rekursive Weise aus den berechneten Matrizen die im negativen Zyklus enthaltenen Knoten und bestimmen Sie die Länge des Zyklus!

c) Nennen Sie die wesentlichen Unterschiede zwischen dem Algorithmus von Dijkstra und dem Tripel-Algorithmus!

Aufgabe 3.7:

a) Bestimmen Sie mit dem Kruskal-Algorithmus für den Graphen in Aufgabe 3.2 einen minimalen spannenden Baum!

b) Ermitteln Sie einen minimalen 1-Baum mit dem ausgezeichneten Knoten $i_0 = 1$!

Aufgabe 3.8: (vgl. auch Aufgabe 4.5)

Der schwäbische Bauer Cleverle beabsichtigt den Kauf einer neuen Melkmaschine für seinen landwirtschaftlichen Betrieb. Ein vollautomatisches Melksystem wird in 3 Jahren installiert werden, so dass die Melkmaschine dann nicht mehr benötigt wird. Da jedoch vorher mit einer sehr starken Beanspruchung der Maschine zu rechnen ist, werden die Betriebs- und Wartungskosten mit der Zeit stark zunehmen. Es wäre unter Umständen sinnvoller, die gekaufte Melkmaschine nach ein und/oder zwei Jahren durch eine neue desselben Typs zu ersetzen.

Die Kostenmatrix C enthält die durch den Kauf der Melkmaschine am Ende des Jahres i und deren Nutzung bis zum Ende des Jahres j entstehenden Kosten (Wertminderung, Betriebs- und Wartungskosten).

$$C = (c_{ij}) = \begin{bmatrix} 8 & 18 & 31 \\ - & 10 & 21 \\ - & - & 12 \end{bmatrix}$$

Bestimmen Sie die Zeitpunkte, zu denen die neue Melkmaschine ggf. ersetzt werden sollte, um die Melkkosten der nächsten drei Jahre zu minimieren!

a) Formulieren Sie diesen Sachverhalt als Kürzeste-Wege-Problem! Zeichnen Sie insbesondere den zugrundeliegenden Graphen!

b) Lösen Sie das Problem mit Hilfe des Dijkstra-Algorithmus!

Aufgabe 3.9:

Die clevere Geschäftsfrau Biggi S. betreibt ein kleines Geschäft für Tenniszubehör. Dort bekommt man neben Schlägern und Tenniskleidung vor allem Tennisbälle der Marke *Never Flat.*

Aufgrund ihrer langjährigen Erfahrung und fundierter mathematischer Kenntnisse kann Frau S. den Bedarf b_t an Tennisbällen für die kommenden 4 Wochen $t = 1,...,4$ ziemlich genau abschätzen. Da sie während ihres Studiums in einer Vorlesung zur Einführung in die Betriebswirtschaftslehre etwas vom ökonomischen Prinzip gehört hat, möchte sie die in diesem Zeitraum benötigten Tennisbälle kostenminimal einkaufen und lagern. Dabei kann sie aufgrund von Händlerzusagen davon ausgehen, dass der Einkaufspreis pro Ball konstant bleibt. Für die Lagerung nicht verkaufter Bälle entstehen variable Lagerhaltungskosten c_t (GE pro Stück und Woche). Zur Vereinfachung der Berechnung wird davon ausgegangen, dass die Nachfrage b_t jeweils zu Beginn einer Woche t auftritt, entsprechende Bälle also in t nicht mehr gelagert werden müssen. Bei einer Bestellung von Tennisbällen bei ihrem Lieferanten (jeweils zu Beginn einer Woche t) entstehen Frau S. fixe Bestellkosten in Höhe von f_t GE. Eine Bestellung trifft jeweils noch am gleichen Tag ein und kann somit sofort zur Deckung des aktuellen Wochenbedarfs verwendet werden. Die entsprechenden Daten sind obiger Tabelle zu entnehmen.

Woche t	1	2	3	4
b_t	70	40	50	60
f_t	25	30	37	52
c_t	0.5	0.4	0.3	(0.3)

Wie viele Bälle sind zu Beginn jeder der 4 Wochen zu bestellen (falls bestellt wird), so dass die Gesamtkosten minimal werden? Gehen Sie dabei davon aus, dass das Lager zu Beginn und am Ende des betrachteten Zeitraumes leer ist!

a) Bilden Sie für das angegebene Problem einen gerichteten Graphen, indem Sie für jede Periode $t = 1,...,4$ (und ggf. für eine zusätzliche fiktive Periode) einen Knoten und für jede mögliche Bestellung einen Pfeil einführen! Nutzen Sie dabei eine Optimalitätseigenschaft aus, die besagt, dass eine Bestellung nur dann sinnvoll ist, wenn das Lager leer ist (so genannte Regenerationseigenschaft)! Erläutern Sie Ihre Definition der Pfeile und geben Sie sinnvolle Pfeilbewertungen an!

b) Lösen Sie das Problem mit Hilfe des Dijkstra-Algorithmus durch Ermittlung eines kürzesten Weges von der Quelle zur Senke dieses Graphen![1]

Aufgabe 3.10:

Gegeben sei der nebenstehende Graph $G = (V, E, c)$. Die Bewertung c_{ij} an Pfeil (i,j) gibt die Fahrtkosten von Ort i nach Ort j an.

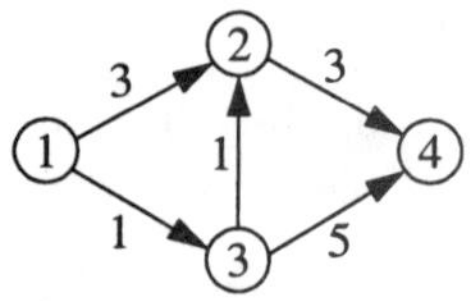

a) Formulieren Sie das Problem, in diesem Graphen die minimalen Fahrtkosten von Knoten 1 nach Knoten 4 zu ermitteln, als LP! Verwenden Sie dabei für jeden Knoten j eine Variable u_j, wobei u_4 die zu bestimmende Entfernung angeben soll!

b) Geben Sie das zu a) duale Problem an! Um welchen speziellen Typ eines LPs handelt es sich dabei?[2]

c) Lösen Sie das LP aus a) mit Hilfe des Simplex-Algorithmus mit impliziter Berücksichtigung oberer Schranken für Variablen!

d) Entscheiden Sie aufgrund des Satzes vom komplementären Schlupf, ob der Weg (1,3,4) ein kürzester Weg von Ort 1 nach Ort 4 ist!

---

1 Bei dem geschilderten Problem handelt es sich um ein Wagner-Whitin-Problem; vgl. hierzu z.B. Domschke et al. (1997, Kap. 3.3.1).

2 Ein Kürzeste-Wege- und das dazu duale Problem lösen wir in Domschke und Drexl (2005, Kap. 11.2) mit dem Tabellenkalkulationsprogramm Excel von Microsoft.

Lösungen zu Kapitel 3: Graphentheorie

Aufgabe 3.1:

Der durch nebenstehende Abbildung sowie Vorgänger- und Nachfolgerliste dargestellte Graph G ist ein Digraph, da er gerichtet ist, endliche Knoten- und Pfeilanzahl und weder Schlingen noch parallele Pfeile besitzt. (1,2,3,4) und (1,2,3,6,4) sind Wege von $j_0 = 1$ nach $j_t = 4$ mit mindestens drei Pfeilen. Bei Knoten 4 handelt es sich um eine Senke.

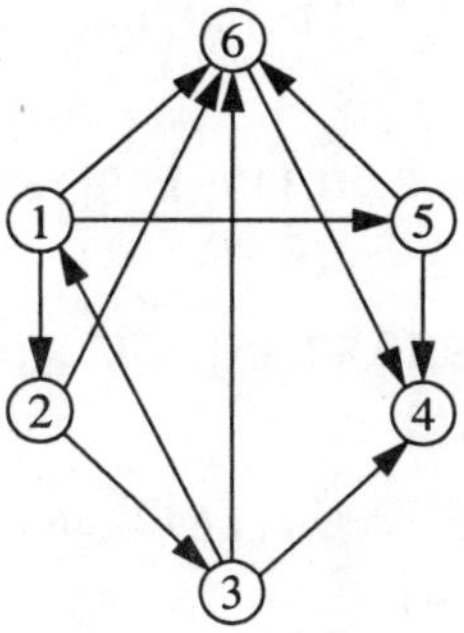

i	$\mathcal{V}$(i)	$\mathcal{N}$(i)
1	{3}	{2,5,6}
2	{1}	{3,6}
3	{2}	{1,4,6}
4	{3,5,6}	{ }
5	{1}	{4,6}
6	{1,2,3,5}	{4}

Aufgabe 3.2:

Der Dijkstra-Algorithmus kann für Digraphen mit nichtnegativen Pfeilbewertungen angewendet werden. Der hier vorliegende ungerichtete Graph lässt sich leicht durch Einführen von Pfeilen (i,j) und (j,i) statt einer Kante [i,j] in einen Digraphen transformieren, so dass der Algorithmus anwendbar ist.

a) **Kürzester Weg von 1 nach 4 bzw. 7:**

Start: MK := {1}; D[1] := 0; D[i] := ∞ für alle i ≠ 1

It. 1: h := 1; $\mathcal{N}$(1) = {2,4,5}; D[2] := 138; R[2] := 1; D[4] := 190; R[4] := 1; D[5] := 52; R[5] := 1; MK := {2,4,5}

It. 2: h := 5; $\mathcal{N}$(5) = {1,6,7}; D[6] := 52 + 76 = 128; R[6] := 5; D[7] := 52 + 119 = 171; R[7] := 5; MK := {2,4,6,7}

It. 3: h := 6; $\mathcal{N}$(6) = {5,7,9}; D[7] := 144; R[7] := 6; D[9] := 224; R[9] := 6; MK := {2,4,7,9}

It. 4: h := 2; $\mathcal{N}$(2) = {1,3}; D[3] := 193; R[3] := 2; MK := {3,4,7,9}

It. 5: h := 7; $\mathcal{N}$(7) = {5,6,10}; D[10] := 219; R[10] := 7; MK := {3,4,9,10}

It. 6: h := 4; $\mathcal{N}$(4) = {1,3,9}; D[3], R[3]; D[9], R[9] unverändert; MK :={3,9,10}

Das Verfahren kann zu Beginn von Iteration 6 abgebrochen werden, da mit der erfolgten Auswahl von Knoten 4 und Knoten 7 aus MK deren jeweils kürzeste Entfernung von Knoten 1 bekannt ist.[3] Der kürzeste Weg von 1 nach 4 entspricht der direkten Verbindung der Knoten mit Entfernung 190. Der kürzeste Weg von 1 nach 7 verläuft über 5 und 6 und hat eine Länge von 144.

3 Dies gilt nur unter der zu Beginn genannten Voraussetzung, dass sämtliche Pfeilbewertungen des Graphen nichtnegativ sind.

b) **Kürzester Weg von 1 nach 13:**

Die Iterationen 1 bis 6 verlaufen genauso wie in Teilaufgabe a).

It. 7: h := 3; $\mathcal{N}(3)$ = {2,4,8}; D[8] := 341; R[8] := 3; MK := {8,9,10}

It. 8: h := 10; $\mathcal{N}(10)$ = {7,9,11}; D[9] und R[9] unverändert; D[11] := 282; R[11] :=10; MK := {8,9,11}

It. 9: h := 9; $\mathcal{N}(9)$ = {4,6,8,10,11}; D[8] := 332; R[8] := 9; D[11] := 281; R[11] := 9, MK := {8,11}

It. 10: h := 11; $\mathcal{N}(11)$= {9,10,12,15}; D[12] := 358; R[12] := 11; D[15] := 354; R[15] := 11; MK := {8,12,15}

It. 11: h := 8; $\mathcal{N}(8)$ = {3,9,12,13}; D[12] und R[12] unverändert; D[13] := 589; R[13] := 8; MK := {12,13,15}

It. 12: h := 15; $\mathcal{N}(15)$ = {11,14}; D[14] := 407; R[14] := 15, MK :={12,13,14}

It. 13: h := 12; $\mathcal{N}(12)$:= {8,11,14}; D[14] und R[14] unverändert; MK := {13,14}

It. 14: h := 14; $\mathcal{N}(14)$ = {12,13,15}; D[13] und R[13] unverändert; MK := {13}

It. 15: h := 13; $\mathcal{N}(13)$ = {8,14}; MK := ϕ; Abbruch des Verfahrens

Bemerkung: Für alle bereits aus MK eliminierten Knoten ist deren kürzeste Entfernung bekannt; daher hätten sie als Nachfolger nicht mehr berücksichtigt werden müssen.

Der kürzeste Weg von 1 nach 13 ist $w^*_{1,13}$ = (1,5,6,9,8,13) mit der Länge 589.

Aufgabe 3.3:

Der Startschritt wird für jeden Knoten einmal ausgeführt und benötigt den Aufwand O(n).

Pro Iteration wird ein Knoten endgültig abgearbeitet → O(n) Iterationen.

Schritt (1) benötigt maximal n−1 Vergleiche → O(n).

In Schritt (2) werden maximal n−1 Nachfolger des Knotens h durchlaufen → O(n) Durchläufe der for-Schleife. Jeder derartige Durchlauf enthält einen Vergleich und ggf. drei Zuweisungsoperationen → O(1).

Schritt 3 hat konstanten Aufwand O(1).

Gesamtaufwand := $O(n) + O(n) \cdot [O(n) + O(n) \cdot O(1) + O(1)] = O(n) \cdot O(n) = O(n^2)$

Aufgabe 3.4:

a) Zunächst werden die Pfeile in der Reihenfolge monoton wachsender Nummern der Anfangsknoten sortiert. Zur Speicherung des Graphen mit n = 6 Knoten und m = 9 Pfeilen in einer knotenorientierten Liste wird ein Feld EK[1..m] = EK[1..9] verwendet, in dem die Endknoten der Pfeile in Sortierreihenfolge eingetragen werden. Die Verbindung zu den Anfangsknoten der Pfeile wird durch ein Zeigerfeld ZEP[1..n+1] = ZEP[1..7] hergestellt, in dem für jeden Anfangsknoten die Position des ersten zugehörigen Endknotens im Feld EK gespeichert wird. Die Endknoten der Pfeile mit Anfangsknoten i (d.h. die direkten

Nachfolger von Knoten i) stehen in EK[ZEP[i]],...,EK[ZEP[i+1] – 1]. Um auch für Knoten n diese Schreibweise verwenden zu können, wird ein Hilfswert ZEP[n+1] mit der Endemarkierung m+1 eingeführt.

Verwenden wir für unser Beispiel die Sortierung (1,2), (1,3), (2,3), (2,4), (2,5), (3,5), (4,6), (5,4), (5,6) der Pfeile, so erhalten wir folgende Feldbelegungen:

i	1	2	3	4	5	6	7
ZEP[i]	1	3	6	7	8	10	10

j	1	2	3	4	5	6	7	8	9
EK[j]	2	3	3	4	5	5	6	4	6

b) Beim FIFO-Algorithmus wird zusätzlich zum Distanzfeld D[1..n] und zum Routenfeld R[1..n] eine Warteschlange S[1..n] eingeführt, in der jeweils die markierten Knoten in der Reihenfolge ihrer Markierung (FIFO) gespeichert sind. Der Beginn der Warteschlange wird durch SK (Schlangenkopf) und das Ende durch SE (Schlangenende) bezeichnet. S[i] = j bedeutet, dass in der Warteschlange Knoten j unmittelbar auf Knoten i folgt.

Start: Startknoten a := 1; SK = SE := 1; D[1] := 0; D[i] := ∞ für alle $i \neq a$;

It. 1: SK = 1; $\mathcal{N}(1) = \{2,3\}$

i	1	2	3	4	5	6	
D[i]	0	5	4	∞	∞	∞	
R[i]		1	1				SE := 3;
S[i]	2	3					SK := S[SK] = 2

It. 2: SK = 2; $\mathcal{N}(2) = \{3,4,5\}$

i	1	2	3	4	5	6	
D[i]	0	5	4	11	8	∞	
R[i]		1	1	2	2		
S[i]	(2)	3	4	5			SE := 5; SK := 3

It. 3: SK = 3; $\mathcal{N}(3) = \{5\}$

i	1	2	3	4	5	6	
D[i]	0	5	4	11	7	∞	
R[i]		1	1	2	3		
S[i]	(2)	(3)	4	5			SE := 5; SK := 4

It. 4: SK = 4; $\mathcal{N}(4) = \{6\}$

i	1	2	3	4	5	6	
D[i]	0	5	4	11	7	12	
R[i]		1	1	2	3	4	
S[i]	(2)	(3)	(4)	5	6		SE := 6; SK := 5

It. 5: SK = 5; $\mathcal{N}(5) = \{4,6\}$

i	1	2	3	4	5	6
D[i]	0	5	4	9	7	11
R[i]		1	1	5	3	5
S[i]	(2)	(3)	(4)	(5)	6	4

SE := 4; SK := 6

It. 6: SK = 6; $\mathcal{N}(6) = \emptyset$; SE = 4; SK := 4

It. 7: SK = 4; $\mathcal{N}(4) = \{6\}$

i	1	2	3	4	5	6
D[i]	0	5	4	9	7	10
R[i]		1	1	5	3	4
S[i]	(2)	(3)	(4)	6	(6)	(4)

SE := 6; SK := 6

It. 8: SK = 6; $\mathcal{N}(6) = \emptyset$; SK = SE, daher Abbruch.

Ergebnis: Der kürzeste Weg von 1 nach 6 ist $w_{16}^* = (1,3,5,4,6)$ mit der Länge 10.

Aufgabe 3.5:

a) Benötigt werden die Kostenmatrix C(G) und die Vorgängermatrix VG(G). Der Algorithmus errechnet daraus die Entfernungsmatrix D(G) und die Routenmatrix R(G).

In Iteration j = 1,...,n werden jeweils alle Tripel (i, j, k) von Knoten überprüft. Im Falle $c_{ij}+c_{jk}<c_{ik}$ ergibt sich durch den „Umweg" über Knoten j eine kürzere als die bisher ermittelte Entfernung zwischen i und k. Zu Beginn besitzen die Matrizen C(G) und VG(G) folgendes Aussehen:

c_{ik}	1	2	3	4	5
1	0	∞	4	∞	∞
2	1	0	2	6	10
3	∞	2	0	5	∞
4	∞	6	5	0	7
5	∞	∞	∞	∞	0

vg_{ik}	1	2	3	4	5
1	1	0	1	0	0
2	2	2	2	2	2
3	0	3	3	3	0
4	0	4	4	4	4
5	0	0	0	0	5

In Iteration **j = 1** ändert sich nichts, da über Knoten 1 nur eine Verbindung von 2 nach 3 mit Länge $5>c_{23}=d=2$ existiert.

Iteration **j = 2**:

c_{ik}	1	2	3	4	5
1	0	∞	4	∞	∞
2	1	0	2	6	10
3	3	2	0	5	12
4	7	6	5	0	7
5	∞	∞	∞	∞	0

vg_{ik}	1	2	3	4	5
1	1	0	1	0	0
2	2	2	2	2	2
3	2	3	3	3	2
4	2	4	4	4	4
5	0	0	0	0	5

Iteration **j = 3**:

c_{ik}	1	2	3	4	5
1	0	6	4	9	16
2	1	0	2	6	10
3	3	2	0	5	12
4	7	6	5	0	7
5	∞	∞	∞	∞	0

vg_{ik}	1	2	3	4	5
1	1	3	1	3	2
2	2	2	2	2	2
3	2	3	3	3	2
4	2	4	4	4	4
5	0	0	0	0	5

Für **j = 4** und **j = 5** ergeben sich keine Änderungen der Tableaus, so dass die Matrizen C(G) und VG(G) der Entfernungsmatrix D(G) bzw. der Routenmatrix R(G) entsprechen. Die kürzesten Wege lassen sich rekursiv aus R(G) bestimmen. Z.B. ergibt sich wegen $r_{15} = 2$, $r_{12} = 3$ und $r_{13} = 1$ der Weg $w^*_{15} = (1,3,2,5)$ als kürzster Weg von 1 nach 5.

b) Für $d = -6$ enthält der Graph die negativen Zyklen (1,3,2,1) bzw. (2,3,2) mit den Längen -1 bzw. -12. Es existieren keine kürzesten Wege von Knoten $i \in \{1,2,3,4\}$ zu Knoten $j \in \{1,2,3,4,5\}$, da durch wiederholtes Durchlaufen dieser negativen Zyklen die Entfernung beliebig reduziert werden kann. Das Vorhandensein negativer Zyklen wird mit dem Tripel-Algorithmus dadurch erkennbar, dass negative Bewertungen in der Hauptdiagonalen der Matrix C auftreten. Der Tripel-Algorithmus liefert bei $d = -6$ somit keine sinnvollen Ergebnisse.

Aufgabe 3.6:

a) Bestimmung der Kosten- und Vorgängermatrix liefert:

$$C(G) = \begin{bmatrix} 0 & 2 & \infty & \infty \\ \infty & 0 & -4 & 3 \\ 1 & \infty & 0 & 2 \\ \infty & 0 & \infty & 0 \end{bmatrix} \qquad VG(G) = \begin{bmatrix} 1 & 1 & 0 & 0 \\ 0 & 2 & 2 & 2 \\ 3 & 0 & 3 & 3 \\ 0 & 4 & 0 & 4 \end{bmatrix}$$

$$\mathbf{j=1:}\quad C(G) = \begin{bmatrix} 0 & 2 & \infty & \infty \\ \infty & 0 & -4 & 3 \\ 1 & 3 & 0 & 2 \\ \infty & 0 & \infty & 0 \end{bmatrix} \qquad VG(G) = \begin{bmatrix} 1 & 1 & 0 & 0 \\ 0 & 2 & 2 & 2 \\ 3 & 1 & 3 & 3 \\ 0 & 4 & 0 & 4 \end{bmatrix}$$

$$\mathbf{j=2:}\quad C(G) = \begin{bmatrix} 0 & 2 & -2 & 5 \\ \infty & 0 & -4 & 3 \\ 1 & 3 & -1 & 2 \\ \infty & 0 & -4 & 0 \end{bmatrix} \qquad VG(G) = \begin{bmatrix} 1 & 1 & 2 & 2 \\ 0 & 2 & 2 & 2 \\ 3 & 1 & 2 & 3 \\ 0 & 4 & 2 & 4 \end{bmatrix}$$

Da die Matrix C(G) das Element $c_{33} = -1$ enthält, existiert ein negativer Zyklus der Länge -1, zu dem der Knoten 3 gehört.

b) Der negative Zyklus lässt sich rekursiv anhand der Matrix VG(G) wie folgt bestimmen: $vg_{33} = 2$, $vg_{32} = 1$, $vg_{31} = 3$. Somit gilt $\zeta_{33} = (vg_{31} = 3;\ vg_{32} = 1;\ vg_{33} = 2;\ 3)$.

c) *Tripel-Algorithmus:* Er berechnet kürzeste Entfernungen und Wege zwischen allen Knotenpaaren mit einem Rechenaufwand von $O(n^3)$ und ermöglicht das Erkennen negativer Zyklen.

Dijkstra-Algorithmus: Er berechnet kürzeste Entfernungen und Wege von einem Startknoten zu allen anderen Knoten mit einem Rechenaufwand von $O(n^2)$. Sucht man kürzeste Entfernungen nur zu einer Teilmenge von Knoten, so kann das Verfahren abgebrochen werden, sobald alle Knoten markiert und aus der Menge der markierten Knoten wieder entfernt wurden. Dies setzt jedoch nichtnegative Pfeilbewertungen voraus.

Aufgabe 3.7:

a) **Start:** Sortierung der Kanten gemäß nichtfallender Kantenbewertungen: [6,7]; [9,10]; [4,9]; [12,14]; [1,5]; [14,15]; [2,3]; [9,11]; [10,11]; [11,15]; [7,10]; [8,12]; [5,6]; [11,12]; [3,4]; [6,9]; [8,9]; [5,7]; [1,2]; [3,8]; [1,4]; [13,14]; [8,13].

Iteration: Sukzessive Hinzunahme von Kanten gemäß obiger Sortierung, sofern kein Kreis entsteht.

Ergebnis: Ein minimaler spannender Baum mit den Kanten [1,5]; [2,3]; [3,4]; [4,9]; [5,6]; [6,7]; [7,10]; [8,12]; [9,10]; [9,11]; [11,15]; [12,14]; [13,14]; [14,15] und der Gesamtbewertung 972.

b) Einen minimalen 1-Baum mit ausgezeichnetem Knoten $i_0 = 1$ erhält man wie folgt:

1. Bestimme einen minimalen spannenden Baum für den durch Entfernen von $i_0 = 1$ und aller mit ihm inzidenten Kanten induzierten Graphen G'. Im angegebenen Graphen enthält der Baum die Kanten [2,3]; [3,4]; [4,9]; [5,6]; [6,7]; [7,10]; [8,12]; [9,10]; [9,11]; [11,15]; [12,14]; [13,14]; [14,15].

2. Ergänze die beiden mit $i_0 = 1$ inzidenten Kanten mit niedrigster Bewertung, nämlich [1,2] und [1,5].

Es ergibt sich ein minimaler 1-Baum mit Gesamtbewertung 1110.

Aufgabe 3.8:

a) Formuliert man den Sachverhalt als Kürzeste-Wege-Problem, so ist der kürzeste Weg von Periode 0 (erster Kaufzeitpunkt) zu Periode 3 zu bestimmen, wobei dieser Weg über weitere Kaufzeitpunkte (1 und/oder 2) führen kann. Man betrachte nebenstehenden Graphen.

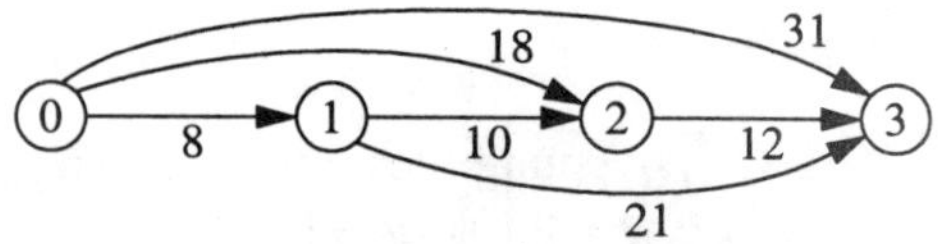

b) Bestimmung des kürzesten Weges von 0 nach 3 mit Hilfe des Dijkstra-Algorithmus:

Start: $a := 0$; $MK := \{0\}$; $D[0] := 0$; $D[i] := \infty$ für alle $i \neq a$;

It. 1: $h := 0$; $\mathcal{N}(0) = \{1,2,3\}$;

i	0	1	2	3
D[i]	0	8	18	31
R[i]		0	0	0

$MK := \{1,2,3\}$

It. 2: h := 1; $\mathcal{N}(1) = \{2,3\}$;

i	0	1	2	3
D[i]	0	8	18	29
R[i]		0	0	1

MK := {2,3}

It. 3: h := 2; $\mathcal{N}(2) = \{3\}$;

i	0	1	2	3
D[i]	0	8	18	29
R[i]		0	0	1

MK := {3}

It. 4: h := 3; $\mathcal{N}(3) = \phi$; MK := ϕ; Abbruch des Verfahrens

Der kürzeste Weg von 0 nach 3 ist (0,1,3) und hat die Länge 29, d.h. zum Zeitpunkt 1 ist die Maschine zu ersetzen.

Aufgabe 3.9:

a) Es handelt sich um einen gerichteten Graphen G = (V, E, d) mit folgenden Elementen:

Die Knotenmenge V = {1,...,5}; sie enthält für jede Periode (einschließlich einer fiktiven Periode 5) genau einen Knoten.

Die Pfeilmenge $E = \{(t,\tau) \mid t = 1,...,4 \text{ und } \tau = t+1,...,5\}$; sie enthält für jede Periode t und jede Periode $\tau > t$ genau einen Pfeil (t,τ) mit folgender Bedeutung:

In Periode t ist der Bedarf für die Perioden t bis $\tau - 1$ zu bestellen. Es fallen fixe Bestellkosten in t und Lagerhaltungskosten für die Bedarfe der Perioden $t+1$ bis $\tau - 1$ an. Diese Kosten sind in den Pfeilbewertungen $d_{t\tau}$ zu berücksichtigen:

$$d_{t\tau} := f_t + \sum_{i=t+1}^{\tau-1} \left(b_i \cdot \sum_{j=t}^{i-1} c_j \right)$$

$d_{t\tau}$	2	3	4	5
1	25	45	90	162
2	–	30	50	92
3	–	–	37	55
4	–	–	–	52

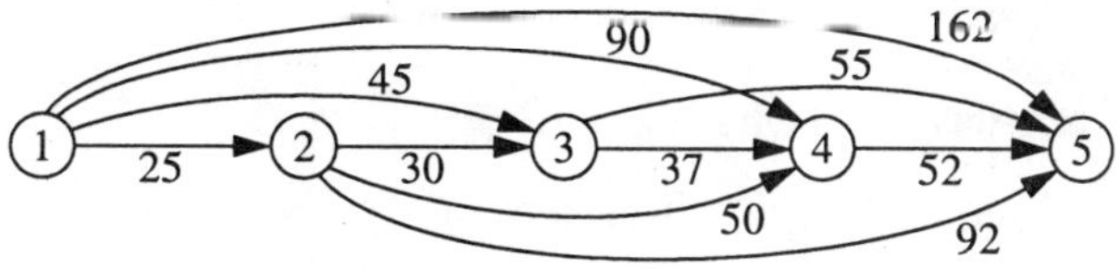

b) Die Bestimmung des kürzesten Weges von 1 nach 5 mit Hilfe des Dijkstra-Algorithmus liefert die optimale Lösung für das Bestellmengenproblem. Die Knoten werden aufgrund der speziellen Problemstruktur in der Reihenfolge 1, 2, 3, 4, 5 betrachtet. Für die Iterationen i = 1,...,4 geben wir in nebenstehender Tabelle jeweils in Klammern den Vorgänger jedes Knotens im aktuell kürzesten Weg an.

It.	1	2	3	4	5
0	0	∞	∞	∞	∞
1		25(1)	45(1)	90(1)	162(1)
2			45(1)	75(2)	117(2)
3				75(2)	100(3)
4					100(3)

Der kürzeste Weg ist $w_{15}^* = (1,3,5)$ mit der Länge 100. Das heißt, es sind $q_1 = 110$ ME in Periode 1 und $q_3 = 110$ ME in Periode 3 zu bestellen. Ferner gilt $q_2 = q_4 = 0$. Die Gesamtkosten betragen 100 GE.

Aufgabe 3.10: (vgl. auch Aufgabe 4.13)

a) Wir verwenden Entscheidungsvariablen mit folgender Bedeutung:

u_j kürzeste Entfernung von Knoten 1 nach Knoten j = 1,...,4 (es gilt daher $u_1 = 0$).

Bei expliziter Berücksichtigung von u_1 ergibt sich ein LP, das für jeden Pfeil des Graphen genau eine Nebenbedingung enthält (die Angabe der Dualvariablen erfolgt mit Blick auf Aufgabenteil b):

$-u_1 + u_2 \leq 3$	Pfeil (1,2)	Dualvariable x_{12}
$-u_1 + u_3 \leq 1$	Pfeil (1,3)	Dualvariable x_{13}
$u_2 - u_3 \leq 1$	Pfeil (3,2)	Dualvariable x_{32}
$-u_2 + u_4 \leq 3$	Pfeil (2,4)	Dualvariable x_{24}
$-u_3 + u_4 \leq 5$	Pfeil (3,4)	Dualvariable x_{34}

Hinsichtlich der Formulierung einer Zielfunktion ist es hilfreich, sich den folgenden Sachverhalt zu vergegenwärtigen: Aus der ersten Nebenbedingung ergibt sich $u_2 \leq 3$. Setzt man weiter in die anderen Nebenbedingungen ein, so würde sich bei einer zu minimierenden Zielfunktion (mit positiven Zielfunktionskoeffizienten) $u_j = 0$ für alle j ergeben. Weiterhin erkennt man, dass sich aufgrund der Summation zweier Nebenbedingungen (z.B. der zweiten und der dritten) andere Nebenbedingungen als redundant erweisen (hier die erste). Da dementsprechend die Differenz zweier Knotenvariablen nie größer sein kann als die Länge eines kürzesten Weges zwischen ihnen, wählen wir innerhalb der Beschränkungen des Nebenbedingungssystems den Wert von u_4 so groß wie möglich:[4]

Maximiere $F(\mathbf{u}) = u_4 - u_1$

Alternative Überlegung:

Man möchte für alle Knoten $j \neq 1$ den Wert $u_j = \min \{u_i + c_{ij} \mid (i,j) \in E\}$ ermitteln. Ohne Beschränkung der Allgemeinheit kann u_1 dabei auf 0 fixiert werden. Zu bestimmen sind die größtmöglichen u_j unter den Nebenbedingungen $u_j \leq u_i + c_{ij}$ für alle $(i,j) \in E$.

b) Unter Verwendung der oben angegebenen Dualvariablen sowie der Pfeilbewertungen c_{ij} lautet das duale LP:

4 Aufgrund unserer Definition der Entscheidungs- bzw. Knotenvariablen müsste in der Zielfunktion eigentlich die Summe aller Knotenvariablen maximiert werden, um zu gewährleisten, dass die Variablen tatsächlich die jeweils kürzesten Entfernungen beschreiben. Da in der Aufgabenstellung jedoch nur nach einem einzigen kürzesten Weg gefragt war, können wir darauf verzichten. Vgl. hierzu auch die mathematische Formulierung zur Zeitplanung mit linearer Optimierung in Domschke und Drexl (2005, Kap. 5.2).

Minimiere $FD(\mathbf{x}) = \sum_{(i,j)\in E} c_{ij}\, x_{ij}$

unter den Nebenbedingungen

$$
\begin{array}{rrrrrcrll}
-x_{12} & -x_{13} & & & & = & -1 & \text{für Knoten 1} & \text{Dualvariable } u_1 \\
x_{12} & & -x_{24} & +x_{32} & & = & 0 & \text{für Knoten 2} & \text{Dualvariable } u_2 \\
& x_{13} & & -x_{32} & -x_{34} & = & 0 & \text{für Knoten 3} & \text{Dualvariable } u_3 \\
& & x_{24} & & +x_{34} & = & 1 & \text{für Knoten 4} & \text{Dualvariable } u_4 \\
& & & & x_{ij} & \geq & 0 & \text{für } (i,j)\in E &
\end{array}
$$

Multiplizieren wir jede Gleichung mit –1, so entspricht das Problem genau einem Umladeproblem mit Knoten 1 als Anbieter ($a_1 = 1$) und Knoten 4 als Nachfrager ($b_4 = 1$), wie es z.B. in Domschke und Drexl (2005, Kap. 4.3) beschrieben ist; die Knoten 2 und 3 sind reine Umladeknoten.

c) Wir setzen $u_1 = 0$. Damit reduziert sich das Nebenbedingungssystem auf die Bedingungen hinsichtlich der Pfeile (3,2), (2,4) und (3,4); für die Variablen u_2 bzw. u_3 sind implizit die oberen Schranken 3 bzw. 1 zu berücksichtigen. Nach Einführung von Schlupfvariablen u_5, u_6 und u_7 erhalten wir das unten wiedergegebene Anfangstableau.

	u_2	u_3	u_4	u_5	u_6	u_7	b_i
u_5	1	–1		1			1
u_6	–1		[1]		1		3
u_7		–1	1			1	5
F			–1				0
u_5	[1]	–1		1			1
u_4	–1		1		1		3
u_7	1	–1			–1	1	2
F	–1				1		3
u_2	1	–1		1			1
u_4		–1	1	1	1		4
u_7				–1	–1	1	1
F		–1		1	1		4

Erläuterungen:

It. 1: Die dritte Spalte ist Pivotspalte t. Das Minimum der Quotienten aus rechter Seite b_i und a_{it} ist 3. Da die neu in die Basis aufzunehmende Variable u_4 keine vorgegebene obere Schranke besitzt, kann sie den Wert 3 annehmen. u_6 verlässt die Basis.

It. 2: Die erste Spalte ist Pivotspalte t. Für die damit neu in die Basis aufzunehmende Variable u_2 wird ihre obere Schranke nicht erreicht. Mit der Steigerung von u_2 wächst auch die nicht nach oben beschränkte Variable u_4. Die Variable u_5 verlässt die Basis.

It. 3: Die zweite Spalte ist Pivotspalte t. u_3 und damit der Zielfunktionswert des Problems könnten nun aufgrund der Eintragungen im Tableau unbeschränkt wachsen. Dies erlaubt aber die obere Schranke $u_3 \leq 1$ nicht. Es erfolgt eine Variablensubstitution $u_3' = 1 - u_3$ (Fall 3 in Domschke und Drexl (2005, Kap. 2.6)), die zu folgendem Endtableau führt:

	u_2	u_3'	u_4	u_5	u_6	u_7	b_i
u_2	1	1		1			2
u_4		1	1	1	1		5
u_7				−1	−1	1	1
F		1		1	1		5

Die optimale Lösung lautet: ($u_1 = 0$), $u_2 = 2$, $u_3 = 1 - u_3' = 1$ und $u_4 = 5$. Damit ist die kürzeste Entfernung von Ort 1 nach Ort 4 gleich 5.

d) Der Weg (1,3,4) ist kein kürzester Weg. In jedem kürzesten Weg gilt für alle Pfeile (i,j) die Gleichung $u_j - u_i = c_{ij}$. Im obigen Optimaltableau besitzt aber die Schlupfvariable u_7 der Nebenbedingung $-u_3 + u_4 \leq 5$ einen positiven Wert. Somit kann der Pfeil (3,4) nicht zum kürzesten Weg gehören.

Kapitel 4: LP mit spezieller Struktur

Aufgabe 4.1:

Gegeben ist ein klassisches Transportproblem (TPP) mit drei Anbietern und vier Nachfragern. Die Kostenmatrix sowie die Angebots- und Nachfragemengen sind:

$$C = \begin{bmatrix} 2 & 3 & 11 & 7 \\ 1 & 0 & 6 & 1 \\ 5 & 8 & 15 & 9 \end{bmatrix} \qquad \mathbf{a} = (6,1,10), \ \mathbf{b} = (7,5,3,2)$$

a) Ermitteln Sie eine zulässige Basislösung mit Hilfe der Nordwesteckenregel!

b) Bestimmen Sie eine Optimallösung mit Hilfe der MODI-Methode!

Aufgabe 4.2:

a) Bestimmen Sie mit Hilfe der Vogel'schen Approximationsmethode eine zulässige Lösung für folgendes Transportproblem (M sei eine hinreichend große Zahl):

$$C = \begin{bmatrix} 4 & 5 & 2 & M \\ 5 & 8 & M & 2 \\ M & M & 4 & 3 \end{bmatrix} \qquad \mathbf{a} = (5,8,7), \ \mathbf{b} = (3,6,6,5)$$

b) Ermitteln Sie mit Hilfe der Spaltenminimum-Methode eine zulässige Lösung für obiges TPP unter Verwendung von M = 10!

c) Bestimmen Sie mit Hilfe der MODI-Methode eine optimale Lösung des Problems aus b)!

Aufgabe 4.3:

Ein Unternehmen stellt in 3 Werken W_i (i = 1,2,3) ein bestimmtes Produkt her. Die Produktionsmenge beträgt 3 ME in W_1, 18 ME in W_2 und 9 ME in W_3. Das Produkt wird in 4 Kundenorten K_j (j = 1,2,3,4) in folgenden Mengen nachgefragt: 6, 8, 5 und 11 ME. Das Angebot soll vollständig geliefert, die Nachfrage vollständig befriedigt werden.

Die Matrix C enthält die Stückkosten des Transports von den Werken zu den Kundenorten:

$$C = \begin{bmatrix} 12 & 10 & 8 & 11 \\ 12 & 10 & 14 & 14 \\ 8 & 8 & 11 & 13 \end{bmatrix}$$

Aufgrund besonderer Liefervereinbarungen müssen mindestens 4 ME des Produktes von W_2 nach K_2, 6 ME von W_2 nach K_4 und 4 ME von W_3 nach K_1 geliefert werden.

a) Formulieren Sie den angegebenen Sachverhalt als LP!

b) Führen Sie das Problem auf das klassische TPP zurück!

c) Bestimmen Sie eine zulässige Startlösung mit der Vogel'schen Approximationsmethode!

d) Ermitteln Sie eine Optimallösung mit der MODI-Methode!

Aufgabe 4.4:

In einer Stadt sind in vier Bezirken neue Wohnungen erstellt worden. Die Wohnungen sollen von Familien aus vier Einkommensgruppen bezogen werden. In den Bezirken 1 bis 4 sind 10, 6, 15 und 4 neue Wohnungen entstanden. Die insgesamt 35 wohnungssuchenden Familien verteilen sich auf die 4 Einkommensgruppen wie folgt: 5, 14, 10, 6. Der Stadtrat möchte bei der Belegung soziale Spannungen möglichst vermeiden. Daher wird ein „Grad der Unzufriedenheit" c_{ij}, der durch Zuteilung einer Wohnung in Bezirk i = 1,...,4 an eine Familie aus Einkommensgruppe j = 1,...,4 entsteht, bestimmt. Die entsprechenden Werte können obiger Matrix C entnommen werden.

$$C = \begin{bmatrix} -1 & 2 & 1 & 0 \\ 0 & 4 & -1 & -1 \\ 1 & 9 & -3 & 10 \\ 9 & 15 & 2 & 12 \end{bmatrix}$$

a) Formulieren Sie ein geeignetes Transportproblem zur Ermittlung einer optimalen Zuweisung der verfügbaren Wohnungen an die Familien unter der Zielsetzung, die Unzufriedenheit insgesamt möglichst gering zu halten! Handelt es sich dabei um ein klassisches TPP?

b) Ermitteln Sie eine zulässige Lösung mit Hilfe der Vogel'schen Approximationsmethode und überprüfen Sie sie auf Optimalität!

c) Stellen Sie die in b) gefundene Basislösung als Graph dar! Um welche Art eines Graphen handelt es sich?

d) Gegeben ist die folgende Zuordnung: $x_{13} = 10$, $x_{24} = 6$, $x_{31} = 1$, $x_{32} = 14$ und $x_{41} = 4$. Handelt es sich um eine zulässige Zuordnung? Handelt es sich um eine zulässige Basislösung? Wenn nein, ergänzen Sie die Zuordnung geeignet zu einer zulässigen Basislösung!

Aufgabe 4.5:

Wir betrachten erneut die Problemstellung von Aufgabe 3.8.

a) Formulieren Sie den Sachverhalt als Transportproblem, indem Sie das zugehörige Tableau mit Transportkosten, Angebots- und Nachfragemengen aufstellen!

   Hinweis: Im TPP fungieren die Jahre 0, 1, 2 als Anbieter von und die Jahre 1, 2, 3 als Nachfrager nach einer Melkmaschine.

b) Ermitteln Sie für das TPP in a) eine erste zulässige Basislösung mit der Vogel'schen Approximationsmethode!

c) Bestimmen Sie anschließend eine optimale Lösung mit der MODI-Methode!

Aufgabe 4.6:

Zur Durchführung von Diplomprüfungen wird pro Prüfungstag eine bestimmte Anzahl von gespitzten Bleistiften benötigt.[1] Während einer Prüfungswoche von Montag bis Freitag fallen folgende Bleistiftbedarfe an: 60, 50, 80, 40 und 50.

1 Eine entsprechende (ökonomisch sinnvollere) Problemstellung ergibt sich z.B., wenn im Rahmen einer einwöchigen Tagung, die in einem Hotel stattfindet, Stoffservietten mit dem Emblem der Gesellschaft verwendet werden sollen. Diese können entweder gewaschen oder durch neue ersetzt werden. Bei derartigen Fragestellungen handelt es sich wie bei Aufgabe 4.6 um Probleme der Bestimmung kostenminimaler Zeitpunkte für Ersatzinvestitionen unter Berücksichtigung von Reparatur- oder Reinigungskosten.

Neue (vorgespitzte) Bleistifte können im Schreibwarenladen L für 15 GE/Stück erworben werden. Zu Beginn einer Woche ist kein Anfangsbestand vorhanden. Die während eines Prüfungstages stumpf gewordenen Stifte können entweder über Nacht für 2 GE/Stück oder bis zum übernächsten Tag für 1 GE/Stück gespitzt werden.

Am Ende der Woche werden die gebrauchten Bleistifte für 5 GE/Stück beim Schreibwarengeschäft in Zahlung gegeben.

a) Formulieren Sie obiges Problem als klassisches TPP, indem Sie ein Transporttableau mit Angebotsmengen, Nachfragemengen und Transportkosten erstellen! Begründen Sie die Wahl Ihrer Einträge!

   Hinweis: Führen Sie den Schreibwarenladen und die Wochentage jeweils als Anbieter und Nachfrager ein! Bewerten Sie nicht vorhandene „Transportverbindungen" mit einer hinreichend großen Zahl M!

b) Wie können die negativen Kostenbewertungen (Erlöse) eliminiert werden? Beweisen Sie durch Betrachten der Zielfunktion, dass Ihre Vorgehensweise zur optimalen Lösung (bezüglich der Variablenwerte) führt!

c) Ermitteln Sie die optimale (kostenminimale) Lösung unter Verwendung geeigneter Verfahren! Setzen Sie $M := 50$. Wie hoch sind die entstehenden Kosten für die Bleistiftversorgung?

Aufgabe 4.7:

Ein Unternehmen, das in verschiedenen Städten vier Schnapsbrennereien betreibt, kann bei drei landwirtschaftlichen Genossenschaften den zur Produktion notwendigen Weizen beziehen. Die Brennerei B_1 nimmt mindestens 30 t, die Brennereien B_2 bis B_4 nehmen genau 40, 20 bzw. 10 t Weizen von den Genossenschaften ab. Mit der Genossenschaft G_1 besteht ein Abnahmevertrag über mindestens 35 t, wobei der Preis 5 GE/t beträgt. Die Genossenschaft G_2 bietet maximal 50 t an; der Preis beträgt 4 GE/t. Sowohl bei G_1 als auch bei G_2 müssen die Weizenlieferungen selbst abgeholt werden. Dagegen bietet die Genossenschaft G_3 maximal 30 t für 6 GE/t an, wobei die Anlieferung im Preis inbegriffen ist.

Das Unternehmen möchte die Beschaffungskosten für den benötigten Weizen minimieren. Die Kosten c_{ij} für den Transport einer Tonne Weizen von Genossenschaft G_i zur Schnapsbrennerei B_j können der nebenstehenden Matrix C entnommen werden.

$$C = \begin{bmatrix} 3 & 4 & 2 & 1 \\ 2 & 4 & 3 & 2 \\ 4 & 3 & 3 & 4 \end{bmatrix}$$

Formulieren Sie ein entsprechendes LP!

Aufgabe 4.8:

Gegeben sind die folgenden Daten eines klassischen Transportproblems (TPP):

$$C = \begin{bmatrix} 10 & 11 & 3 \\ 22 & 20 & 10 \\ 9 & 10 & 16 \\ 14 & 23 & 14 \end{bmatrix} \qquad \mathbf{a} = (7,6,7,13) \qquad \mathbf{b} = (13,13,7)$$

a) Ist $x_{11} = 7$, $x_{21} = 6$, $x_{32} = 7$, $x_{42} = 6$, $x_{43} = 7$ und $x_{ij} = 0$ sonst ein zulässiger Transportplan? Handelt es sich dabei um eine zulässige Basislösung, falls die Variablen mit positivem Wert als Basisvariablen und die übrigen als Nichtbasisvariablen interpretiert werden? Ergänzen Sie die Lösung ggf. zu einer zulässigen Basislösung und veranschaulichen Sie diese anhand eines Baumes!

b) Modifizieren Sie das Problem, indem Sie den Angebotsvektor **a** auf $(10,8,10,13)$ erhöhen und die Gleichungen für die Anbieter $i = 1,...,4$ im klassischen TPP durch $\leq$-Bedingungen ersetzen! Transformieren Sie das Problem in ein klassisches TPP (das ausschließlich Gleichungsnebenbedingungen enthält)!

Aufgabe 4.9:

Gegeben sei das lineare Zuordnungsproblem mit nebenstehender Kostenmatrix der Dimension $n = 5$.

$$C = \begin{bmatrix} 4 & 6 & 9 & 7 & 11 \\ 2 & 6 & 8 & 7 & 1 \\ 6 & 3 & 4 & 2 & 7 \\ 9 & 5 & 5 & 3 & 7 \\ 3 & 6 & 6 & 4 & 8 \end{bmatrix}$$

a) Wie viele Basisvariablen besitzt eine zulässige Basislösung des linearen Zuordnungsproblems?

Ermitteln Sie mit der Nordwesteckenregel eine zulässige Basislösung! Welche Eigenschaften weist sie auf?

b) Ermitteln Sie unter Verwendung der zulässigen Startlösung aus a) mit der MODI-Methode eine optimale Lösung $\mathbf{x}^*$ für das Problem!

c) Ist $\mathbf{x}^*$ die einzige optimale Lösung?

Aufgabe 4.10:

Das junge Ehepaar Stefan und Dörthe F. will sich die wichtigsten Hausarbeiten (Einkaufen, Kochen, Waschen inkl. Bügeln und Klein-Lisa wickeln) so teilen, dass jeder der beiden genau zwei Aufgaben übernimmt und dabei die insgesamt von ihnen für den Haushalt geopferte Zeit minimiert wird. Beide sind emanzipiert genug, um jede beliebige der auszuführenden Aufgaben zufriedenstellend und ohne Ehekrach zu erledigen. Dies geschieht jedoch mit unterschiedlicher Effizienz, woraus unterschiedliche Zeiten zur Bewältigung der Aufgaben resultieren:

Stunden pro Woche	1. Einkauf	2. Kochen	3. Waschen	4. Wickeln
Ehepartner 1 (Dörthe)	3.6	7.8	2.9	4.5
Ehepartner 2 (Stefan)	4.3	7.2	3.1	4.9

a) Formulieren Sie den Sachverhalt als binäres LP!

b) Wie und warum lässt sich das Problem als klassisches TPP modellieren und lösen?

c) Ermitteln Sie mit der Vogel'schen Approximationsmethode eine zulässige Lösung des geschilderten Problems! Stellen Sie die ermittelte Basislösung als Baum dar!

d) Überprüfen Sie die in c) ermittelte Basislösung auf Optimalität! Geben Sie eine optimale Basislösung an! Falls nötig, verwenden Sie dazu ein geeignetes Verfahren! Wie sieht die optimale Aufgabenverteilung aus, und wie groß ist der gemeinsame Zeitaufwand?

Aufgabe 4.11:

Gegeben ist die nebenstehende Kostenmatrix C.

$$C = \begin{bmatrix} 4 & 5 & 7 & 3 & 6 \\ 1 & 3 & 5 & 8 & 4 \\ 0 & 6 & 5 & 7 & 2 \\ 3 & 5 & 6 & 3 & 6 \\ 9 & 3 & 4 & 3 & 4 \end{bmatrix}$$

a) Lösen Sie das durch C gegebene lineare Zuordnungsproblem bei zu minimierender Zielsetzung $F(\mathbf{x}) = \sum_{i=1}^{m} \sum_{j=1}^{n} c_{ij} x_{ij}$ mit der Vogel'schen Approximationsmethode und der MODI-Methode!

b) Betrachten Sie nun die Zielsetzung Minimiere $F_{max} = \max \{c_{ij}x_{ij} \mid i,j = 1,...,n\}$! Ermitteln Sie zunächst Schranken für den Zielfunktionswert (unter Beachtung von a)! Zeigen Sie, dass die untere Schranke $\underline{F} = 4$ dem Zielfunktionswert der optimalen Lösung entspricht!

Aufgabe 4.12:

Eine Behörde schreibt Aufträge zur Belieferung von vier staatlichen Depots D_j ($j = 1,...,4$) mit Benzin aus. Die Depots besitzen folgenden Treibstoffbedarf b_j:

b_1 : 12 ME b_2 : 17 ME b_3 : 10 ME b_4 : 11 ME

$$C = \begin{bmatrix} 8 & 10 & 5 & 4 \\ 3 & 7 & 7 & 6 \end{bmatrix}$$

Um die Aufträge bewerben sich 2 Lieferanten L_i ($i = 1,2$). Jeder Lieferant gibt ein Angebot ab, in dem er die maximale Liefermenge a_i (es gilt $a_1 = 30$ und $a_2 = 40$ ME) und die Lieferpreise c_{ij} (in GE pro ME) für die Depots j festlegt. Die Preise sind in nebenstehender Matrix C zusammengefasst.

$$\mathcal{K} = \begin{bmatrix} 8 & 12 & 7 & 6 \\ 7 & 14 & 8 & 7 \end{bmatrix}$$

Die Behörde möchte die Aufträge so vergeben, dass der Bedarf der Depots zu minimalen Kosten gedeckt wird. Um die Depots nicht in zu starke Abhängigkeiten von einzelnen Lieferanten geraten zu lassen, wird die Liefermenge jedes Lieferanten i für jedes Depot j auf einen Maximalwert κ_{ij} beschränkt. Diese maximalen Liefermengen sind in der nebenstehenden Matrix $\mathcal{K}$ zusammengefasst.

Formulieren Sie den dargestellten Sachverhalt als (kapazitiertes) TPP!

Aufgabe 4.13: (vgl. auch Aufgabe 3.10)

Gegeben sei ein gerichteter topologisch sortierter[2] Graph $G = (V, E, c)$ mit nichtnegativen Pfeilbewertungen c_{ij} für alle $(i,j) \in E$. Mit Variablen w_i für $i = 1,...,n$ ergibt sich das folgende LP:

Maximiere $F(\mathbf{w}) = w_n - w_1$

unter den Nebenbedingungen

$w_j \leq w_i + c_{ij}$ für $i = 1,...,n-1$ und $j = i+1,...,n$

$w_i \in \mathbb{R}$ für $i = 1,...,n$

Interpretieren Sie das obige Problem!

Hinweis: Dualisieren Sie zunächst das angegebene Problem und interpretieren Sie das Ergebnis! Gehen Sie dabei davon aus, dass (ohne Beschränkung der Allgemeinheit) $w_1 = 0$ gilt!

2 Ein Graph ohne Zyklen heißt topologisch sortiert, falls für jeden Pfeil (i,j) die Beziehung $i<j$ gilt.

Lösungen zu Kapitel 4: LP mit spezieller Struktur

Aufgabe 4.1:

a) Ermittlung einer zulässigen (Start-) Lösung mit der Nordwesteckenregel:

	1	2	3	4	a_i
1	$\boxed{6}^{2}$	^{3}	^{11}	^{7}	6
2	$\boxed{1}^{1}$	^{0}	^{6}	^{1}	1
3	$\boxed{0}^{5}$	$\boxed{5}^{8}$	$\boxed{3}^{15}$	$\boxed{2}^{9}$	10/5/2
b_j	7/1	5	3	2	F = 116

mit $\boxed{x_{ij}}^{c_{ij}}$ für Basisvariablen x_{ij}

b) Ermittlung einer optimalen Lösung mit der MODI-Methode:

	1	2	3	4	u_i
1	$\boxed{6}^{2}$	-2^{3}	-1^{11}	1^{7}	−3
2	$\boxed{1}^{1}_{-\Delta}$	-4^{0}	$-5^{6}_{+\Delta}$	-4^{1}	−4
3	$\boxed{0}^{5}_{+\Delta}$	$\boxed{5}^{8}$	$\boxed{3}^{15}_{-\Delta}$	$\boxed{2}^{9}$	0
v_j	5	8	15	9	F = 116

mit $\bar{c}_{ij}^{\,c_{ij}}$ für Nichtbasisvariablen $x_{ij} = 0$

Die Dualvariablen u_i und v_j werden nach Wahl von $u_3 = 0$ wie folgt berechnet:

$u_3 + v_1 = c_{31}$, damit $v_1 = c_{31} = 5$ $\quad$ $u_3 + v_2 = c_{32}$, damit $v_2 = c_{32} = 8$

$u_3 + v_3 = c_{33}$, damit $v_3 = c_{33} = 15$ $\quad$ $u_3 + v_4 = c_{34}$, damit $v_4 = c_{34} = 9$

$u_1 + v_1 = c_{11}$, damit $u_1 = c_{11} - 5 = -3$ $\quad$ $u_2 + v_1 = c_{21}$, damit $u_2 = c_{21} - 5 = -4$

Die Reduzierten Kosten werden anhand der Formel $\bar{c}_{ij} := c_{ij} - u_i - v_j$ berechnet.

Anstelle von x_{21} wird x_{23} in die Basis aufgenommen. Die Variablenwerte entlang des elementaren Kreises verändern sich jeweils um $\Delta = \min\{1,3\} = 1$ (gekennzeichnet durch $+\Delta$ bzw. $-\Delta$). Es gilt: $x_{21} := 1 - \Delta = 0$; $x_{31} := 0 + \Delta = 1$; $x_{33} := 3 - \Delta = 2$; $x_{23} := \Delta = 1$

	1	2	3	4	u_i
1	$\boxed{6}^{2}_{-\Delta}$	$-2^{3}_{+\Delta}$	-1^{11}	1^{7}	−3
2	5^{1}	1^{0}	$\boxed{1}^{6}$	1^{1}	−9
3	$\boxed{1}^{5}_{+\Delta}$	$\boxed{5}^{8}_{-\Delta}$	$\boxed{2}^{15}$	$\boxed{2}^{9}$	0
v_j	5	8	15	9	$F = 116 + (-5)\,\Delta = 111$

Aufnahme von x_{12} für x_{32} in die Basis. Die Variablenwerte entlang des elementaren Kreises verändern sich jeweils um $\Delta = \min\{5,6\} = 5$.

	1	2	3	4	u_i
1	$\boxed{1}^{2}_{-\Delta}$	$\boxed{5}^{3}$	$-1^{11}_{+\Delta}$	1^{7}	-3
2	5^{1}	3^{0}	$\boxed{1}^{6}$	1^{1}	-9
3	$\boxed{6}^{5}_{+\Delta}$	2^{8}	$\boxed{2}^{15}_{-\Delta}$	$\boxed{2}^{9}$	0
v_j	5	6	15	9	$F = 111 + (-2)\,\Delta = 101$

Aufnahme von x_{13} für x_{11} in die Basis. Die Variablenwerte entlang des elementaren Kreises verändern sich jeweils um $\Delta = \min\{1,2\} = 1$.

	1	2	3	4	u_i
1	1^{2}	$\boxed{5}^{3}$	$\boxed{1}^{11}$	2^{7}	-4
2	5^{1}	2^{0}	$\boxed{1}^{6}$	1^{1}	-9
3	$\boxed{7}^{5}$	1^{8}	$\boxed{1}^{15}$	$\boxed{2}^{9}$	0
v_j	5	7	15	9	$F = 101 + (-1)\,\Delta = 100$

Da für alle Nichtbasisvariablen $\bar{c}_{ij} \geq 0$ gilt, ist diese Basislösung optimal. Ihre Basisvariablen sind $x_{12}^* = 5$, $x_{13}^* = 1$, $x_{23}^* = 1$, $x_{31}^* = 7$, $x_{33}^* = 1$, $x_{34}^* = 2$ mit $F(\mathbf{x}^*) = 100$.

Aufgabe 4.2:

a) Da bei der Wahl der größten Zeilen- bzw. Spaltendifferenz mehrere Möglichkeiten existieren, kann man mit der Vogel'schen Approximationsmethode grundsätzlich verschiedene Lösungen erzielen. Wählen wir in Iteration 1 Spalte 2 (Zeile 2 wäre auch möglich), so erhalten wir folgende Lösung:[3]

	1	2	3	4	a_i	dz_i		
1	^{4}	$\boxed{5}^{5}$	^{2}	^{M}	5	2	$■_1$	
2	$\boxed{3}^{5}$	$\boxed{1}^{8}$	^{M}	$\boxed{4}^{2}$	8/4/1	3	3	
3	^{M}	^{M}	$\boxed{6}^{4}$	$\boxed{1}^{3}$	7/1	1	$M-3_3$	$■_3$
b_j	3	6/1	6	5/4	mit $\boxed{x_{ij}}^{c_{ij}}$ für Basisvariablen x_{ij}			
ds_j	1	3_1	2	1	und $^{c_{ij}}$ für Nichtbasisvariablen x_{ij}			
	$M-5$	$M-8$	$M-4_2$	1				
			$■_2$					

Zulässige Basislösung: $x_{12} = 5$, $x_{33} = 6$, $x_{34} = 1$, $x_{24} = 4$, $x_{21} = 3$, $x_{22} = 1$ mit $F(\mathbf{x}) = 83$

3 Die Indizes an den schwarzen Quadraten geben die Reihenfolge der Markierungen von Zeilen und Spalten wieder. Die Indizes an den berechneten Werten entsprechen der Auswahlreihenfolge gemäß den Zeilen- bzw. Spaltendifferenzen.

b) Spaltenminimum-Methode mit M = 10:

	1	2	3	4	a_i
1	$\boxed{3}^{4}$	$\boxed{2}^{5}$	^{2}	^{10}	5/2
2	^{5}	$\boxed{3}^{8}$	^{10}	$\boxed{5}^{2}$	8/3
3	^{10}	$\boxed{1}^{10}$	$\boxed{6}^{4}$	^{3}	7/1
b_j	3	6/4/ 1	6	5	F = 90

c) Verbesserung der Lösung aus b) mit der MODI-Methode:

	1	2	3	4	u_i	
1	$\boxed{3}^{4}_{-\Delta}$	$\boxed{2}^{5}_{+\Delta}$	3^{2}	11^{10}	−5	
2	$-2^{5}_{+\Delta}$	$\boxed{3}^{8}_{-\Delta}$	8^{10}	$\boxed{5}^{2}$	−2	
3	1^{10}	$\boxed{1}^{10}$	$\boxed{6}^{4}$	-1^{3}	0	(gesetzt)
v_j	9	10	4	4	F = 90	

Die Berechnung der Dualvariablen erfolgt mit dem Gleichungssystem:

$$u_1 + v_1 = c_{11} \qquad u_2 + v_4 = c_{24}$$
$$u_1 + v_2 = c_{12} \qquad u_3 + v_2 = c_{32}$$
$$u_2 + v_2 = c_{22} \qquad u_3 + v_3 = c_{33}$$

Setzt man $u_3 = 0$, so erhält man die oben angegebenen Werte.

Die Aufnahme von x_{21} für x_{11} in die Basis mit $\Delta = \min\{3,3\} = 3$ liefert:[4]

	1	2	3	4	u_i	
1	2^{4}	$\boxed{5}^{5}$	3^{2}	11^{10}	−3	
2	$\boxed{3}^{5}$	$\boxed{0}^{8}_{+\Delta}$	8^{10}	$\boxed{5}^{2}_{-\Delta}$	0	(gesetzt)
3	3^{10}	$\boxed{1}^{10}_{-\Delta}$	$\boxed{6}^{4}$	$-1^{3}_{+\Delta}$	2	
v_j	5	8	2	2	$F := F - 2\Delta = 84$	

Als neue Basisvariable mit Wert $\Delta = \min\{1,5\} = 1$ ergibt sich x_{34}, für die x_{32} die Basis verlässt. Da für alle Nichtbasisvariablen $\bar{c}_{ij} \geq 0$ gilt, ist die im folgenden Endtableau enthaltene Lösung optimal.

Sie entspricht derjenigen aus a), d.h. die Vogel'sche Approximationsmethode hat das vorliegende Problem optimal gelöst.

4 Alternativ könnte auch x_{22} die Basis verlassen. Dies zeigt, dass die entstehende Basislösung primal degeneriert ist.

	1	2	3	4	u_i	
1	2^4	$\boxed{5}^5$	2^2	11^{10}	-3	
2	$\boxed{3}^5$	$\boxed{1}^8$	7^{10}	$\boxed{4}^2$	0	(gesetzt)
3	4^{10}	1^{10}	$\boxed{6}^4$	$\boxed{1}^3$	1	
v_j	5	8	3	2	$F := F - 1\Delta = 83$	

Aufgabe 4.3:

a) Die Menge des Produktes, die von Werk W_i nach Kundenort K_j zu liefern ist (i = 1,2,3 und j = 1,2,3,4), wird mit x_{ij} bezeichnet. Die Angebots- und Nachfragemengen sind durch $\mathbf{a}$ = (3,18,9) und $\mathbf{b}$ = (6,8,5,11) gegeben.

Zur Abbildung des Problems kann man folgendes LP formulieren:

Minimiere $F(\mathbf{x}) = \sum_{i=1}^{3} \sum_{j=1}^{4} c_{ij} x_{ij}$

unter den Nebenbedingungen

$\sum_{i=1}^{3} x_{ij} = b_j$ für j = 1,...,4

$\sum_{j=1}^{4} x_{ij} = a_i$ für i = 1,...,3

$x_{22} \geq 4,\ x_{24} \geq 6,\ x_{31} \geq 4$ und $x_{ij} \geq 0$ sonst

Das LP lässt sich durch die folgende Variablentransformation in ein klassisches TPP mit Variablen x'_{ij} überführen:

$x'_{22} := x_{22} - 4,\ x'_{24} := x_{24} - 6,\ x'_{31} := x_{31} - 4$ und $x'_{ij} := x_{ij}$ sonst

Das Problem besitzt die modifizierten Angebots- und Nachfragemengen $\mathbf{a}'$ = (3,8,5) und $\mathbf{b}'$ = (2,4,5,5). Die Mindestmengen müssen später zu den durch Lösung des modifizierten Problems ermittelten Transportmengen hinzuaddiert werden.

b) Ermittlung einer zulässigen Lösung mit der Vogel'schen Approximationsmethode (vgl. Fußnote 3 auf S. 71):

	1	2	3	4	a_i	dz_i			
1	^{12}	^{10}	$\boxed{3}^8$	^{11}	3	2	2	3_3	$■_3$
2	^{12}	$\boxed{4}^{10}$	^{14}	$\boxed{4}^{14}$	8/4	2	4_2	0	
3	$\boxed{2}^8$	^{8}	$\boxed{2}^{11}$	$\boxed{1}^{13}$	5/3/1	0	3	2	
b_j	2	4	5/2	5/1					
ds_j	4_1	2	3	2					
	$■_1$	$■_2$	3_4	1					
			$■_4$						

mit $\boxed{x'_{ij}}^{c_{ij}}$ für Basisvariablen x'_{ij}

und $^{c_{ij}}$ für Nichtbasisvariablen x_{ij}

Die Basisvariablen werden in der Reihenfolge x'_{31}, x'_{22}, x'_{13}, x'_{33}, x'_{24}, x'_{34} erzeugt.

Aufgrund dieser zulässigen Lösung für das modifizierte Problem ergibt sich folgende zulässige Lösung für das Ausgangsproblem: $x_{13} = 3$, $x_{22} = 4 + 4 = 8$, $x_{24} = 4 + 6 = 10$, $x_{31} = 2 + 4 = 6$, $x_{33} = 2$ und $x_{34} = 1$ mit $F(\mathbf{x}) = 171 + 156 = 327$

c) Ermittlung einer optimalen Lösung mit der MODI-Methode:

	1	2	3	4	u_i
1	7^{12}	4^{10}	$\boxed{3}^{8}$	1^{11}	–3
2	3^{12}	$\boxed{4}^{10}_{-\Delta}$	2^{14}	$\boxed{4}^{14}_{+\Delta}$	1
3	$\boxed{2}^{8}$	$-1^{8}_{+\Delta}$	$\boxed{2}^{11}$	$\boxed{1}^{13}_{-\Delta}$	0
v_j	8	9	11	13	F = 171

mit $\boxed{x'_{ij}}^{c_{ij}}$ für Basisvariablen x'_{ij} und $\bar{c}_{ij}^{\,c_{ij}}$ für Nichtbasisvariablen $x'_{ij} = 0$

Aufnahme von x'_{32} für x'_{34} in die Basis. $\Delta = \min\{1,4\} = 1$.

	1	2	3	4	u_i
1	7^{12}	5^{10}	$\boxed{3}^{8}$	2^{11}	–3
2	2^{12}	$\boxed{3}^{10}$	1^{14}	$\boxed{5}^{14}$	2
3	$\boxed{2}^{8}$	$\boxed{1}^{8}$	$\boxed{2}^{11}$	1^{13}	0
v_j	8	8	11	12	$F = 171 + (-1)\Delta = 170$

Da für alle Nichtbasisvariablen $\bar{c}_{ij} \geq 0$ gilt, ist die Lösung optimal. Aufgrund dieser optimalen Lösung für das modifizierte Problem ergibt sich folgende optimale Lösung für das Ausgangsproblem: $x^*_{13} = 3$, $x^*_{22} = 3+4=7$, $x^*_{24} = 5+6=11$, $x^*_{31} = 2+4=6$, $x^*_{32} = 1$ und $x^*_{33} = 2$ sowie $x^*_{ij} = 0$ sonst mit $F(\mathbf{x}^*) = 326$.

Aufgabe 4.4:

a) Formulierung als klassisches TPP:

Minimiere $F(\mathbf{x}) = \sum_{i=1}^{4} \sum_{j=1}^{4} c_{ij} x_{ij}$

unter den Nebenbedingungen

$\sum_{j=1}^{4} x_{ij} = a_i$ für i = 1,...,4

$\sum_{i=1}^{4} x_{ij} = b_j$ für j = 1,...,4

$x_{ij} \geq 0$ für i = 1,...,4 und j = 1,...,4

mit Vektoren $\mathbf{a} = (10,6,15,4)$ und $\mathbf{b} = (5,14,10,6)$

Wegen $\sum_i a_i = \sum_j b_j$ handelt es sich um ein klassisches TPP, für das sichergestellt ist, dass eine zulässige Lösung existiert.

b) Eröffnung mit der Vogel'schen Approximationsmethode (vgl. Fußnote 3 auf S. 71):

Im ersten Tableau werden die ersten drei Iterationen dargestellt.

	1	2	3	4	a_i	dz_i	
1	-1	2	1	0	10	1	
2	0	4	-1	-1	6	0	1
3	$\boxed{5}^{1}$	9	$\boxed{6}^{-3}$	10	15/9/4	4_2	8_3
4	9	15	$\boxed{4}^{2}$	12	4	7_1	$■_1$
b_j	5	14	10/6	6			
ds_j	1 $■_3$	2	2 $■_2$	1			

Das nachfolgende Tableau enthält die Iterationen 4 bis 7.

	1	2	3	4	a_i	dz_i	
1	-1	$\boxed{10}^{2}$	1	$\boxed{0}^{0}$	10	2	
2	0	4	-1	$\boxed{6}^{-1}$	6	5_4	$■_4$
3	$\boxed{5}^{1}$	$\boxed{4}^{9}$	$\boxed{6}^{-3}$	10	4	1	
4	9	15	$\boxed{4}^{2}$	12	0	$■_1$	
b_j	0	14/4	0	6	F = 45		
ds_j	$■_3$	2 7	$■_2$	1 10_5 $■_5$			

Prüfung der Optimalität durch Berechnung der Reduzierten Kosten:

	1	2	3	4	u_i	
1	5^{-1}	$\boxed{10}^{2}$	11^{1}	$\boxed{0}^{0}$	−7	
2	7^{0}	3^{4}	10^{-1}	$\boxed{6}^{-1}$	−8	
3	$\boxed{5}^{1}$	$\boxed{4}^{9}$	$\boxed{6}^{-3}$	3^{10}	0	(gesetzt)
4	3^{9}	1^{15}	$\boxed{4}^{2}$	0^{12}	5	
v_j	1	9	−3	7	F = 45	

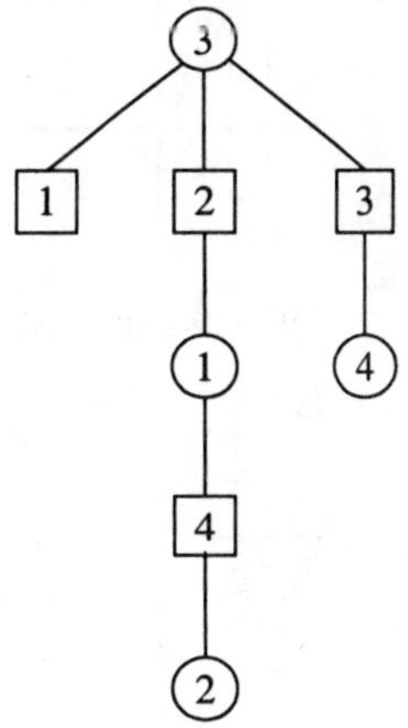

Da für alle Nichtbasisvariablen $\bar{c}_{ij} \geq 0$ gilt, ist die Lösung optimal.

c) Nebenstehende Abbildung zeigt den zugehörigen Transportgraphen mit Anbietern als runden und Nachfragern als quadratischen Knoten sowie eingerichteten Transportverbindungen als Kanten. Da es sich um einen Baum handelt, liegt eine Basislösung vor.

d) Die angegebene Zuordnung ist zulässig, da alle Angebote ausgenutzt und alle Nachfragen befriedigt werden. Sie ist jedoch keine zulässige Basislösung, da nur fünf Basisvariablen vorhanden sind. Sie kann z.B. durch Setzen von $x_{14} = x_{34} = 0$ und deren Verwendung als Basisvariablen zu einer Basislösung erweitert werden. Beim Setzen der zusätzlichen Basisvariablen ist darauf zu achten, dass die Basislösung Baumstruktur besitzen muss (es dürfen keine Variablen ergänzt werden, die in der graphischen Darstellung zu einem Kreis führen würden).

Aufgabe 4.5: (vgl. Aufgabe 3.8)

a) Das Problem kann man als klassisches TPP mit den nebenstehenden Daten (Kostenmatrix, Angebots- und Nachfragemengen) formulieren. Die Eintragungen können wie folgt interpretiert werden:

	1	2	3	a_i
0	8	18	31	1
1	0	10	21	1
2	∞	0	12	1
b_j	1	1	1	

Am Ende jeder Periode 0, 1, 2 wird eine Maschine „angeboten", in jeder Periode 1, 2, 3 eine Maschine benötigt. Eine Variable $x_{ij} = 1$ mit $j > i$ symbolisiert die Anschaffung einer Maschine am Ende von i und deren Nutzung bis zum Ende von j. Eine Variable x_{ii} mit Wert 1 bedeutet, dass die am Ende von Periode i vorhandene Maschine in Periode i + 1 weiterhin genutzt wird (fiktiver Verkauf der Maschine von i an i + 1 zum Preis 0, d.h. gleichzeitiger Verkauf und Neukauf ohne Kosten).

b) Ermittlung einer zulässigen Lösung mit der Vogel'schen Approximationsmethode:

	1	2	3	a_i	dz_i	
0	$\boxed{1}^{8}$	^{18}	^{31}	1	10_2	$\blacksquare_2$
1	$\boxed{0}^{0}$	$\boxed{0}^{10}$	$\boxed{1}^{21}$	1	10	
2	$^{\infty}$	$\boxed{1}^{0}$	^{12}	1	12_1	$\blacksquare_1$
b_j	1	1	1			
ds_j	8	10	9			
	8	8	10			

mit $\boxed{x_{ij}}^{c_{ij}}$ für Basisvariablen x_{ij}

und $^{c_{ij}}$ für Nichtbasisvariablen x_{ij}

Die gesamten Melkkosten der nächsten drei Jahre betragen $F(\mathbf{x}) = 29$ GE.

c) Ermittlung einer optimalen Lösung mit der MODI-Methode:

	1	2	3	u_i	
0	$\boxed{1}^{8}$	0^{18}	2^{31}	8	
1	$\boxed{0}^{0}$	$\boxed{0}^{10}$	$\boxed{1}^{21}$	0	(gesetzt)
2	∞^{∞}	$\boxed{1}^{0}$	1^{12}	-10	
v_j	0	10	21	F = 29	

Da alle Reduzierten Kosten $\bar{c}_{ij}$ nichtnegativ sind, liegt eine optimale Lösung vor.

Aufgabe 4.6:

a) Das Schreibwarengeschäft und die Wochentage treten jeweils als „Anbieter" und „Nachfrager" auf. Die an einem Tag i = 1,...,4 benötigten Stifte stehen als Angebot für die nachfolgenden Tage j = i+1,...,5 (mit Kosten in Höhe von $c_{i,i+1} = 2$ GE pro ME bzw. $c_{ij} = 1$ GE pro ME für j > i+1) zur Verfügung; vgl. nebenstehende Tabelle sowie untenstehende Kostenmatrix C, in der Verbindungen mit $j \leq i$ durch eine hinreichend hohe Kostenbewertung $c_{ij} = M$ vermieden werden.[5]

Anbieter	a_i	Nachfrager	b_j
L (i=0)	280	Mo (j=1)	60
Mo (i=1)	60	Di (j=2)	50
Di (i=2)	50	Mi (j=3)	80
Mi (i=3)	80	Do (j=4)	40
Do (i=4)	40	Fr (j=5)	50
Fr (i=5)	50	L (j=6)	280

Da es kostenminimal sein könnte, den gesamten Wochenbedarf auf einmal zu kaufen, erhält der Laden L die Angebotsmenge $a_L = 280$. An den verschiedenen Tagen i = 1,...,5 gekaufte Mengen werden durch die Variablen x_{Li} abgebildet und mit den Stückpreisen in Höhe von $c_{Li} = 15$ GE bewertet. Die durch den Laden nicht ausgelieferte Restmenge wird durch die Variable x_{LL} mit $c_{LL} = 0$ "absorbiert". Alle gekauften Stifte werden am Ende der Woche vom Laden zum Preis von 5 GE pro ME ("Kosten" von $c_{iL} = -5$ GE pro ME) zurückgenommen (Variablen x_{iL}).

c_{ij}	Mo	Di	Mi	Do	Fr	L
L	15	15	15	15	15	0
Mo	M	2	1	1	1	−5
Di	M	M	2	1	1	−5
Mi	M	M	M	2	1	−5
Do	M	M	M	M	2	−5
Fr	M	M	M	M	M	−5

b) Die negativen Bewertungen können durch Subtraktion des kleinsten Kostenwertes (des größten Erlöses) von allen Pfeilbewertungen eliminiert werden; d.h. der Betrag des kleinsten Matrixelementes wird zu allen Matrixelementen addiert: $\tilde{c}_{ij} = c_{ij} + 5$ für alle i und j

Für die Zielfunktion ergibt sich folgende Modifikation:

$$\tilde{F} = \sum_{i=0}^{5} \sum_{j=1}^{6} \tilde{c}_{ij} x_{ij} = \sum_{i=0}^{5} \sum_{j=1}^{6} (c_{ij} + 5) \cdot x_{ij} = \sum_{i=0}^{5} \sum_{j=1}^{6} c_{ij} x_{ij} + 5 \cdot \sum_{i=0}^{5} \sum_{j=1}^{6} x_{ij}$$
$$= F + 5 \cdot 560 = F + \text{Konstante}$$

Jede optimale Lösung des modifizierten Problems ist zugleich optimale Lösung des Ausgangsproblem, da sich die Zielfunktionswerte beider Probleme nur durch eine additive Konstante unterscheiden. Durch einen analogen Beweis ergibt sich, dass auch die Bewertungen einzelner Zeilen oder Spalten um eine additive Konstante verändert werden können, ohne dass dadurch die Optimalität einer Lösung verloren geht.

c) Zur Erläuterung von b) und zur Vereinfachung unserer Rechnungen addieren wir zu den Kostenbewertungen in Spalte L jeweils den Wert 5 und setzen M := 50. Man beachte jedoch, dass diese Modifikationen für die Durchführung der anschließenden Lösungsverfahren nicht notwendig sind.

5 Wir verwenden zur Indizierung der Parameter und Variablen sowohl die angegebene Nummerierung der Objekte als auch deren Abkürzung, je nachdem was besser handhabbar bzw. verständlich erscheint.

Ermittlung einer zulässigen Basislösung mit Hilfe der Vogel'schen Approximationsmethode (vgl. Fußnote 3 auf S. 71):

	Mo	Di	Mi	Do	Fr	L	a_i	dz_i
L	$\boxed{60}^{15}$	15	15	15	15	$\boxed{220}^{5}$	280/220	10_4 $■_4$
Mo	50	$\boxed{50}^{2}$	$\boxed{10}^{1}$	1	1	0	60/10	1/0
Di	50	50	$\boxed{50}^{2}$	1	1	0	50	1/0/1
Mi	50	50	$\boxed{20}^{50}$	$\boxed{40}^{2}$	$\boxed{20}^{1}$	0	80/60/20	$1_7/48_8$
Do	50	50	50	50	$\boxed{30}^{2}$	$\boxed{10}^{0}$	40/30	$2_5/48_6$ $■_6$
Fr	50	50	50	50	50	$\boxed{50}^{0}$	50	50_1 $■_1$
b_j	60	50	80	40	50/20	280/230/10	$\tilde{F} = 3370$	
ds_j	35_2 $■_2$	13_3 $■_3$	1	0 $■_8$	0 $■_7$	0 $■_5$	$F = 3370 - 280 \cdot 5 = 1970$	

Reihenfolge der Variablenzuweisungen: $x_{FrL} = 50$, $x_{LMo} = 60$, $x_{MoDi} = 50$, $x_{LL} = 220$, $x_{DoL} = 10$, $x_{DoFr} = 30$, $x_{MiFr} = 20$, $x_{MiDo} = 40$, $x_{MoMi} = 10$, $x_{DiMi} = 50$, $x_{MiMi} = 20$

Ermitteln einer optimalen Lösung mit Hilfe der MODI-Methode (das Symbol > steht für positive Reduzierte Kosten):

	Mo	Di	Mi	Do	Fr	L	u_i
L	$\boxed{60}^{15}$	$-42^{15}_{+\Delta}$	-41^{15}	$>^{15}$	$>^{15}$	$\boxed{220}^{5}_{-\Delta}$	5
Mo	$>^{50}$	$\boxed{50}^{2}_{-\Delta}$	$\boxed{10}^{1}_{+\Delta}$	$>^{1}$	$>^{1}$	$>^{0}$	−50
Di	$>^{50}$	$>^{50}$	$\boxed{50}^{2}$	$>^{1}$	$>^{1}$	$>^{0}$	−49
Mi	$>^{50}$	-1^{50}	$\boxed{20}^{50}_{-\Delta}$	$\boxed{40}^{2}$	$\boxed{20}^{1}_{+\Delta}$	$>^{0}$	−1
Do	$>^{50}$	-2^{50}	-1^{50}	$>^{50}$	$\boxed{30}^{2}_{-\Delta}$	$\boxed{10}^{0}_{+\Delta}$	0
Fr	$>^{50}$	-2^{50}	-1^{50}	$>^{50}$	$>^{50}$	$\boxed{50}^{0}$	0
v_j	10	52	51	3	2	0	F = 1970

Aufnahme von x_{LDi} für x_{MiMi} in die Basis mit $\Delta = \min\{50, 20, 30, 220\} = 20$. Der Basistausch entlang des elementaren Kreises [x_{LDi}, x_{MoDi}, x_{MoMi}, x_{MiMi}, x_{MiFr}, x_{DoFr}, x_{DoL}, x_{LL}] liefert das folgende Optimaltableau:

	Mo	Di	Mi	Do	Fr	L	u_i
L	[60]	[20]	>	>	>	[200]	5
Mo	>	[30]	[30]	>	>	>	−8
Di	>	>	[50]	>	>	>	−7
Mi	>	>	>	[40]	[40]	>	−1
Do	>	>	>	>	[10]	[30]	0
Fr	>	>	>	>	>	[50]	0
v_j	10	10	9	3	2	0	

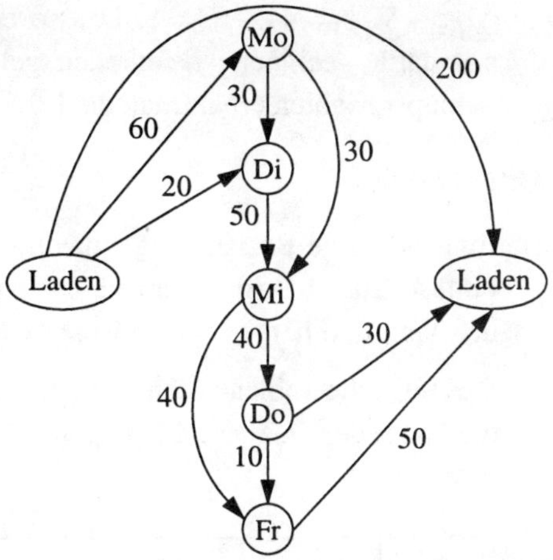

Der optimale Zielfunktionswert ist $F^* = 2530-(280 \cdot 5) = 1130$ GE. Oben rechts ist die Lösung als Transportgraph dargestellt.

Aufgabe 4.7:

Modellformulierung:

Minimiere $F(\mathbf{x}) = \sum_{j=1}^{4} (c_{1j}+5) \cdot x_{1j} + \sum_{j=1}^{4} (c_{2j}+4) \cdot x_{2j} + \sum_{j=1}^{4} 6 x_{3j}$

unter den Nebenbedingungen

$\sum_{j=1}^{4} x_{1j} \geq 35, \quad \sum_{j=1}^{4} x_{2j} \leq 50, \quad \sum_{j=1}^{4} x_{3j} \leq 30, \quad \sum_{i=1}^{3} x_{i1} \geq 30$

$\sum_{i=1}^{3} x_{ij} = b_j \qquad$ für $j = 2,3,4$ mit $b_2 = 40$, $b_3 = 20$ und $b_4 = 10$

$x_{ij} \geq 0 \qquad$ für $i = 1,...,3$ und $j = 1,...,4$

Man beachte, dass aufgrund der kostenfreien Anlieferung durch Genossenschaft G_3 keine Werte c_{3j} zu berücksichtigen sind.

Lösungsmöglichkeiten für Transportprobleme mit Ungleichungen als Nebenbedingungen werden z.B. in Domschke (1995, Kap. 6.4) behandelt.

Aufgabe 4.8:

a) Es handelt sich um einen zulässigen Transportplan (alle Nebenbedingungen des TPPs sind erfüllt), jedoch nicht um eine zulässige Basislösung. Eine Basislösung des betrachteten Problems besitzt $m+n-1 = 6$ Basisvariablen. Zusätzlich zu den Variablen mit positivem Wert ist somit eine Variable mit Wert 0 als Basisvariable auszuweisen. Dabei ist zu beachten, dass die Darstellung der Basislösung als Graph Baumstruktur besitzen muss (siehe Abbildung). Als zusätzliche Basisvariable ist somit z.B. $x_{22} = 0$ (gestrichelt) wählbar.

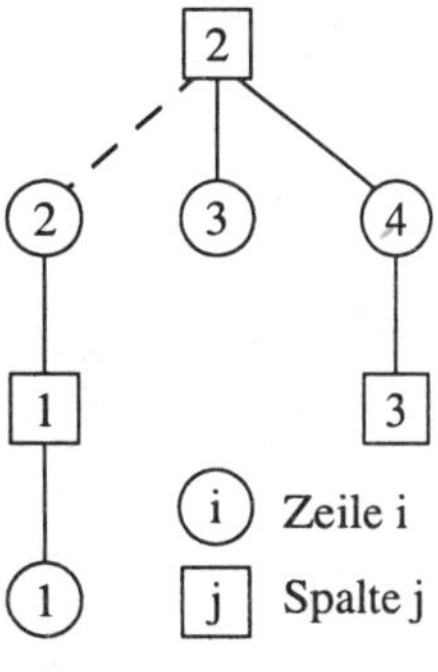

b) Wir führen einen fiktiven Nachfrager mit den (Schlupf-) Variablen x_{i4} und den Kostenbewertungen $c_{i4} = 0$ ein. Als Nachfragemenge b_4 verwenden wir das gesamte Überangebot

$\sum_i a_i - \sum_j b_j = 41 - 33 = 8$. Das so erweiterte Problem ist ein klassisches TPP und kann mit dafür geeigneten Methoden gelöst werden. Durch Vernachlässigen der Werte der Schlupfvariablen erhält man die Lösung des Ausgangsproblems.

Aufgabe 4.9:

a) Eine zulässige Basislösung eines linearen Zuordnungsproblems mit n Zeilen und Spalten umfasst $2n - 1$ Basisvariablen. Davon besitzen n Variablen den Wert 1, die restlichen $n - 1$ den Wert 0; d.h. die Lösung ist stark (primal) degeneriert.

Das folgende Tableau enthält die mit der Nordwesteckenregel ermittelte Basislösung sowie die Werte der Dualvariablen u_i, v_j und die Reduzierten Kosten $\bar{c}_{ij}$.

	1	2	3	4	5	a_i	u_i
1	$\boxed{1}^{4}$	-2^{6}	0^{9}	0^{7}	0^{11}	1	3
2	$\boxed{0}^{2}$	$\boxed{1}^{6}_{-\Delta}$	1^{8}	2^{7}	$-8^{1}_{+\Delta}$	1	1
3	7^{6}	$\boxed{0}^{3}_{+\Delta}$	$\boxed{1}^{4}_{-\Delta}$	0^{2}	1^{7}	1	–2
4	9^{9}	1^{5}	$\boxed{0}^{5}_{+\Delta}$	$\boxed{1}^{3}_{-\Delta}$	0^{7}	1	–1
5	2^{3}	1^{6}	0^{6}	$\boxed{0}^{4}_{+\Delta}$	$\boxed{1}^{8}_{-\Delta}$	1	0
b_j	1	1	1	1	1	F = 25	
v_j	1	5	6	4	8		

b) Verbesserung mit der MODI-Methode: In der ersten Iteration wird die Variable x_{25} neu in die Basis aufgenommen. Es gilt $\Delta = \min\{x_{22}, x_{33}, x_{44}, x_{55}\} = 1$. Wählt man unter den zu 0 werdenden Basisvariablen etwa x_{22} als neue Nichtbasisvariable, so erhält man das Tableau:

	1	2	3	4	5	u_i	
1	$\boxed{1}^{4}$	6^{6}	8^{9}	8^{7}	8^{11}	–5	
2	$\boxed{0}^{2}_{-\Delta}$	8^{6}	9^{8}	10^{7}	$\boxed{1}^{1}_{+\Delta}$	–7	
3	-1^{6}	$\boxed{1}^{3}$	$\boxed{0}^{4}$	0^{2}	1^{7}	–2	
4	1^{9}	1^{5}	$\boxed{1}^{5}$	$\boxed{0}^{3}$	0^{7}	–1	
5	$-6^{3}_{+\Delta}$	1^{6}	0^{6}	$\boxed{1}^{4}$	$\boxed{0}^{8}_{-\Delta}$	0	$\Delta = \min\{x_{21}, x_{55}\} = 0$
v_j	9	5	6	4	8	F = 17	

In der zweiten Iteration wird ein mengenneutraler Basistausch vorgenommen, der das folgende Optimaltableau ergibt. Als optimale Lösung mit Zielfunktionswert $F^* = 17$ erhalten wir $x_{11}^* = x_{25}^* = x_{32}^* = x_{43}^* = x_{54}^* = 1$ und $x_{ij}^* = 0$ sonst.

	1	2	3	4	5	u_i
1	[1]	0	2	2	2	1
2	6	8	9	10	[1]	−7
3	5	[1]	[0]	0	1	−2
4	7	1	[1]	[0]	0	−1
5	[0]	1	0	[1]	[0]	0
v_j	3	5	6	4	8	F = 17

c) Aufgrund des Vorhandenseins von Nichtbasisvariablen mit Reduzierten Kosten von 0 im obigen Tableau erkennt man, dass mehrere (parametrische) optimale Lösungen existieren.

Aufgabe 4.10:

a) Die Binärvariable x_{ij} bezeichne die Entscheidung, ob Ehepartner i Aufgabe j übernimmt oder nicht:

$$x_{ij} = \begin{cases} 1 & \text{falls Ehepartner i Aufgabe j übernimmt} \\ 0 & \text{sonst} \end{cases} \qquad \text{für } i = 1, 2 \text{ und } j = 1,...,4$$

Zur Abbildung des Sachverhalts kann man das folgende binäre LP formulieren:

Minimiere $F(\mathbf{x}) = \sum_{i=1}^{2} \sum_{j=1}^{4} c_{ij}\, x_{ij}$

unter den Nebenbedingungen

$\sum_{i=1}^{2} x_{ij} = 1$ für $j = 1,...,4$ (jede Aufgabe wird zugeteilt)

$\sum_{j=1}^{4} x_{ij} = 2$ für $i = 1, 2$ (jeder Ehepartner erhält genau zwei Aufgaben)

$x_{ij} \in \{0,1\}$ für $i = 1, 2$ und $j = 1,...,4$

b) Die in a) angegebene Modellformulierung entspricht einem klassischen TPP mit zwei Anbietern (Ehepartner) und vier Nachfragern (Aufgaben):

- Angebotsmengen $\mathbf{a} = (2,2)$
- Nachfragemengen $\mathbf{b} = (1,1,1,1)$
- Die Transportkosten c_{ij} entsprechen den jeweiligen Bearbeitungsdauern und sind der Tabelle in der Aufgabenstellung zu entnehmen.

Auf die Ganzzahligkeitsforderung kann verzichtet werden, da die Koeffizientenmatrix des Nebenbedingungssystems des klassischen TPPs total unimodular ist. Bei ganzzahligen Angebots- und Nachfragemengen liefern der Simplex-Algorithmus sowie spezielle primale Algorithmen für das klassische TPP stets ganzzahlige Lösungen. Vgl. hierzu etwa Domschke (1995, S. 70).

c) Ermittlung einer zulässigen Lösung mit der Vogel'schen Approximationsmethode (vgl. Fußnote 3 auf S. 71):

	1	2	3	4	a_i	dz_i			
1	[1]$^{3.6}$	$^{7.8}$	$^{2.9}$	[1]$^{4.5}$	2/1	0.7	0.9_2	3.3_3	■$_3$
2	$^{4.3}$	[1]$^{7.2}$	[1]$^{3.1}$	[0]$^{4.9}$	2/1	1.2_1	0.6	2.3	
b_j	1	1	1	1/0	mit [x_{ij}]$^{c_{ij}}$ für Basisvariablen x_{ij}				
ds_j	0.7 ■$_2$	0.6	0.2 ■$_1$	0.4	und $^{c_{ij}}$ für Nichtbasisvariablen x_{ij}				

Damit ergibt sich für das Ausgangsproblem die folgende Basislösung (Basisbaum unten rechts): $x_{23} = x_{11} = x_{14} = x_{22} = 1$, $x_{24} = 0$ mit $F(\mathbf{x}) = 3.1 + 3.6 + 4.5 + 7.2 = 18.4$

d) Anwendung der MODI-Methode:

	1	2	3	4	u_i
1	[1]$^{3.6}$	$1.0^{7.8}$	$0.2^{2.9}$	[1]$^{4.5}$	−0.4
2	$0.3^{4.3}$	[1]$^{7.2}$	[1]$^{3.1}$	[0]$^{4.9}$	0
v_j	4.0	7.2	3.1	4.9	F = 18.4

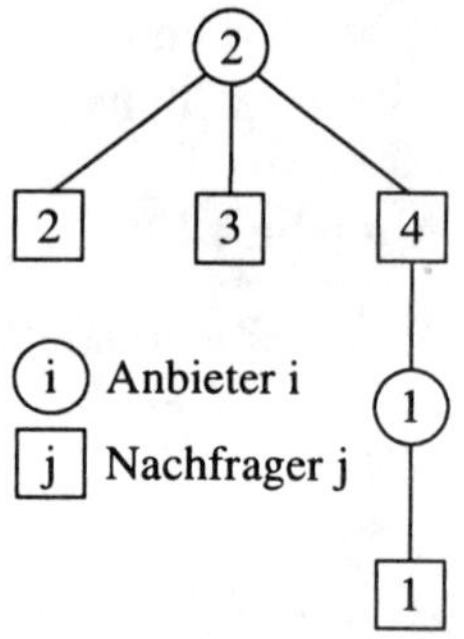

Da für alle Nichtbasisvariablen $\bar{c}_{ij} \geq 0$ gilt, ist die mit der Vogel'schen Approximationsmethode erhaltene Startlösung optimal.

Optimale Haushaltsaufteilung: Stefan kocht und wäscht, während Dörthe Klein-Lisa wickelt und einkaufen geht. Dafür benötigen sie insgesamt 18.4 Stunden pro Woche.

Aufgabe 4.11:

a) Da bei der Wahl der größten Zeilen- bzw. Spaltendifferenz mehrere Möglichkeiten existieren, kann man auch bei diesem Problem mit der Vogel'schen Approximationsmethode verschiedene Lösungen erzielen. Eine mögliche Basislösung mit $F(\mathbf{x}) = 15$ entsteht wie folgt (vgl. Fußnote 3 auf S. 71):

	1	2	3	4	5	a_i	dz_i		
1	^{4}	^{5}	^{7}	[1]^{3}	^{6}	1	1	2_5	■$_5$
2	[1]^{1}	^{3}	^{5}	^{8}	^{4}	1	2_2	■$_2$	
3	^{0}	^{6}	^{5}	^{7}	[1]^{2}	1	2	■$_1$	
4	[0]^{3}	[1]^{5}	[0]^{6}	[0]^{3}	[0]^{6}	1	0	2	
5	^{9}	^{3}	[1]^{4}	^{3}	^{4}	1	0	■$_3$	
b_j	1	1	1	1	1	F = 15			
ds_j	1 2 1 1_4 ■$_4$	0 0 2 0	1 1 2_3 1	0 0 0 0	2_1 0 2 0				

Die Basisvariablen werden in der Reihenfolge $x_{35} = x_{21} = x_{53} = 1$, $x_{41} = 0$, $x_{14} = x_{42} = 1$, $x_{43} = x_{44} = x_{45} = 0$ geschaffen. Da Basisvariablen mit Wert 0 existieren, ist die Basislösung primal degeneriert.

Anwendung der MODI-Methode:

	1	2	3	4	5	u_i	
1	1	0	1	[1]	0	0	
2	[1]	0	1	7	0	−2	
3	1	5	3	8	[1]	−4	
4	[0]	[1]	[0]	[0]	[0]	0	(gesetzt)
5	8	0	[1]	2	0	−2	
v_j	3	5	6	3	6	F = 15	

Da für alle Nichtbasisvariablen $\bar{c}_{ij} \geq 0$ gilt, ist die Lösung optimal. Man beachte, dass wegen einigen Nichtbasisvariablen mit $\bar{c}_{ij} = 0$ eine dual degenerierte Basislösung vorliegt.

b) Minimiere $F_{max} = \max\{c_{ij}x_{ij} \mid i,j = 1,...,n\}$

Eine einfache, im Allgemeinen sehr schwache **untere Schranke** ergibt sich aus dem Maximum der Zeilen- und Spaltenminima der Kostenmatrix (Relaxation der eineindeutigen Zuordnung):

$$\underline{F} = \max\{\min\{c_{1j} \mid j=1,...,n\}, \min\{c_{2j} \mid j=1,...,n\},..., \min\{c_{nj} \mid j=1,...,n\};$$
$$\min\{c_{i1} \mid i=1,...,n\}, \min\{c_{i2} \mid i=1,...,n\},..., \min\{c_{in} \mid i=1,...,n\}\}$$
$$= \max\{3,1,0,3,3; 0,3,4,3,2\} = 4$$

Eine **obere Schranke** lässt sich aus einer beliebigen zulässigen Zuordnung (z.B. eine Lösung des Problems unter Minisum-Zielsetzung aus Aufgabenteil a), d.h. Minimierung der Summe der Zuordnungskosten) bestimmen:

$$\overline{F} = \max\{c_{ij}x'_{ij} \mid i,j = 1,...,n\} \quad \text{für eine vorgegebene Lösung } \mathbf{x}'$$

Aus der Lösung von a) ergibt sich somit: $\overline{F} = \max\{3,1,2,5,4\} = 5$

Um festzustellen, ob für einen gegebenen festen Wert Z für die Zielfunktion F_{max} eine zulässige Lösung existiert, wird die Kostenmatrix wie folgt modifiziert:

$$c'_{ij} = \begin{cases} c_{ij} & \text{falls } c_{ij} \leq Z \\ M & \text{sonst} \end{cases} \qquad \text{für alle i und j}$$

Führt man diese Modifikation für $Z = \underline{F} = 4$ durch, so erhält man die im folgenden Tableau angegebene zulässige Zuordnung. Auch wenn es sich nicht um eine Basislösung handelt, ergibt sich daraus eine obere Schranke $\overline{F} = F_{max} = 4$. Da dieser Wert mit der unteren Schranke $\underline{F}$ identisch ist, handelt es sich um eine optimale Zuordnung.

	1	2	3	4	5	u_i
1	4	M	M	$\boxed{1}^3$	M	1
2	1	$\boxed{1}^3$	M	M	4	1
3	0	M	M	M	$\boxed{1}^2$	1
4	$\boxed{1}^3$	M	M	3	M	1
5	M	3	$\boxed{1}^4$	3	4	1
v_j	1	1	1	1	1	$F_{max} = 4$

Aufgabe 4.12:

Es ergibt sich das folgende kapazitierte TPP:

Minimiere $F(\mathbf{x}) = \sum_{i=1}^{m} \sum_{j=1}^{n} c_{ij} x_{ij}$

unter den Nebenbedingungen

$\sum_{j=1}^{n} x_{ij} \le a_i$ für $i = 1,...,m$

$\sum_{i=1}^{m} x_{ij} = b_j$ für $j = 1,...,n$

$0 \le x_{ij} \le \kappa_{ij}$ für alle i und j

Zu Lösungsverfahren für kapazitierte Transportprobleme vgl. z.B. Domschke (1995, Kap. 6.3).

Aufgabe 4.13: (vgl. auch Aufgabe 3.10)

Unter Verwendung von Dualvariablen x_{ij} ergibt sich das folgende duale LP:

Minimiere $F(\mathbf{x}) = \sum_{i=1}^{n-1} \sum_{j=i+1}^{n} c_{ij} x_{ij}$

unter den Nebenbedingungen

$\sum_{j=2}^{n} x_{1j} = 1$

$\sum_{i=1}^{k-1} x_{ik} - \sum_{j=k+1}^{n} x_{kj} = 0$ für $k = 2, ..., n-1$

$\sum_{i=1}^{n-1} x_{in} = 1$

$x_{ij} \ge 0$ für $i, j = 1, ..., n$

Man beachte, dass es für dieses duale LP aufgrund der speziellen Struktur der Koeffizientenmatrix immer eine optimale Lösung mit binären Werten x_{ij} gibt. Das Problem entspricht einem Umladeproblem, dessen Menge der Angebotsknoten V_a aus genau einem Knoten besteht, d.h. $V_a = \{1\}$. Analog enthält die Menge der Nachfrageknoten V_b mit Knoten n ebenfalls genau ein Element. Alle anderen Knoten sind Umladeknoten. Also entspricht das formulierte Problem dem Problem der Bestimmung eines kürzesten Weges von Knoten 1 nach Knoten n in einem topologisch sortierten Graphen. Bezogen auf das Ausgangsproblem gibt $w_n - w_1$ die Länge eines kürzesten Weges von Knoten 1 nach Knoten n an.

Kapitel 5: Netzplantechnik

Aufgabe 5.1:

Sie bereiten mit Freunden eine Lasagne-Party vor. Die Teilverrichtungen, ihre Zeitdauern (in Minuten) und die für den Ablauf der Zubereitung gegebenen Bedingungen sind der folgenden Tabelle zu entnehmen.

Aufgabe	Bezeichnung der Aufgabe	Dauer (ZE)	Vorgänger
A	Einkaufen der Zutaten	10	–
B	Pilze schneiden	5	A
C	Tomatensauce kochen	2	A
D	Mozzarella schneiden	4	A
E	Eier und Käse vermischen	4	D
F	Käse-Sahne-Sauce kochen	7	D
G	Vermischen zu Füllung	4	B, C, E
H	Lasagne-Nudeln kochen	8	C
I	Lasagne bereiten und backen	20	F, G, H

a) Zeichnen Sie einen vorgangsknotenorientierten (MPM-) Netzplan für das "Projekt"! Bestimmen Sie für alle Teilverrichtungen die frühesten Anfangs- und Endzeitpunkte FAZ_i und FEZ_i, die spätesten Anfangs- und Endzeitpunkte SAZ_i und SEZ_i sowie die gesamten Pufferzeiten GP_i! Geben Sie die minimale Projektdauer und den kritischen Weg an!

b) Zeichnen Sie einen vorgangspfeilorientierten (CPM-)Netzplan für das obige Problem! Verwenden Sie dabei so wenig Scheinvorgänge wie möglich!

c) Zeichnen Sie ein Gantt-Diagramm für den Fall, dass die Vorgänge frühestmöglich beginnen!

d) Geben Sie ein LP zur Berechnung der frühesten Anfangszeiten aller Vorgänge an! Wie ist das Modell zu verändern, wenn bei minimaler Projektdauer jeder einzelne Vorgang spätestmöglich eingeplant werden soll?

Aufgabe 5.2:

a) Ermitteln Sie einen MPM-Netzplan, in dem für mindestens einen Vorgang i die Ungleichungen $GP_i > FP_i > UP_i > 0$ und $GP_i > FRP_i > UP_i > 0$ gelten!

b) Geben Sie eine Bedingung an, unter der für einen Vorgang i die folgende Beziehung $GP_i = FP_i = UP_i > 0$ gilt!

Aufgabe 5.3:

Gegeben sei das Ergebnis einer Struktur- und Zeitplanung wie folgt:

Vorgang	Dauer	FAZ_i	FEZ_i	SAZ_i	SEZ_i	GP_i	Kritischer Weg
A	5	0	5	0	5	0	A
B	3	0	3	3	6	3	
S	0	5	5	6	6	1	
C	4	5	9	6	10	1	
D	5	5	10	5	10	0	D
E	2	0	2	7	9	7	
F	7	10	17	10	17	0	F
G	8	2	10	9	17	7	
H	1	17	18	17	18	0	H

a) Zeichnen Sie einen zugehörigen vorgangsknotenorientierten (MPM-) und einen vorgangspfeilorientierten (CPM-) Netzplan! Vernachlässigen Sie den Vorgang S, falls er nicht gebraucht wird!
Warum steht Vorgang S in obiger Tabelle; wird er im CPM-Netzplan benötigt?

b) Zeigen Sie, dass für die gesamte, die freie und die unabhängige Pufferzeit jedes Vorgangs i die Beziehung $GP_i \geq FP_i \geq UP_i \geq 0$ gilt!

Aufgabe 5.4:

Die Fachschaft des Fachbereichs Wirtschaftswissenschaften plant eine erweiterte Einführungswoche für Erstsemester. Die Organisation der damit verbundenen Veranstaltungen stellt hohe Ansprüche. Junge und dynamische Mitglieder des Vorbereitungsausschusses erinnern sich an die Netzplantechnik als Hilfsmittel zur Planung. Eine Analyse der notwendigen Vorbereitungsaktivitäten ergibt nebenstehende Tabelle.

Tätigkeit	benötigte Tage	Vorgänger
A	11	keine
B	10	keine
C	6	A
D	13	A
E	7	C,D
F	12	C
G	5	D
H	10	D
I	9	B
J	4	E,F,G,H,I

a) Erstellen Sie einen MPM-Netzplan, der Auskunft über die terminliche Lage der Vorbereitung gibt!

b) Um eventuelle Verzögerungen schneller beurteilen zu können, ist die Fachschaft neben den gesamten Pufferzeiten auch an den freien und unabhängigen Pufferzeiten der Tätigkeiten interessiert. Ermitteln Sie diese!

Aufgabe 5.5:

Familie Hesselbach aus dem Rodgau möchte einen Wintergarten an ihr Haus anbauen. Dieser soll bis zum 43. Geburtstag von Herrn Hesselbach fertiggestellt sein, da eine große Party steigen soll. Da Herr Hesselbach im Laufe seines Elektroingenieur-Studiums die Netzplantechnik kennengelernt hat, möchte er die Planung des Anbauvorhabens mit ihrer Hilfe vornehmen. Nach der ersten Phase der Strukturplanung ergibt sich die folgende Vorgangsliste:

Vorgang	Vorgangsbeschreibung	Dauer	Vorgänger
A	Adressen von Wintergartenherstellern sammeln	3	keine
B	Architekt beauftragen, Zeichnungen machen lassen	13	keine
C	Angebote für Wintergartenbau einholen	21	A,B
D	Bauantrag stellen und auf Genehmigung warten	51	B
E	Baugrube ausheben (von Hand) und Fundament gießen	47	B
F	Finanzierung planen	11	keine
G	Verhandlungen mit Wintergartenherstellern führen	15	A,C
H	Bauauftrag vergeben	2	D,G
I	Kreditverhandlungen führen und Vertrag abschließen	6	D,F,H
J	Ausmessen der Baustelle, Produktion der Bauteile	24	E,H
K	Überweisung des Kaufpreises (Vorauszahlung)	4	I
L	Montieren des Wintergartens durch den Hersteller	6	J,K

a) Zeichnen Sie einen vorgangsknotenorientierten Netzplan! Lassen Sie redundante Pfeile weg!

b) Führen Sie eine Zeitplanung (Ermittlung frühester und spätester Zeitpunkte) unter Beachtung folgender zusätzlicher Bedingungen durch! Zeichnen Sie diese Restriktionen ggf. in den Netzplan zu a) ein!

   1) Das Fundament (Vorgang E) darf frühestens 7 Tage nach seiner Fertigstellung zum Zwecke des Ausmessens (Vorgang J) betreten werden.

   2) Herr Hesselbach benötigt die Kreditsumme nach erfolgter Zuteilung (Vorgang I) zur Zwischenfinanzierung eines neuen Autos für mindestens 15 Tage, bevor der Wintergarten bezahlt werden kann (Vorgang K).

   Bestimmen Sie einen kritischen Weg und die resultierende Mindestprojektdauer! Ist dieser kritische Weg eindeutig? Falls nicht, geben Sie alle weiteren kritischen Wege an!

c) Herr Hesselbach möchte aus Kostengründen die Überweisung des Kaufpreises (Beginn von Vorgang K) frühestens 12 Tage vor Montagebeginn (Vorgang L) veranlassen. Bilden Sie diese Bedingung im Netzplan als Mindestabstand bei Normalfolge ab!

d) Der Geburtstag findet in 116 Tagen statt. Wann muss Herr Hesselbach spätestens den Bauantrag stellen?

e) Aufgrund der enormen Arbeitsgeschwindigkeit der Kreisverwaltung verzögert sich die Bearbeitung des Bauantrags um 3 Wochen. Was sind die Folgen für Familie Hesselbach?

f) Überführen Sie den vorgangsknotenorientierten Netzplan aus a) in einen entsprechenden vorgangspfeilorientierten. Berücksichtigen Sie dabei auch die Restriktionen aus b)!

Aufgabe 5.6:

Gegeben sei die nebenstehende Vorgangsliste (mit d_{hi} bzw. $\bar{d}_{hi}$ als Mindestabstand bzw. Maximalabstand bei Normalfolge zwischen Vorgang h und i). Transformieren Sie die Maximalabstände in Mindestabstände bei Normalfolge, und zeichnen Sie den zugehörigen vorgangsknotenorientierten Netzplan! Ermitteln Sie die spätesten Anfangs- und Endzeitpunkte SAZ_i und SEZ_i mit Hilfe des Algorithmus "FIFO-knotenorientiert-Rückwärtsrechnung"; vgl. Domschke und Drexl (2005, Kap. 5.2.2.1)! Starten Sie mit $SEZ_5 = 8$!

Vorgang i	Dauer	Vorgänger h	d_{hi}	$\bar{d}_{hi}$
1	1	–	–	–
2	2	1	2	–
3	1	1	1	–
4	1	1	–	3
		2	–2	–
		3	1	–
5	1	1	–	7
		2	2	–
		4	1	–

Aufgabe 5.7:

Gegeben seien die Vorgänge A, B, C, D, E, F und G mit folgenden Reihenfolgebeziehungen:

$$\mathcal{V}(E) = \{A, B, C\}, \mathcal{V}(F) = \{B, C, D\}, \mathcal{V}(G) = \{C, D\}$$

Zeichnen Sie einen vorgangspfeilorientierten Netzplan mit geringstmöglicher Anzahl an Scheinvorgängen!

Aufgabe 5.8:

Gegeben sei der rechts dargestellte vorgangspfeilorientierte Netzplan. Die Pfeilbewertungen $(\lambda_{ij}, \kappa_{ij})$ symbolisieren eine minimale Vorgangsdauer λ_{ij} und eine maximale Vorgangsdauer κ_{ij} für den Vorgang (i,j). In Abhängigkeit von der realisierten Vorgangsdauer t_{ij} verursacht der Vorgang (i,j) Kosten in Höhe von $c_{ij}(t_{ij}) = a_{ij} - b_{ij} t_{ij}$ GE. Den Faktor b_{ij} bezeichnet man dabei als Beschleunigungskostensatz.

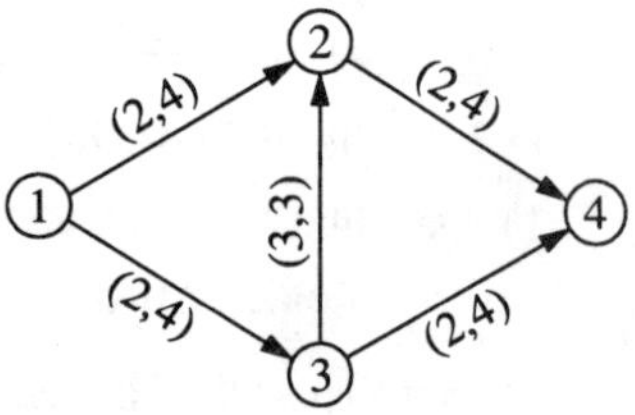

Für die Vorgänge (2,4) und (3,4) gelte $c_{ij}(t_{ij}) = 6 - t_{ij}$, für die Vorgänge (1,2) und (1,3) gelte $c_{ij}(t_{ij}) = 11 - 2t_{ij}$. Der Vorgang (3,2) ist nicht beschleunigbar und verursacht Kosten in fixer Höhe von 4 GE.

a) Wie groß sind die maximale und die minimale Projektdauer $\overline{T}$ und $\underline{T}$?

b) Wie hoch sind die minimalen vorgangsdauerabhängigen Kosten $F_1(T)$ bei vorgegebener Projektdauer $T = \overline{T}$ und $T = \underline{T}$. Dabei bezeichnet FZ_i den frühesten Eintrittszeitpunkt des Ereignisses (Knoten) i.

c) Geben Sie die Funktion $F_1(T)$ der minimalen vorgangsdauerabhängigen Kosten im Intervall $[\underline{T}, \overline{T}]$ in Abhängigkeit von der Projektdauer T graphisch an!

d) Die projektdauerabhängigen Kosten (z.B. Opportunitätskosten für den verwendeten Maschinenpark) seien $F_2(T) = 1.5T$. Ergänzen Sie im Diagramm den Verlauf von $F_2(T)$! Bei welcher Projektdauer T nimmt die Gesamtkostenfunktion $F(T) = F_1(T) + F_2(T)$ ihr Minimum an?

e) Formulieren Sie ein LP zur Bestimmung der minimalen vorgangsdauerabhängigen Kosten $F_1(T)$ für die Projektdauer $T = 9$! Verwenden Sie als Variablen t_{ij} für die Vorgangsdauern und FZ_i für die Realisierungszeitpunkte der Ereignisse!

Aufgabe 5.9:

Gegeben sei ein Problem der Projektplanung unter Kapazitätsrestriktionen mit dem rechts angegebenen MPM-Netzplan (Knoten mit Vorgangsnummer i und Vorgangsdauer t_i). Es werden zwei Maschinen $r = 1$ und $r = 2$ mit beschränkt verfügbaren Kapazitäten von $\kappa_1 = 4$ und $\kappa_2 = 2$ Kapazitätseinheiten (KE) für die Ausführung der Vorgänge $i = 2,3,5,6$ und 7 benötigt. Die Kapazitätsbedarfe k_{i1} und k_{i2} der Vorgänge i sind (in KE) unten angegeben.

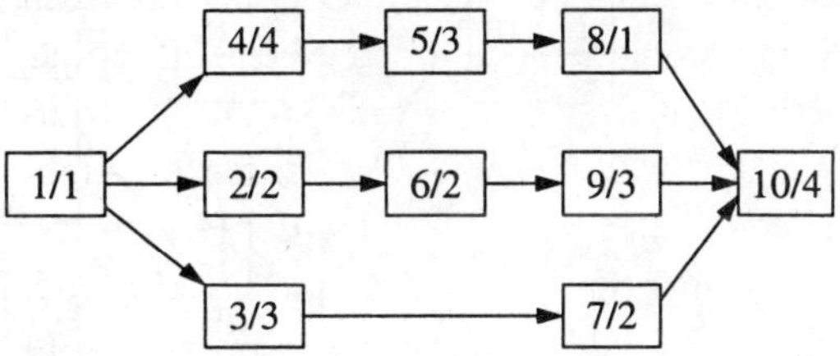

a) Berechnen Sie eine untere Schranke $\underline{F}$ für die Projektdauer!

b) Ermitteln Sie eine zulässige Lösung des Problems mit Hilfe folgender Heuristik: Plane die Vorgänge grundsätzlich frühestmöglich ein! Falls dies aufgrund der Kapazitätsrestriktionen nicht möglich ist, betrachte die betroffenen Vorgänge in der Reihenfolge monoton wachsender Vorgangsdauern!

i	2	3	5	6	7	κ_r
k_{i1}	3	2	1	–	1	4
k_{i2}	–	–	1	1	1	2

Geben Sie ein vorgangsorientiertes Gantt-Diagramm sowie für jede Maschine ein Belastungs-Diagramm (maschinenorientiertes Gantt-Diagramm) an!

Lösungen zu Kapitel 5: Netzplantechnik

Aufgabe 5.1:

a) Der folgende Netzplan gibt die Struktur des Projektes und die Ergebnisse der Zeitplanung wieder:

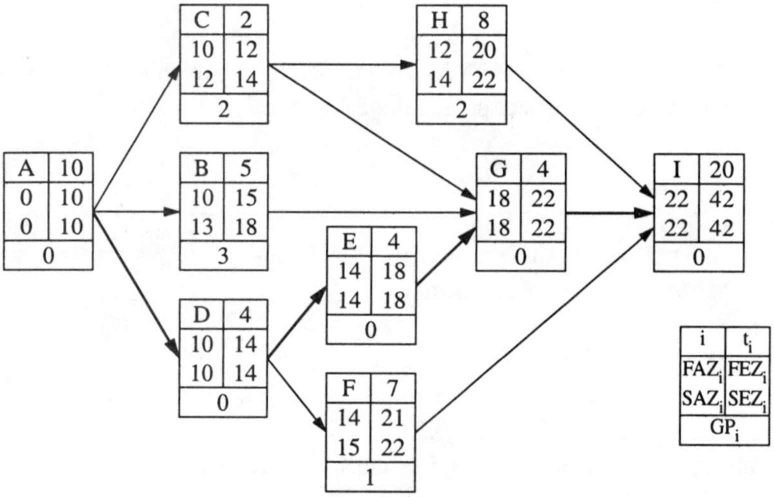

Der kritische Weg ist (A, D, E, G, I), die Projektdauer beträgt 42 Minuten.

b) Der Netzplan aus a) lässt sich in den nebenstehenden CPM-Netzplan überführen.

Es muss ein Scheinvorgang S mit Dauer 0 eingeführt werden, da die Vorgänge G und H sowohl identische als auch unterschiedliche Vorgänger haben.

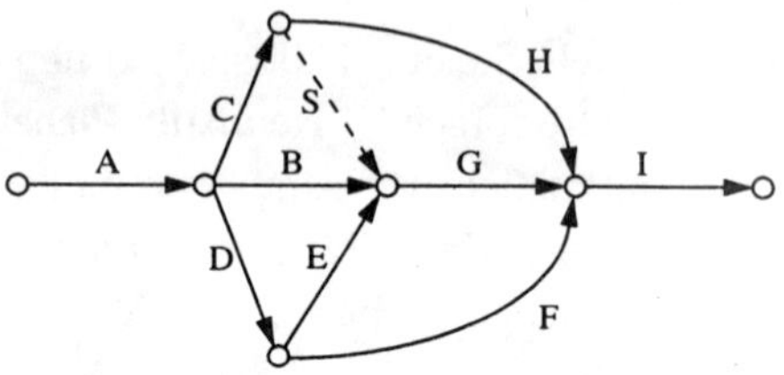

c) Bei frühestmöglicher Einplanung aller Vorgänge ergibt sich als Gantt-Diagramm (kritische Vorgänge sind grau unterlegt):

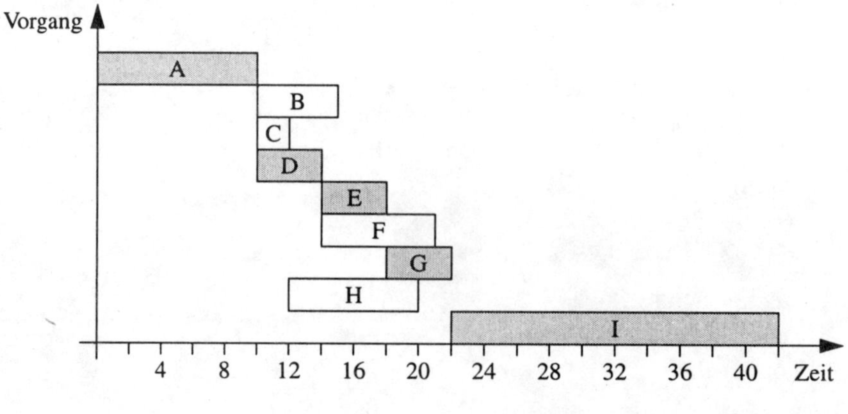

d) Wenn wir mit FAZ_i die früheste Anfangszeit des Vorgangs i bezeichnen, so hat das Modell folgendes Aussehen:

Minimiere $F(\mathbf{FAZ}) = \sum_{i=1}^{n} FAZ_i$

unter den Nebenbedingungen

$FAZ_h + t_h \leq FAZ_i$ für i = 2,...,n und alle $h \in \mathcal{V}(i)$

$FAZ_1 = 0$

Sollen bei zu minimierender Projektdauer alle Vorgänge spätestmöglich eingeplant werden, so kann man die Variable FAZ_n für den Endevorgang n (hier: Vorgang I) in der Zielfunktion mit einer hinreichend großen Zahl (z.B. 100) bewerten, während für die Variablen FAZ_i der Vorgänge i = 1,...,n–1 kleine negative Koeffizienten (z.B. –1) zu verwenden sind.

Aufgabe 5.2:

a) Die angegebenen Beziehungen gelten für den Vorgang E des folgenden MPM-Netzplans.

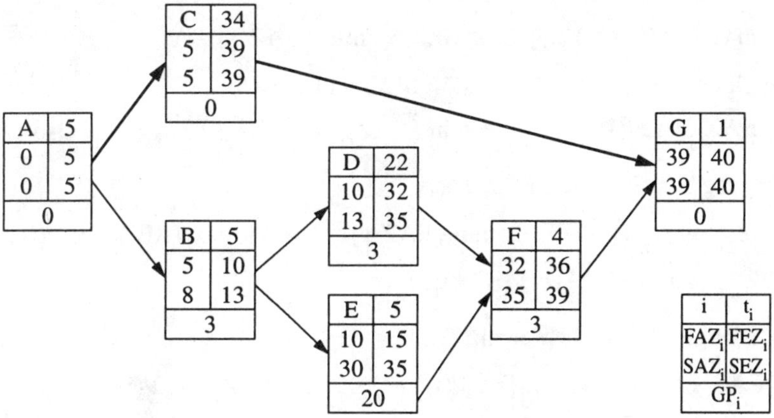

Der Vorgang E weist folgende Pufferzeiten auf:

$GP_E := SAZ_E - FAZ_E = 30 - 10 = 20;$ $FP_E := FAZ_F - FEZ_E = 32 - 15 = 17$

$FRP_E := SAZ_E - SEZ_B = 30 - 13 = 17;$ $UP_E := FAZ_F - SEZ_B - t_E = 32 - 13 - 5 = 14$

b) Wenn alle Vorgänger und alle Nachfolger eines *nichtkritischen* Vorganges i auf einem kritischen Weg liegen, sind alle Pufferzeiten von i identisch und positiv. Die Bedingung gilt z.B. für den Vorgang G im Netzplan zu Aufgabe 5.4 a). Vorgang E hat ebenfalls identische Pufferzeiten, obwohl der Vorgänger C nichtkritisch ist, jedoch den Anfangszeitpunkt von E nicht beeinflusst.

Aufgabe 5.3:

a) Aus der Zeitplanung lässt sich die nebenstehende Struktur eines MPM-Netzplanes ableiten. Der Pfeil (E,F) ist optional.

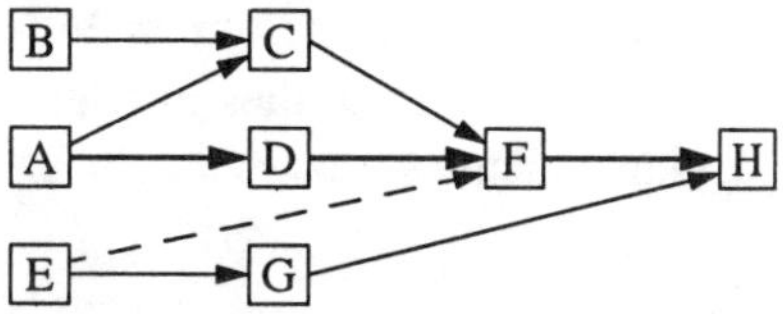

Der Vorgang S lässt sich im MPM-Netzplan als Scheinvorgang mit Dauer 0 interpretieren. Er ist zwischen den Vorgängen A und C einzufügen. Man erhält den rechts angegebenen CPM-Netzplan.

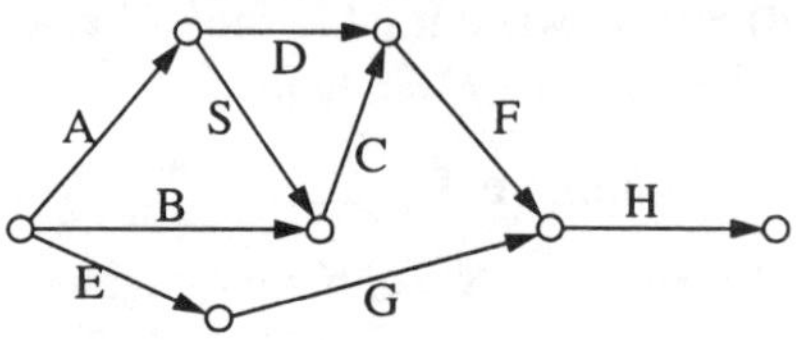

Da für die Vorgängermengen der Vorgänge C und D die Beziehungen $\mathcal{V}(C) \cap \mathcal{V}(D) \neq \phi$ und $\mathcal{V}(C) \neq \mathcal{V}(D)$ gelten, also C und D sowohl identische als auch unterschiedliche Vorgänger besitzen, benötigt man den Scheinvorgang S.

b) Die Pufferzeiten sind bei Vernachlässigung von Mindestabständen wie folgt definiert:

$GP_i := SAZ_i - FAZ_i$ (gesamte Pufferzeit)

$FP_i := \min\{FAZ_j \mid j \in \mathcal{N}(i)\} - FEZ_i$ (freie Pufferzeit)

$UP_i := \max\{0, \min\{FAZ_j \mid j \in \mathcal{N}(i)\} - \max\{SEZ_j \mid j \in \mathcal{V}(i)\} - t_i\}$ (unabh. Pufferzeit)

$UP_i \geq 0$ gilt per Definition; zu zeigen bleibt die Gültigkeit der Beziehung $GP_i \geq FP_i \geq UP_i$.

Beweis: Aus der Vorwärts- und Rückwärtsrechnung erhält man:

$FAZ_i := \max\{FEZ_j \mid j \in \mathcal{V}(i)\}$ bzw. $SEZ_i := \min\{SAZ_j \mid j \in \mathcal{N}(i)\}$

Damit ergibt sich $GP_i = SAZ_i - FAZ_i = SEZ_i - FEZ_i =$

$$\min\{SAZ_j \mid j \in \mathcal{N}(i)\} - FEZ_i \geq \min\{FAZ_j \mid j \in \mathcal{N}(i)\} - FEZ_i = FP_i\text{, also } GP_i \geq FP_i.$$

$FP_i \geq UP_i$ ergibt sich wegen $FP_i \geq 0$ aus

$\min\{FAZ_j \mid j \in \mathcal{N}(i)\} - FEZ_i \geq \min\{FAZ_j \mid j \in \mathcal{N}(i)\} - \max\{SEZ_j \mid j \in \mathcal{V}(i)\} - t_i$

bzw. $FEZ_i \leq \max\{SEZ_j \mid j \in \mathcal{V}(i)\} + t_i$.

Die letzte Ungleichung gilt wegen:

$FEZ_i = FAZ_i + t_i = \max\{FEZ_j \mid j \in \mathcal{V}(i)\} + t_i \leq \max\{SEZ_j \mid j \in \mathcal{V}(i)\} + t_i$

Analog lässt sich die Gültigkeit der Beziehungen $GP_i \geq FRP_i \geq UP_i$ beweisen, wobei $FRP_i := SAZ_i - \max\{SEZ_j \mid j \in \mathcal{V}(i)\}$ die freie Rückwärtspufferzeit von Vorgang i bezeichnet.

Aufgabe 5.4:

a) Der Sachverhalt lässt sich durch den am Beginn der nächsten Seite abgebildeten vorgangsknotenorientierten (MPM-) Netzplan beschreiben.

b) Die gesamten, freien sowie unabhängigen Pufferzeiten sind der nebenstehenden Tabelle zu entnehmen. Die gesamten Pufferzeiten sind überdies im Netzplan enthalten.

i	A	B	C	D	E	F	G	H	I	J
GP_i	0	15	5	0	3	5	5	0	15	0
FP_i	0	0	0	0	3	5	5	0	15	0
UP_i	0	0	0	0	3	0	5	0	0	0

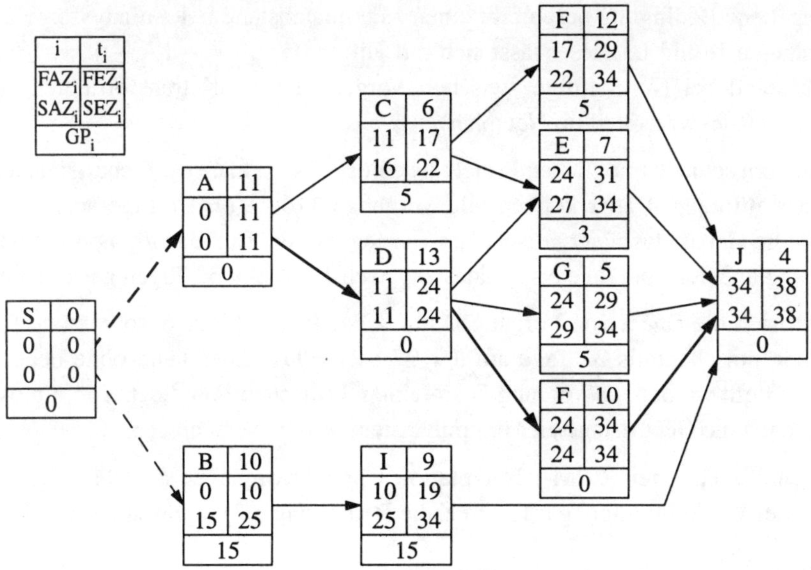

Aufgabe 5.5:

a) Das Bauvorhaben lässt sich wie folgt als vorgangsknotenorientierter Netzplan abbilden:

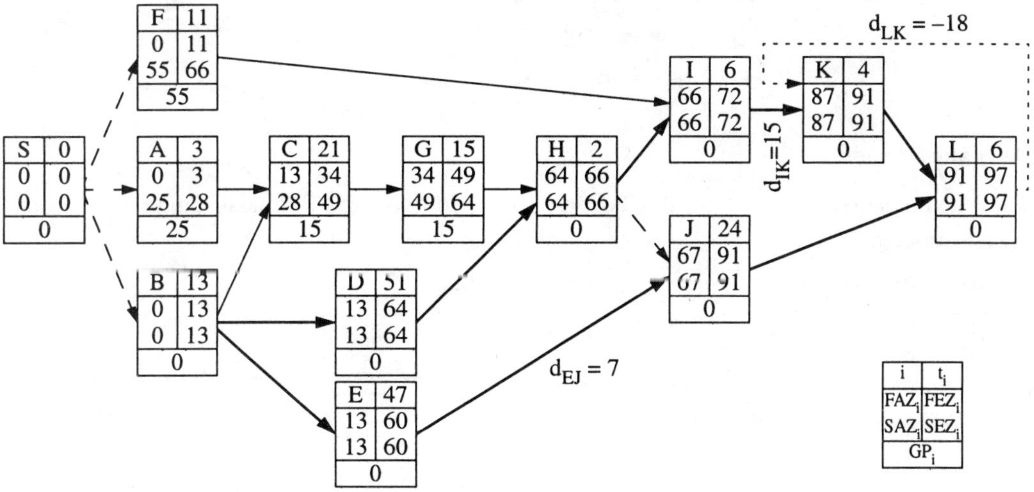

b) Die zusätzlichen Restriktionen stellen Mindestabstände bei Normalfolge dar und sind, ebenso wie die Ergebnisse der Zeitplanung, im Netzplan zu a) eingetragen. Die Reihenfolgebeziehung zwischen den Vorgängen H und J beeinflusst das Ergebnis der Zeitplanung nicht; dieser Pfeil ist daher gestrichelt eingezeichnet.

Es ergeben sich die kritischen Wege (B,D,H,I,K,L) und (B,E,J,L) bei einer minimalen Projektdauer von 97 Tagen. Der Weg (B,D,H,J,L) besitzt zwar ausschließlich kritische Vorgänge, d.h. Vorgänge mit $GP_i = 0$, er ist jedoch kein längster Weg.

c) Die angegebene Bedingung beschreibt einen Maximalabstand bei Anfangsfolge zwischen den Vorgängen K und L. Dieser lässt sich mit Hilfe von $d_{LK} = -\bar{d}_{KL}^A - t_L = -18$ in einen Mindestabstand bei Normalfolge zwischen Vorgang L und K transformieren (vgl. den gestrichelten Rückwärtspfeil im Netzplan).

d) Geht man vom schnellstmöglichen Projektabschluss aus, so kann die Geburtstagsfeier nach 97 Tagen stattfinden. Daher können alle Vorgänge 116 – 97 = 19 Tage später beginnen, ohne dass die Geburtstagsfeier verschoben werden müsste. Der Bauantrag muss bei Nichtverzögerung anderer Vorgänge also spätestens nach 13 + 19 = 32 Tagen gestellt werden.

e) Verlängert sich die Dauer von Vorgang D um 3 Wochen = 21 Tage, so verzögert sich das Projektende um ebenfalls 21 Tage auf T = 97 + 21 = 118. Dies kann ohne neue Zeitplanung festgestellt werden, da Vorgang D auf einem kritischen Weg liegt. Somit muss Familie Hesselbach die Geburtstagsfeier um mindestens 2 Tage verschieben.

f) Vorgangspfeilorientierter (CPM-) Netzplan mit Scheinvorgängen S (Start), V, W, X, Y und Z, wobei W die Bedingung b.1) und Z die Bedingung b.2) repräsentieren:

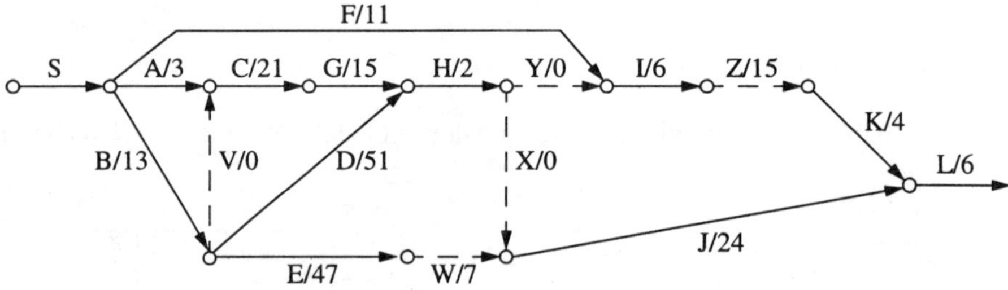

Aufgabe 5.6:

Die Maximalabstände $\bar{d}_{14}$ bzw. $\bar{d}_{15}$ lassen sich wie folgt in die Minimalabstände d_{41} bzw. d_{51} transformieren:

$$\bar{d}_{14} = 3 \Rightarrow d_{41} = -t_4 - t_1 - \bar{d}_{14} = -1 - 1 - 3 = -5$$

$$\bar{d}_{15} = 7 \Rightarrow d_{51} = -t_5 - t_1 - \bar{d}_{15} = -1 - 1 - 7 = -9$$

Damit ergibt sich der nebenstehende vorgangsknotenorientierte Netzplan.

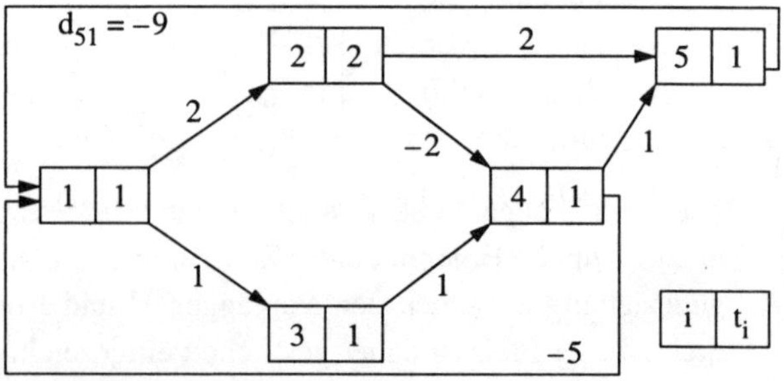

Bei der Berechnung der spätesten Anfangs- und Endzeitpunkte mit dem Algorithmus "FIFO-knotenorientiert-Rückwärtsrechnung" können wir, auch wenn der Graph keine Quelle und keine Senke enthält, wie folgt starten:

SEZ[i] = 8 für i = 1,...,5; SAZ[5] = 8 – 1 = 7; SK = SE = 5

Danach ergeben sich die folgenden Iterationen:[1]

1 Zu den Bezeichnungs- und Vorgehensweisen vgl. Domschke und Drexl (2005, Kap. 3.1.2 und 5.2).

It. 1: j = 2; SEZ[2] = 7 – 2 = 5; SAZ[2] = 3; S[5] = 2; SE = 2;
j = 4; SEZ[4] = 6; SAZ[4] = 5; S[2] = 4; SE = 4; SK = S[5] = 2

It. 2: j = 1; SEZ[1] = 1; SAZ[1] = 0; S[4] = 1; SE = 1; SK = 4

It. 3: j = 2; keine Verbesserung; j = 3; SEZ[3] = 4; SAZ[3] = 3; S[1] = 3; SE = 3; SK = 1

It. 4: j = 4; SEZ[4] = 5; SAZ[4] = 4; S[3] = 4; SE = 4; j = 5; keine Verbesserung; SK = 3

It. 5: j = 1; keine Verbesserung; SK = 4

It. 6: j = 2; keine Verbesserung; j = 3; SEZ[3] = 3; SAZ[3] = 2; S[4] = 3; SE = 3; SK = 3

It. 7: j = 1; keine Verbesserung;
SK = SE, daraus folgt Abbruch

Damit wurden nebenstehende Werte bestimmt.

Vorgang i	1	2	3	4	5
SEZ[i]	1	5	3	5	8
SAZ[i]	0	3	2	4	7

Aufgabe 5.7:

Es gibt die beiden im Folgenden angegebenen CPM-Netzpläne mit jeweils fünf Scheinvorgängen – und darüber hinaus zahlreiche weitere mit mehr als fünf Scheinvorgängen.

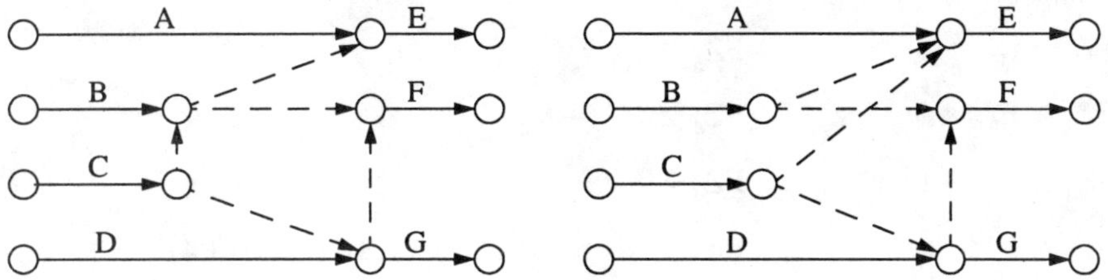

Aufgabe 5.8:

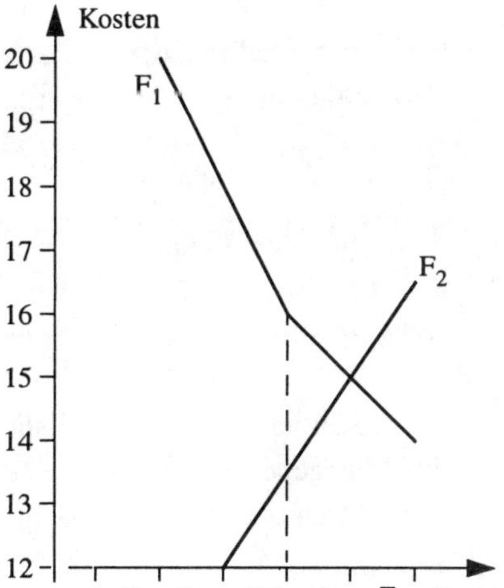

a) Bei Normaldauer κ_{ij} für alle Vorgänge (i,j) bestimmt der längste Weg (1,3,2,4) die Projektdauer $\overline{T} = 11$.

Die minimale Projektdauer $\underline{T} = 7$ wird erreicht, wenn man die Vorgänge (1,3) sowie (2,4) auf jeweils 2 ZE verkürzt. Die Vorgänge (1,2) und (3,4) können dabei ihre Normaldauer behalten.

b) $F_1(11) = (11-8)+(11-8)+4+(6-4)+(6-4) = 14$

$F_1(7) = (11-8)+(11-4)+4+(6-2)+(6-4) = 20$

c) Der in nebenstehender Graphik dargestellte Verlauf der Funktion $F_1(T)$ ergibt sich anhand folgender weiterer Überlegungen:

- Möchte man die Projektdauer T von $\overline{T} = 11$ auf 10 ZE reduzieren, so muss dazu ein Vorgang des kritischen Weges (1,3,2,4) um eine ZE verkürzt werden. Da die Beschleunigung von Vorgang (1,3) teurer ist als diejenige von (2,3), wird t_{23} von 4 auf 3 gesenkt.

Dadurch steigen die vorgangsdauerabhängigen Kosten von $F_1(11) = 14$ auf $F_1(10) = 15$ GE. Eine weitere Verkürzung der Projektdauer von 10 auf 9 ZE führt wegen der Reduktion von t_{23} auf nunmehr 2 ZE zu Kosten von $F_1(9) = 16$ GE.

- Da nun für den Vorgang (2,4) die kürzestmögliche Dauer erreicht ist, kann eine weitere Verkürzung der Projektdauer nur durch Beschleunigung von Vorgang (1,3) erfolgen. Dies führt zu Zusatzkosten in Höhe von 2 GE pro ZE der Verkürzung von (1,3) und damit zu $F_1(8) = 18$ GE und $F_1(7) = 20$ GE.

Hinweis: Bei diesen Überlegungen ist zu beachten, dass sich durch Verkürzung von Vorgängen andere bzw. weitere kritische Wege ergeben können. Dies ist im vorliegenden Beispiel jedoch nicht der Fall.

d) Im Intervall [7,9] ist die Steigung von F_2 kleiner als das Gefälle von F_1, im Intervall [9,11] jedoch größer. Daher besitzt die Gesamtkostenfunktion $F(T) = F(T_1) + F(T_2)$ ihr Minimum an der Stelle $T^* = 9$ mit $F(9) = 16 + 13.5 = 29.5$ GE.

e) Gehen wir von $FZ_1 = 0$ aus, so lautet die mathematische Formulierung:

Minimiere $F_1(\mathbf{FZ}, \mathbf{t}) = 11-2t_{12}+11-2t_{13}+4+6-t_{24}+6-t_{34} = 38-2t_{12}-2t_{13}-t_{24}-t_{34}$

unter den Nebenbedingungen

$FZ_2 \geq t_{12}$	$FZ_3 \geq t_{13}$
$FZ_2 \geq FZ_3 + 3$	$FZ_4 \geq FZ_2 + t_{24}$
$FZ_4 \geq FZ_3 + t_{34}$	$FZ_4 = 9$
$\lambda_{ij} \leq t_{ij} \leq \kappa_{ij}$	für die Vorgänge (1,2), (1,3), (2,4), (3,4)

Aufgabe 5.9:

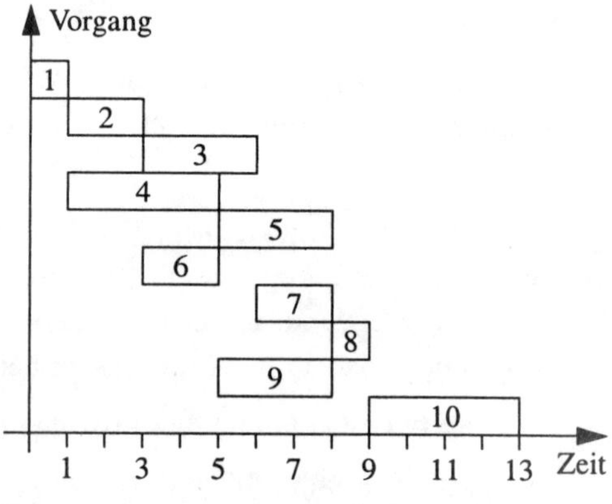

a) Eine untere Schranke $\underline{F} = 13$ ergibt sich bei Vernachlässigung der Kapazitätsbedarfe aufgrund des längsten (kritischen) Weges (1,4,5,8,10) im Netzplan.

b) Aufgrund der Kapazitätsrestriktionen können die Vorgänge 2 und 3 bzw. 5, 6 und 7 nicht parallel ausgeführt werden. Die Heuristik liefert eine Lösung mit Projektdauer 13, die im nebenstehenden Gantt-Diagramm wiedergegeben ist. Da der Zielfunktionswert der unteren Schranke entspricht, handelt es sich um eine optimale Lösung.

Für die Maschinen erhält man nebenstehende Belastungs-Diagramme (KE = Kapazitätseinheiten).

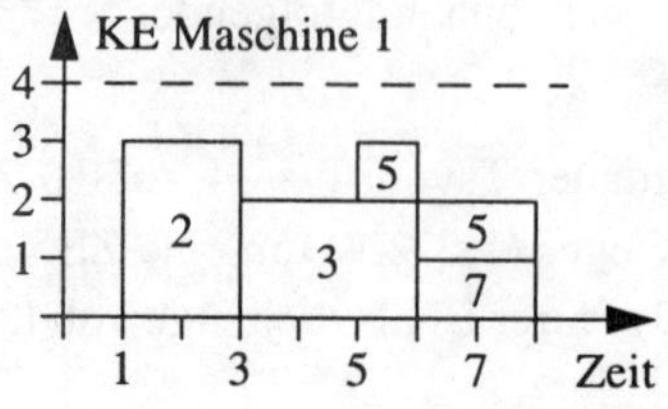

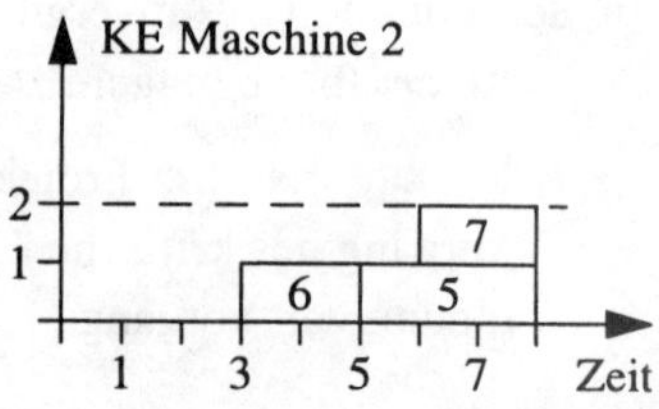

Kapitel 6: Ganzzahlige und kombinatorische Optimierung

Aufgabe 6.1:

Lösen Sie das folgende ganzzahlige LP mit einem Branch & Bound-Verfahren:

Minimiere $F(\mathbf{x}) = 10 - x_1 - 2x_2$

unter den Nebenbedingungen

$$2x_1 + 6x_2 \leq 15 \qquad (1)$$

$$6x_1 + 4x_2 \leq 21 \qquad (2)$$

$$x_1, x_2 \geq 0 \text{ und ganzzahlig} \qquad (3)$$

Verwenden Sie eine LIFO-Strategie (reine Tiefensuche, d.h. für jedes zu verzweigende Problem wird zunächst nur ein Teilproblem gebildet und unmittelbar weiter betrachtet) und die LP-Relaxation zur Bestimmung unterer Schranken! Verzweigen Sie jedes (Teil-) Problem, dessen Relaxation eine nichtganzzahlige optimale Lösung aufweist, in zwei disjunkte Teilprobleme! Dazu ist für eine Variable x_h, deren nichtganzzahliger Wert f in der Lösung der Relaxation die größte Differenz zur nächstgelegenen ganzen Zahl aufweist, im ersten Teilproblem die Nebenbedingung $x_h \leq \lfloor f \rfloor$ und im zweiten $x_h \geq \lceil f \rceil$ einzuführen!

Aufgabe 6.2:

Formulieren Sie zur Lösung des folgenden Problems ein ganzzahliges LP, und bestimmen Sie mit Hilfe eines B&B-Verfahrens eine optimale Lösung:

Der Automobilfabrikant Eitzenhöfer stellt in seinen beiden Werken PKW und LKW her. Im ersten Werk, in dem die grundlegenden Montagearbeiten durchgeführt werden, entsteht ein Personalaufwand von fünf Mann-Tagen pro LKW und zwei Mann-Tagen pro PKW. Im zweiten Werk, in dem die Endmontage erfolgt, sind pro PKW und pro LKW je drei Mann-Tage notwendig. Die Kapazität des ersten Werkes beträgt 180 und die des zweiten Werkes 125 Mann-Tage pro Woche. Wie viele PKW und LKW soll Eitzenhöfer herstellen, um seinen Gewinn zu maximieren? Als weitere Information ist bekannt, dass Eitzenhöfer an einem LKW 3000 Geldeinheiten (GE) und an einem PKW 2000 GE verdient.

Verwenden Sie eine LIFO-Strategie (reine Tiefensuche wie in Aufgabe 6.1) und die LP-Relaxation zur Bestimmung oberer Schranken! Verzweigen Sie Teilprobleme wie in Aufgabe 6.1, wählen Sie jedoch jeweils eine Variable x_h, deren nichtganzzahliger Wert f in der Lösung der Relaxation die kleinste Differenz zur nächstgelegenen ganzen Zahl aufweist!

Aufgabe 6.3:

Wir betrachten ein zweidimensionales Verschnittproblem: Eine Firma produziert Plexiglasplatten mit 10 m Länge und 8 m Breite. Aus diesen Platten sollen kleinere Formate in den in der Tabelle angegebenen Größen und Mindeststückzahlen zugeschnitten werden.

Maß in m	5×5	3×6	2×6
Stückzahl	20	40	50

Wie viele Rohplatten werden bei optimaler Ausführung der Zuschnitte benötigt und wie sind diese durchzuführen? Formulieren Sie ein ganzzahliges LP und lösen Sie dieses mit Hilfe des in Aufgabe 6.1 skizzierten B&B-Verfahrens! Zur Lösung der LP-Relaxationen empfiehlt es sich aufgrund der Problemgröße, LP-Software einzusetzen; vgl. hierzu unsere Ausführungen in Kap. 11.

Aufgabe 6.4:

a) Charakterisieren Sie den unten angegebenen Graphen durch seine wichtigsten Eigenschaften!

b) Im nebenstehenden Graphen soll eine kostenminimale Rundreise ermittelt werden. Bestimmen Sie mit Hilfe der Methode des besten Nachfolgers eine zulässige Lösung! Als Voraussetzung wird für dieses Verfahren in der Regel gefordert, dass der betrachtete Graph vollständig ist und die Dreiecksungleichung ($c_{ik} \leq c_{ij} + c_{jk}$) erfüllt. Vernachlässigen Sie diese Voraussetzung zunächst, und bestimmen Sie eine Lösung unmittelbar in diesem Graphen, indem Sie mit Knoten 5 starten!

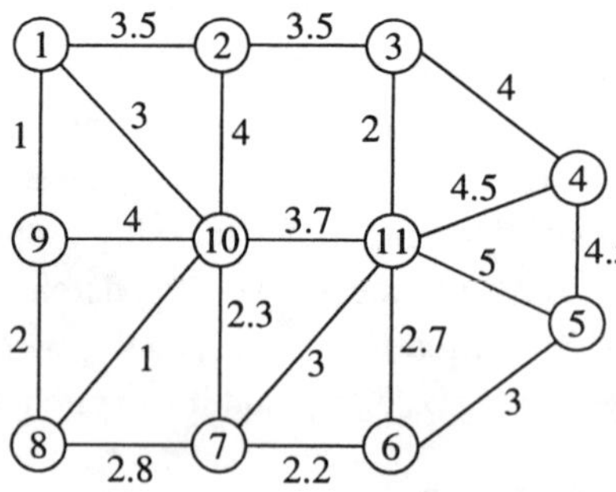

c) Welche Schwierigkeit entsteht, wenn in b) mit Knoten 1 gestartet wird? Was ergibt sich, wenn Sie zunächst einen vollständigen Graphen bilden, dessen Kantenbewertungen den kürzesten Entfernungen im ursprünglichen Graphen entsprechen?

d) Ermitteln Sie durch 1-Baum-Bildung bei alternativer Wahl des ausgezeichneten Knotens (verwenden Sie die Knoten 1, 4 bzw. 8) die bestmögliche damit erzielbare untere Schranke $\underline{F}$ für die Länge der kürzesten Rundreise!

e) Wie groß ist die maximale prozentuale Abweichung der zulässigen Lösung aus b) von einer optimalen Lösung, wenn Sie nur die bisher errechneten Werte berücksichtigen?

Aufgabe 6.5:

In einer Montagehalle werden verschiedene Varianten eines LKW in Fließfertigung produziert. Eine der Bearbeitungsstationen stellt dabei einen Engpass dar, da die Montagezeiten einzelner Varianten an dieser Station eine vorgegebene Taktzeit überschreiten. Gesucht ist eine Reihenfolge der zu produzierenden Varianten, bei der Taktzeitüberschreitungen von Varianten an der Engpassstation möglichst durch die jeweils unmittelbar nachfolgende Variante ausgeglichen werden, d.h. die Gesamtmontagezeit zweier aufeinander folgender Varianten sollte die zweifache Taktzeit nicht überschreiten. Dementsprechend besteht das Ziel darin, die Summe derartiger Überschreitungen zu minimieren.

In der nächsten Planungsperiode sind 7 verschiedene Varianten eines LKW herzustellen. Die Montagezeiten der Varianten an der Engpassstation betragen 5, 7, 3, 6, 4, 5 bzw. 2 ZE; die Taktzeit ist auf 5 ZE festgesetzt. Formulieren und lösen Sie das Reihenfolgeproblem als TSP! Wenden Sie dabei die Eröffnungsverfahren "Methode des besten Nachfolgers" und "Verfahren der sukzessiven Einbeziehung" an!

Aufgabe 6.6:

Ein Produkt ist in Werkstattfertigung herzustellen. Dazu müssen in beliebiger Reihenfolge sechs unterschiedliche Maschinen durchlaufen werden. Legt man ein Koordinatensystem über die Grundfläche der Werkhalle, so befinden sich die Maschinen an Punkten $P_i = (u_i, v_i)$ mit $i = 1,...,6$. Die Maschinen sind durch Transportwege miteinander verbunden, die parallel zu den Koordinatenachsen verlaufen. Daher bestimmen sich die Entfernungen d_{ij} zwischen jeweils zwei Maschinen i und j wie folgt:

$$d_{ij} := |u_i - u_j| + |v_i - v_j| \qquad \text{(rechtwinklige Entfernungsmessung)}$$

Die Maschinen 1,2,...,6 befinden sich an den Punkten (3,7), (2,5), (10,4), (6,6), (1,8) und (7,3). Die zu bearbeitenden Teile müssen zu Beginn einem Lager entnommen und nach Fertigstellung wieder zum Lager transportiert werden. Das Lager befindet sich im Punkt (4,1).

Gesucht ist eine Maschinenreihenfolge, bei der die gesamte Transportstrecke minimal wird.

a) Erzeugen Sie zur Lösung obiger Problemstellung als symmetrisches TSP zunächst eine geeignete Entfernungsmatrix $D = (d_{ij})$! Interpretieren Sie dabei das Lager als Maschine 7!

b) Ermitteln Sie eine zulässige Lösung mit Hilfe des Verfahrens der sukzessiven Einbeziehung! Starten Sie dabei mit der Subtour [7,6,3,4,5,7]!

c) Wenden Sie die Methode des besten Nachfolgers an, und starten Sie bei Knoten 1! Ausgehend von dieser Lösung, soll zunächst ein Austausch von drei Kanten gegen drei andere und anschließend ein Austausch von zwei Kanten gegen zwei andere durchgeführt werden, so dass die Lösung aus b) entsteht.

d) Bestimmen Sie einen minimalen spannenden Baum für denjenigen Graphen, der durch Weglassen des Knotens 7 und der mit ihm inzidenten Kanten entsteht!

e) Ermitteln Sie mit Hilfe des Ergebnisses von d) eine untere Schranke für die Länge der kürzesten Rundreise! Können Sie eine optimale Lösung aus Ihren bisherigen Berechnungen ableiten? Wenn ja, begründen Sie dies! Wenn nein, geben Sie die maximale relative Abweichung der besten Ihnen bekannten zulässigen Lösung vom optimalen Zielfunktionswert an!

f) Geben Sie für den durch die Knoten P_i $(i = 1,...,7)$ definierten vollständigen Graphen eine Zyklusbedingung zur Vermeidung des Kurzzyklus [1,3,4,1] an! Definieren Sie die verwendeten Variablen!

Aufgabe 6.7:

Ein Wanderer kann in seinem Rucksack unterschiedlich nützliche Gegenstände $i = 1,...,n$ (Nutzen des Gegenstands i sei c_i) verschiedenen Gewichts g_i mitnehmen. Welche soll er mitnehmen, so dass bei vorgegebenem Gesamtgewicht G, das nicht überschritten werden darf, der Nutzen maximiert wird?

a) Formulieren Sie das Problem als binäres LP! Wandelt man das obige Knapsack-Problem P ab, indem man beliebige Teilbarkeit der Gegenstände zulässt, so erhält man als Relaxation ein leicht lösbares Problem P'. Wie lässt sich P' ohne Simplex-Algorithmus lösen? Warum liefert diese Vorgehensweise ein Optimum? Begründen Sie dies mit Hilfe der Vorgehensweise des Simplex-Algorithmus!

b) Lösen Sie folgende Instanz von P mit einem geeigneten B&B-Verfahren:

Maximiere $F(\mathbf{x}) = 10x_1 + 9x_2 + 12x_3 + 5x_4 + 9x_5$

unter den Nebenbedingungen

$$5x_1 + 6x_2 + 12x_3 + 10x_4 + 12x_5 \leq 30$$

$$x_j \in \{0, 1\} \quad \text{für } j = 1,...,5$$

Aufgabe 6.8:

Eine italienische Fußballmannschaft hat sechs hochkarätige Fußballer unter Vertrag. Da der Verein hoch verschuldet ist, sollen Spieler im Gesamtwert von mindestens 4.5 Mio. € verkauft werden. Die Spieler 1,...,6 haben die Marktwerte: 1, 0.75, 1.5, 1.5, 0.5, 2 [in Mio. €]

In Abhängigkeit von den verkauften Spielern erleidet der Verein Zuschauereinbußen. Bei Verkauf der Spieler 1, 2, 3, 4, 5 bzw. 6 verliert der Verein (jeweils unabhängig von anderen Spielerverkäufen) 10, 12, 9, 12, 6 bzw. 10 Tausend Zuschauer pro Spiel. Gesucht sind die zu verkaufenden Spieler, so dass der Verein seine Schulden ausgleichen kann und ihm möglichst wenige Zuschauer weglaufen.

a) Formulieren Sie ein entsprechendes binäres Optimierungsmodell!

b) Kennen Sie ein Problem der kombinatorischen Optimierung, das dieser Problemstellung stark ähnelt?

c) Verwenden Sie ein geeignetes B&B-Verfahren zur Lösung des Problems! Welche Relaxation verwenden Sie und wie erfolgt die Verzweigung? Ermitteln Sie eine obere Schranke für den optimalen Zielfunktionswert! Wählen Sie eine möglichst geschickte Vorgehensweise und beschreiben Sie diese! Wie soll sich der Verein verhalten, d.h. welche Spieler sind zu verkaufen? Welche Einnahmen und Zuschauerverluste sind dabei zu erwarten?

d) Wenden Sie die heuristische Metastrategie Tabu Search an, und starten Sie mit derjenigen Lösung, die Ihnen in Teil c) die erste obere Schranke für den Zielfunktionswert geliefert hat! Betrachten Sie jeweils zwei Lösungen als „benachbart“, wenn sie durch Aufnahme oder Entfernung genau eines Spielers ineinander überführbar sind! Wie lang muss die Tabuliste (Tabudauer) sein, damit nach wenigen Iterationen die in c) ermittelte optimale Lösung gefunden wird?

Aufgabe 6.9:

i	1	2	3	4	5
c_i	3	6	6	8	1
g_i	5	4	2	2	2

Ein Wanderer kann in seinem Rucksack unterschiedlich nützliche Gegenstände $i = 1, \ldots, 5$ (Nutzen des Gegenstandes i sei c_i) unterschiedlichen Gewichts g_i mitnehmen (vgl. Tabelle). Dabei möchte er von jedem Gegenstand höchstens zwei Exemplare bei sich tragen. Er muss nun entscheiden, wie viel Exemplare der einzelnen Gegenstände mitzuführen sind, damit ein vorgegebenes Gesamtgewicht $G = 15$ nicht überschritten und der Nutzen maximiert wird. Helfen Sie ihm bei der Lösung seines Problems!

a) Bei der zu lösenden Aufgabenstellung handelt es sich um eine Verallgemeinerung eines bekannten kombinatorischen Optimierungsproblems. Welches Problem ist das und wie lässt sich die obige Aufgabenstellung in dieses Problem überführen?

b) Formulieren Sie das zu lösende Problem als ganzzahliges lineares Optimierungsmodell unter Verwendung der oben gegebenen Daten! Definieren Sie dazu zuerst geeignete Entscheidungsvariablen für die Anzahl mitzunehmender Exemplare eines Gegenstandes!

c) Wie lassen sich die untenstehenden Bedingungen in dem Modell berücksichtigen? Führen Sie zusätzliche Entscheidungsvariablen nur dann ein, wenn dies nicht vermeidbar ist!

- Der Wanderer soll mindestens so viele Exemplare von Gegenstand 3 wie von Gegenstand 2 bei sich tragen.
- Es dürfen insgesamt höchstens zwei Exemplare der Gegenstände 2 und 5 mitgenommen werden.
- Wenn ein oder mehrere Exemplare von Gegenstand 3 mitgeführt werden, so ist auch mindestens ein Exemplar von Gegenstand 4 unterzubringen.
- Die Gegenstände 1 und 5 dürfen nicht gemeinsam eingepackt werden.

d) Lösen Sie das Problem inklusive der Nebenbedingungen aus Teilaufgabe c) mit Hilfe eines geeigneten B&B Verfahrens:

- Starten Sie mit der unteren Schranke $\underline{F} = 0$!
- Bestimmen Sie obere Schranken, indem Sie zunächst die Ganzzahligkeitsbedingungen sowie die zusätzlichen Nebenbedingungen aus Teilaufgabe c) relaxieren! Lösen Sie die entstehenden relaxierten Teilprobleme ohne Anwendung des Simplex-Algorithmus! Nutzen Sie dazu die Verwandtschaft der Aufgabenstellung zu dem in Teilaufgabe a) angesprochenen Optimierungsproblem aus!
- Verzweigen Sie nach einer Variablen mit nichtganzzahligem Wert $x_i = f$! Bilden Sie dazu zwei Teilprobleme, wobei im ersten Teilproblem die Nebenbedingung $x_i \leq \lfloor f \rfloor$ und im zweiten Teilproblem die Nebenbedingung $x_i \geq \lceil f \rceil$ einzuführen ist!
- Verwenden Sie zur Auswahl des nächsten zu verzweigenden Teilproblems die LIFO-Regel (reine Tiefensuche)!

Aufgabe 6.10:

Wir betrachten das folgende ganzzahlige LP:

Maximiere $F(\mathbf{x}) = x_1 + x_2$

unter den Nebenbedingungen

$$-24x_1 + 18x_2 \leq 15 \qquad (1)$$

$$-42x_1 + 16x_2 \geq 3 \qquad (2)$$

$$x_1, x_2 \geq 0 \text{ und ganzzahlig} \qquad (3)$$

a) Veranschaulichen Sie den Lösungsraum und die Lage der Zielfunktion graphisch! Verwenden Sie dabei eine sehr feine Skalierung! Geben Sie die optimale Lösung der LP-Relaxation und eine obere Schranke an!

b) Lösen Sie das Modell mit dem in Aufgabe 6.1 skizzierten B&B-Verfahren! Lösen Sie die Relaxationen graphisch! Kann bei der Verzweigung keine eindeutige Wahl getroffen werden, so bevorzugen Sie die Variable x_2!

c) Ersetzen Sie nun die Nebenbedingung (2) durch

$$-42x_1 + 16x_2 \leq 21 \qquad (2)'$$

und lösen Sie das modifizierte Modell mit demselben B&B-Verfahren!

Aufgabe 6.11:

Der schiffbrüchige Kurt ist auf einer einsamen Insel gestrandet, deren in Planquadrate eingeteilte Karte unten dargestellt ist (die Zahlen geben die Höhenmeter der Planquadrate an). Um von Suchmannschaften besser entdeckt werden zu können, möchte er sich auf den höchsten Punkt der Insel begeben. Leider ist der Dschungel so dicht, dass er von seiner aktuellen Position in einem der Planquadrate jeweils nur die Höhen der in den vier Himmelsrichtungen (N, O, S, W) benachbarten Planquadrate erkennen kann.

	1	**2**	**3**	**4**	**5**	**6**	**7**	**8**	**9**	**10**
A				18	19					
B			11	12	20	25	20			
C			18	31	38	41	48	47	42	
D				0	32	42	36	29	33	
E				15	19	21	30	28	29	23
F			0	14	17	20	**49**	40	22	19
G		4	5	10	21	22	40	25	36	12
H	2	3	16	20	26	23	24	27	24	18
I		1	12	24	31	25	22	21	25	
J			2	4	18	21	16	13	7	

a) Gehen Sie davon aus, dass Kurt in F3 gestrandet ist! Zu welchem Punkt gelangt er bei Anwendung eines reinen Verbesserungsverfahrens mit Best fit-Strategie, d.h. Wahl des höchsten benachbarten Planquadrats in jeder Iteration?

b) Kurt möchte die Metaheuristik **Tabu Search** – von seiner Strandungsstelle in Planquadrat F3 aus startend – anwenden! Um ein Kreisen der Suche zu vermeiden, legt er eine Tabudauer von **vier** Zügen fest, wobei er immer die zuletzt besuchten Planquadrate speichert. Mit Hilfe dieser Strategie gelangt er zum höchsten Punkt der Insel F7. Ermitteln Sie seinen Weg und geben Sie jeweils für jede Iteration des Verfahrens die Eintragungen in der Tabuliste an!

c) Welche Auswirkungen hat für dieses konkrete Zahlenbeispiel die Wahl der Tabudauer 8 anstelle von 4? Zu welchem Punkt gelangt Kurt bei Tabudauer 2?

Aufgabe 6.12:

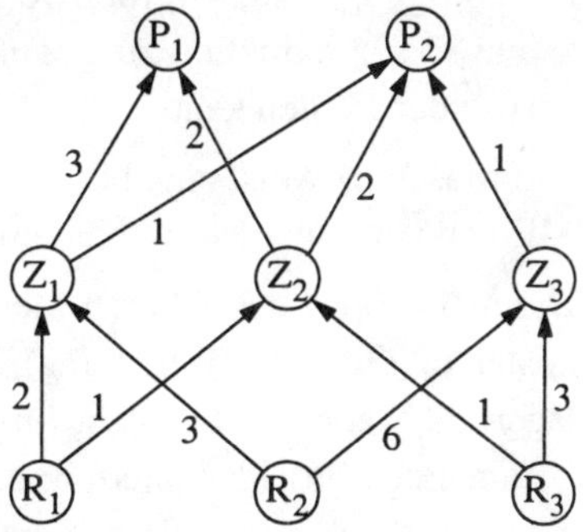

Ein Unternehmen stellt zwei Produkte P_1 und P_2 her. Dem Produktionsprozess liegt eine mehrstufige linear-limitationale Produktionsfunktion mit dem rechts dargestellten Gozintographen zugrunde (Z_1, Z_2 und Z_3 sind unverkäufliche Zwischenprodukte).

Das Unternehmen bietet die Endprodukte P_1 und P_2 zu den Verkaufspreisen $p_1 = 36$ und $p_2 = 40$ GE/ME an. Von den Rohstoffen R_1, R_2 bzw. R_3 stehen im zu betrachtenden Planungszeitraum maximal 48, 58.5 bzw. 20 ME zur Verfügung. Die Einkaufspreise betragen $q_1 = 2$, $q_2 = 1$ und $q_3 = 3$ GE/ME. Es sind Produktionsmengen so zu bestimmen, dass die Summe der Deckungsbeiträge maximiert wird.

a) Berechnen Sie die Gesamtbedarfe von R_1, R_2 bzw. R_3 zur Herstellung von jeweils 1 ME von P_1 bzw. P_2! Ermitteln Sie daraus die Materialkosten pro Stück von P_1 bzw. P_2!

b) Formulieren Sie ein ganzzahliges LP zur Maximierung des Gesamtdeckungsbeitrags! Erläutern Sie die von Ihnen gewählten Variablen, die Zielfunktion und die Nebenbedingungen! Verwenden Sie Ihre Ergebnisse aus a)!

c) Veranschaulichen Sie die Menge der zulässigen Lösungen sowie eine Höhenlinie der Zielfunktion graphisch!

d) Verwenden Sie zur Lösung des Problems ein B&B-Verfahren:

- Ermitteln Sie im Ausgangsproblem P_0 Werte für die Schranken $\underline{F}$ und $\overline{F}_0$ aus der in c) angefertigten graphischen Darstellung und begründen Sie diese! Welche Relaxation liegt zugrunde?

- Verwenden Sie zur Auswahl des nächsten zu verzweigenden Teilproblems die Maximal Upper Bound-Regel!

- Verzweigen Sie anhand derjenigen Variablen, deren nichtganzzahliger Wert in der Optimallösung der Relaxation die größte Differenz zur nächstgelegenen ganzen Zahl aufweist!

Aufgabe 6.13:

Wir betrachten ein Problem aus dem Bereich der Produktionsplanung:

Ein Unternehmen fertigt mehrere Produkte $j = 1,...,n$. Während eines Planungshorizonts von T Perioden (Tagen) sind die bekannten Nachfragemengen b_{jt} $(t = 1,...,T)$ zu befriedigen. Für den Verkauf einer ME des Gutes j kann an allen Tagen der feste Preis von p_j GE erzielt werden.

Die Fertigung der Güter erfolgt auf einer Maschine, die für die Herstellung der einzelnen Produkte mit speziellen Werkzeugen bestückt werden muss. Diese Rüstvorgänge führen zu losfixen, reihenfolgeunabhängigen Rüstkosten r_j (GE pro Rüstvorgang für Produkt j). Auch wenn zu Beginn des Tages dasselbe Produkt wie am Ende des vorhergehenden Tages gefertigt wird, muss aus technischen Gründen erneut gerüstet werden.

Für die Herstellung einer ME des Gutes j fallen variable Fertigungsstückkosten f_j (GE pro ME) an. Fertigungszeiten werden vernachlässigt, so dass man davon ausgehen kann, dass die gesamte Tagesproduktion zu Beginn des Tages vorliegt und zur Deckung des Tagesbedarfs mitverwendet werden kann.

Die Maschine weist eine beschränkte Kapazität κ (KE pro Tag) auf. Für die Produktion einer ME von Gut j werden κ_j KE verbraucht.

Die nicht sofort absetzbaren Mengen werden gelagert. Dies führt zu variablen Lagerhaltungskosten c_j (GE pro ME und Tag), die für die am Ende des Tages (nach Produktion und Absatz) lagernde Menge zu berücksichtigen sind. Der Lageranfangsbestand l_{j0} und der Lagerbestand l_{jT} am Ende des Planungszeitraumes sind 0. Das allen Produkten gemeinsame Lager besitzt eine beschränkte räumliche Kapazität λ (m^2). Der Platzbedarf je ME des Gutes j wird durch λ_j (m^2) bestimmt.

Das Ziel besteht in der Bestimmung derjenigen Tagesproduktionsmengen (Losgrößen q_{jt}) der einzelnen Produkte, die bei Befriedigung des Bedarfs und Einhaltung der Kapazitätsrestriktionen zur Maximierung der Summe der Deckungsbeiträge im Planungszeitraum führen.

a) Formulieren Sie ein gemischt-ganzzahliges Modell für die oben beschriebene Optimierungsaufgabe, indem Sie als Variablen die Losgrößen q_{jt}, die Lagerbestandsmengen l_{jt} und binäre Rüstvariablen z_{jt} verwenden! Als Nebenbedingungen sind u.a. Lagerbilanzgleichungen, Kapazitätsrestriktionen für Produktion und Lager sowie Ungleichungen zu formulieren, die die q_{jt} und die z_{jt} miteinander verknüpfen.

b) Überführen Sie obiges kapazitiertes Problem mit Hilfe einer Lagrange-Relaxation in ein unkapazitiertes! Erklären Sie die Idee der Vorgehensweise!

Aufgabe 6.14:

Der junge Wissenschaftler Stefan V. kann pro Jahr über ein Reisebudget von 4000 € verfügen. Nach intensivem Studium der vielfältigen Tagungsankündigungen hat er bereits eine Vorauswahl an für ihn interessanten Symposien getroffen. Schweren Herzens hat er zu kostspielige Reisen bereits gestrichen. Weiterhin wurden thematisch nicht einschlägige Treffen ausgeschlossen. Wie in jedem Jahr reicht jedoch auch diesmal das Budget bei weitem nicht aus, um alle noch verbleibenden interessanten Tagungen besuchen zu können. Der Nutzen einer Tagungsteilnahme richtet sich zunächst nach der thematischen Ausrichtung, nach der Anzahl und

Bedeutung anzutreffender Diskussionspartner, den zu berücksichtigenden Verpflichtungen und nicht zuletzt der geographischen Attraktivität des Tagungsortes. Die einzelnen Nutzenwerte und die mit einer Teilnahme verbundenen Kosten (nach Ausschöpfung aller verfügbaren Zuschüsse, Vergünstigungen und Stipendien) sind in der folgenden Tabelle angegeben. Zeitliche Konflikte treten nicht auf. Die Teilnahmen an den verschiedenen Tagungen sind voneinander unabhängig.

	Miami	Helsinki	Aachen	Hamburg	Lissabon
Kosten [T€]	2.5	2	1	0.5	1.5
Nutzen	2.5	3	3	4	0.5

Zu welchen Tagungen soll er sich anmelden, um bei Nichtüberschreitung seines Budgets einen möglichst großen Nutzen zu erzielen?

a) Formulieren Sie obigen Sachverhalt als Knapsack-Problem!

b) Lösen Sie das Problem mit Hilfe eines geeigneten B&B-Verfahrens!

Starten Sie mit $\underline{F} = 0$! Wie bestimmen Sie obere und verbesserte untere Schranken? Verzweigen Sie nach einer Variablen mit nichtganzzahligem Wert! Verwenden Sie zur Auswahl des nächsten zu verzweigenden Problems die MUB-Regel!

Welche Tagungen soll unser reiselustiger Wissenschaftler also besuchen?

Aufgabe 6.15:

Gegeben ist das folgende ganzzahlige LP-Modell P:

Minimiere $F(\mathbf{x}) = x_1 + 2x_2$

unter den Nebenbedingungen

$$x_1 - x_2 \geq 0.5 \quad (1)$$

$$2x_1 + x_2 \leq 12 \quad (2)$$

$$x_2 \geq 1.5 \quad (3)$$

$$x_1, x_2 \geq 0 \text{ und ganzzahlig} \quad (4)$$

a) Stellen Sie das Problem P graphisch dar! Kennzeichnen Sie die zulässigen Lösungen und eine Höhenlinie der Zielfunktion!

b) Lösen Sie P mit Hilfe eines geeigneten B&B-Verfahrens! Verzichten Sie auf die explizite Ermittlung einer zulässigen Anfangslösung! Welche Relaxation verwenden Sie? Benutzen Sie zur Auswahl des nächsten zu verzweigenden Problems die MLB-Regel! Lösen Sie die Relaxationen graphisch!

c) P' sei die LP-Relaxation von P! Bestimmen Sie das zu P' duale Problem DP'!

d) Fügen Sie dem Problem DP' nun Ganzzahligkeitsbedingungen für die Variablen hinzu! Lösen Sie das entstehende Problem DP mit Hilfe eines B&B-Verfahrens analog zu b)! Verwenden Sie den Simplex-Algorithmus zur Lösung der Relaxationen!

e) Woran erkennen Sie anhand der Berechnungen in d), ob Sie in c) korrekt dualisiert haben?

f) Erklären Sie, warum die Zielfunktionswerte der optimalen Lösungen für P und DP nicht übereinstimmen! In welchem Zusammenhang stehen die Zielfunktionswerte von P, P', DP' und DP?

Aufgabe 6.16:

Gegeben ist ein „zweiperiodiges“ Knapsack-Problem mit zu minimierender Zielfunktion:

Minimiere $F(\mathbf{x}) = 9x_1 + 5x_2 + 4x_3$

unter den Nebenbedingungen

$$6x_1 + 5x_2 + 6x_3 \geq 10 \quad (1)$$

$$8x_1 + 3x_2 + 6x_3 \geq 14 \quad (2)$$

$$x_1, x_2, x_3 \in \{0, 1\} \quad (3)$$

Lösen Sie das Problem unter Verwendung einer Lagrange-Relaxation! Multiplizieren Sie den Schlupf der Nebenbedingung (2) mit dem Lagrange-Multiplikator u, und nehmen Sie diesen Term in die Zielfunktion auf!

Beginnen Sie mit u = 0! Erhöhen Sie u so lange jeweils um 1/2, bis die optimale Lösung der entstehenden Relaxation die Bedingung (2) erfüllt! Warum kann in diesem Fall das Verfahren beendet werden? Lösen Sie die Relaxationen jeweils aufgrund von Plausibilitätsüberlegungen!

Lösungen zu Kapitel 6: Ganzzahlige und kombinatorische Optimierung

Aufgabe 6.1:

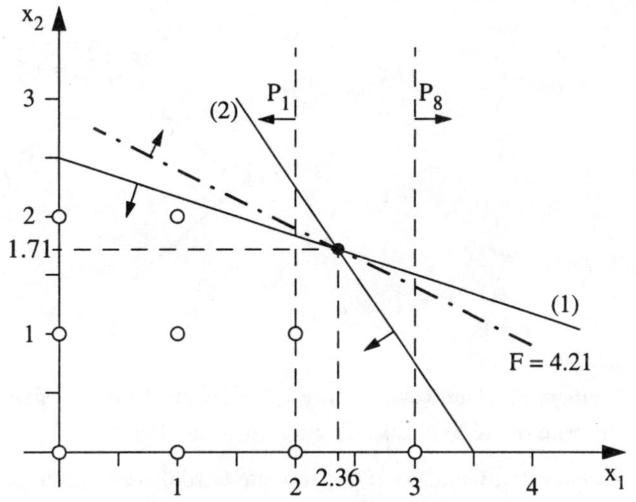

Das Nebenbedingungssystem definiert den in der nebenstehenden Abbildung angegebenen zulässigen Bereich. Er besteht aus den Punkten (0,0), (0,1), (0,2), (1,0), (1,1), (1,2), (2,0), (2,1) und (3,0).

In Domschke und Drexl (2005, Kap. 6.4) wird die B&B-Vorgehensweise für Maximierungsprobleme geschildert. Beim hier vorliegenden *Minimierungsproblem* sind Schrankenbildung und Auslotregeln zu modifizieren:

Die beste bekannte zulässige Lösung liefert eine *obere Schranke* $\overline{F}$. Falls keine bekannt oder einfach abzuleiten ist, startet man mit $\overline{F} := \infty$. *Untere Schranken* $\underline{F}_i$ für Teilprobleme P_i erhält man durch Bildung und Lösung einer zugehörigen Relaxation P_i'.

Teilprobleme P_i können ausgelotet (d.h. brauchen nicht weiter betrachtet zu) werden, wenn einer der folgenden drei Fälle vorliegt:

Fall a: $\underline{F}_i \geq \overline{F}$, d.h. der optimale Zielfunktionswert von P_i ist nicht besser als $\overline{F}$.

Fall b: $F_i < \overline{F}$, und die optimale Lösung der Relaxation P_i' ist ganzzahlig und damit zulässig für P_i; es ergibt sich die verbesserte obere Schranke $\overline{F} := \underline{F}_i$.

Fall c: P_i' und damit auch P_i besitzen keine zulässige Lösung.

Es ergibt sich folgender Verfahrensablauf, wobei die LP-Relaxation jeweils graphisch gelöst werden kann:

Wir starten mit der oberen Schranke $\overline{F} = 10$, die wir für die zulässige Lösung $\mathbf{x} = (0,0)$ erhalten.

Problem P_0: Als optimale Lösung der LP-Relaxation P_0' ergibt sich $\mathbf{x} = (2.36, 1.71)$ mit der unteren Schranke $\underline{F}_0 = 4.21$. P_0 kann nicht ausgelotet werden. Gemäß LIFO-Strategie ist das Problem in zwei Teilprobleme mit den zusätzlichen Nebenbedingungen $x_1 \leq 2$ bzw. $x_1 \geq 3$ zu verzweigen. Dabei wird zunächst nur das erste Teilproblem P_1 tatsächlich gebildet und weiter betrachtet; P_0 wird in der Kandidatenliste als noch nicht vollständig verzweigt abgelegt.

Problem P_1: Die Relaxation P_1' besitzt die optimale Lösung $\mathbf{x} = (2, 1.83)$ mit $\underline{F}_1 = 4.33$; das Problem P_1 ist nicht auslotbar. Es wird P_2 durch Hinzufügen der Bedingung $x_2 \leq 1$ gebildet und P_1 in der Kandidatenliste abgelegt.

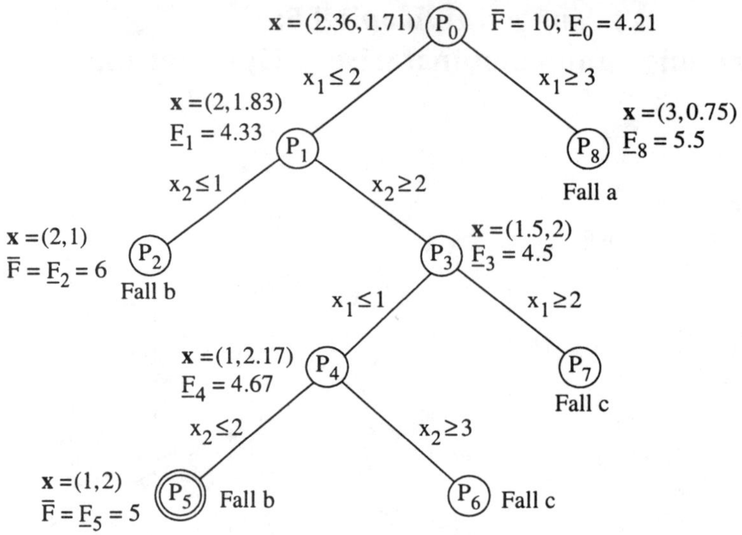

Problem P_2: Die Relaxation P_2' besitzt die optimale, ganzzahlige Lösung $\mathbf{x} = (2,1)$. Sie liefert die neue obere Schranke $\overline{F} = 6$ (Ausloten, Fall b).

Problem P_3: Gemäß LIFO-Strategie wird das zuletzt in der Kandidatenliste abgelegte Problem P_1 ausgewählt und dort gelöscht. P_3 entsteht aus P_1 durch Hinzufügen der Bedingung $x_2 \geq 2$. Die Relaxation P_3' liefert $\mathbf{x} = (1.5,2)$ mit $\underline{F}_3 = 4.5$ ($<\overline{F}$). Es wird P_4 durch Hinzufügen der Bedingung $x_1 \leq 1$ gebildet; P_3 wird in der Kandidatenliste abgelegt.

Problem P_4: Die Relaxation P_4' liefert $\mathbf{x} = (1,2.17)$ mit $\underline{F}_4 = 4.67$ ($<\overline{F}$). Durch Hinzufügen von $x_2 \leq 2$ ergibt sich P_5; P_4 wird in der Kandidatenliste gespeichert.

Problem P_5: Die Relaxation P_5' liefert die aktuell beste ganzzahlige Lösung $\mathbf{x} = (1,2)$ mit $\overline{F} = 5$ (Ausloten, Fall b).

Problem P_6: Vor Bildung von P_6 befinden sich P_0, P_3 und P_4 in der Kandidatenliste. Es wird P_4 ausgewählt, in der Liste gelöscht und P_6 durch Hinzunahme der Bedingung $x_2 \geq 3$ gebildet. Da P_6' keine zulässige Lösung besitzt, ist das Problem P_6 ausgelotet (Fall c).

Problem P_7: Es wird P_3 aus der Kandidatenliste ausgewählt und dort gelöscht. Durch Hinzufügen der Bedingung $x_1 \geq 2$ entsteht P_7, das ebenfalls nach Fall c ausgelotet wird.

Problem P_8: Die Kandidatenliste enthält nur noch P_0, aus dem durch Hinzufügen von $x_1 \geq 3$ das Problem P_8 entsteht. Die optimale Lösung $\mathbf{x} = (3,0.75)$ der Relaxation P_8' liefert $\underline{F}_8 = 5.5$. Das Problem wird nach Fall a ausgelotet.

Die Kandidatenliste enthält kein weiteres Problem; $\mathbf{x} = (1,2)$ ist die optimale Lösung des Ausgangsproblems P_0.

Bemerkung: Da die Zielfunktion nur ganzzahlige Koeffizienten aufweist, lässt sich die untere Schranke $\underline{F}_0$ auf 5 runden, bevor der Verzweigungsprozess beginnt. In diesem Fall entsteht ein deutlich kleinerer B&B-Baum, da die in Knoten P_5 gefundene Lösung unmittelbar als optimal erkannt wird und das Verfahren endet.

Aufgabe 6.2:

Bei Verwendung von Entscheidungsvariablen

x_1 Anzahl der zu produzierenden LKW

x_2 Anzahl der zu produzierenden PKW

erhält man ähnlich wie in Aufgabe 2.2 b die folgende mathematische Formulierung:

Maximiere $F(\mathbf{x}) = 3000x_1 + 2000x_2$

unter den Nebenbedingungen

$$5x_1 + 2x_2 \le 180$$

$$3x_1 + 3x_2 \le 125$$

$$x_1, x_2 \ge 0 \quad \text{und ganzzahlig}$$

Das B&B-Verfahren verläuft grundsätzlich wie in Aufgabe 6.1 angegeben. Statt unterer Schranken liefert die LP-Relaxation jedoch obere Schranken. Der Zielfunktionswert der besten bekannten zulässigen Lösung bestimmt jeweils die aktuelle untere Schranke.

Teilprobleme P_i werden in folgenden Fällen ausgelotet:

Fall a: $\overline{F}_i \le \underline{F}$, d.h. der optimale Zielfunktionswert von P_i ist nicht besser als $\underline{F}$

Fall b: $\overline{F}_i > \underline{F}$, und die optimale Lösung der Relaxation P_i' ist ganzzahlig und damit zulässig für P_i; es ergibt sich die verbesserte untere Schranke $\underline{F} := \overline{F}_i$.

Fall c: P_i' und damit auch P_i besitzen keine zulässige Lösung

Es ergibt sich folgender B&B-Baum (Zielfunktionswerte in Tausend GE):

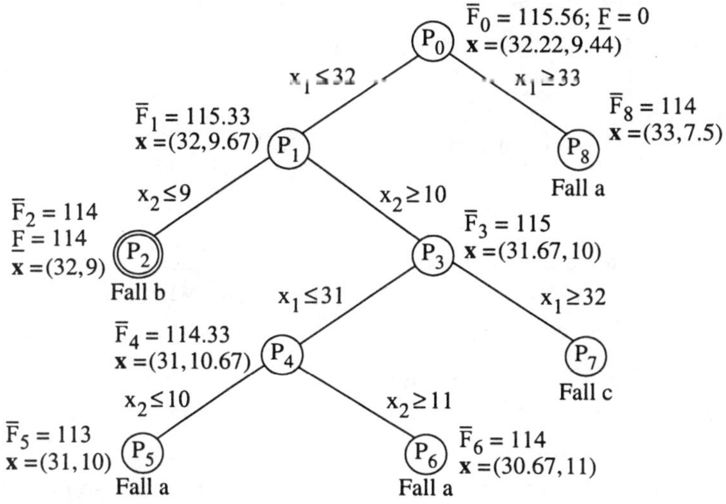

Bemerkung: Das Teilproblem P_4 könnte aufgrund der Ganzzahligkeit der Zielfunktionskoeffizienten – und damit der Ganzzahligkeit der Zielfunktionswerte zulässiger Lösungen – unmittelbar ausgelotet werden.

Aufgabe 6.3:

Eine Formulierung dieses zweidimensionalen Verschnittproblems als binäres LP erfolgt analog zu derjenigen für eindimensionale Probleme in Aufgabe 1.6:

Wir bestimmen zunächst alle effizienten Möglichkeiten, den Rohling (d.h. die 8×10 m-Platte) in die gewünschten kleineren Platten zu zerlegen. In der Abbildung ist eine der Möglichkeiten veranschaulicht, und in der Tabelle sind die neun effizienten Möglichkeiten aufgeführt.

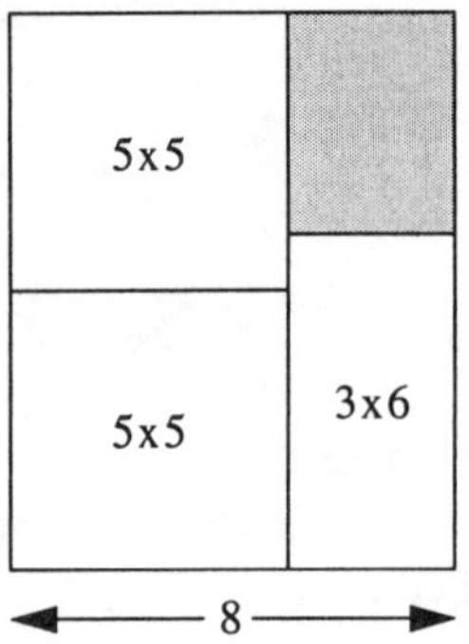

5×5	3×6	2×6	Variable
2	1	–	x_1
2	–	1	x_2
1	2	–	x_3
1	1	2	x_4
1	–	3	x_5
–	3	1	x_6
–	2	3	x_7
–	1	4	x_8
–	–	6	x_9

Wir ordnen jeder effizienten Kombination eine Variable x_i zu, die die Anzahl der entsprechend zuzuschneidenden Platten angibt. Damit ergibt sich das folgende ganzzahlige LP:

Minimiere $F(\mathbf{x}) = \sum_{i=1}^{9} x_i$ (Anzahl der Rohlinge minimieren)

unter den Nebenbedingungen

$$2x_1 + 2x_2 + x_3 + x_4 + x_5 \geq 20 \quad (5\times5)$$

$$x_1 + 2x_3 + x_4 + 3x_6 + 2x_7 + x_8 \geq 40 \quad (3\times6)$$

$$x_2 + 2x_4 + 3x_5 + x_6 + 3x_7 + 4x_8 + 6x_9 \geq 50 \quad (2\times6)$$

$$x_i \geq 0 \text{ und ganzzahlig für } i = 1,\ldots,9$$

Lösung des Problems mit B&B:

Eine zulässige Lösung erhalten wir, wenn wir für die geforderten Plattengrößen in der Reihenfolge 5×5, 3×6, 2×6 jeweils ein Muster auswählen, das die jeweilige Größe am häufigsten enthält, und in hinreichender Zahl einplanen:

Zur Deckung des Bedarfes an 5×5-Platten genügen $x_1 = 10$ Zuschnitte des ersten Musters. Dadurch verbleibt ein Restbedarf von 30 Platten der Größe 3×6, der durch $x_6 = 10$ Zuschnitte des sechsten Musters befriedigt wird. Für 2×6-Platten ergibt sich ein Restbedarf von 40, zu dessen Deckung $x_9 = 7$ Zuschnitte des neunten Musters ausreichen. Damit werden in dieser zulässigen Lösung $\overline{F} = 27$ Rohplatten benötigt.

Als optimale Lösung der LP-Relaxation P_0' ergibt sich $x_1 = 10$, $x_7 = 15$, $x_9 = 0.833$ und $x_i = 0$ sonst mit $\underline{F}_0 = 25.833$. Aufgrund der geforderten Ganzzahligkeit der Variablen und der gegebenen Ganzzahligkeit der Koeffizienten in der Zielfunktion lässt sich die untere Schranke verschärfen zu $\underline{F}_0 = 26$.

Bilden wir P_1 durch Hinzunahme der Nebenbedingung $x_9 \leq 0$, was in Verbindung mit den Nichtnegativitätsbedingungen einer Fixierung von x_9 zu 0 entspricht, so erhalten wir für P_1' die ganzzahlige Lösung $x_1 = 10$, $x_7 = 14$, $x_8 = 2$ und $x_i = 0$ sonst mit $\overline{F} = \underline{F}_1 = 26$.[1] Da auch $\overline{F} = \underline{F}_0 = 26$ gilt, ist die angegebene Lösung optimal für das Ausgangsproblem.

Hinweis: Bei Anwendung einer einfachen Heuristik, die im Aufrunden aller nichtganzzahligen Variablenwerte besteht, hätte man bereits in P_0 eine optimale Lösung erhalten, nämlich $x_1 = 10$, $x_7 = 15$, $x_9 = 1$ und $x_i = 0$ sonst mit $\overline{F} = 26$.

Aufgabe 6.4:

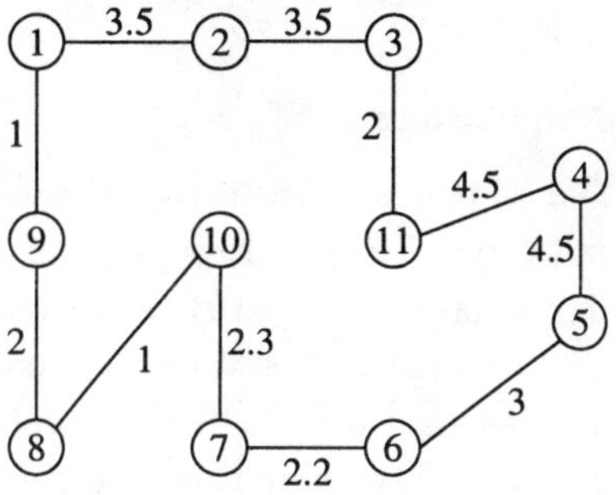

a) Der Graph G ist ungerichtet, bewertet und zusammenhängend, enthält keine Schlingen und keine parallelen Kanten, er ist nicht kreisfrei und nicht vollständig. Er ist planar, d.h. er lässt sich überschneidungsfrei in der Ebene darstellen.

b) Die Anwendung der Methode des besten Nachfolgers liefert r = [5,6,7,10,8,9,1,2,3,11,4,5] mit der Länge 29.5 (siehe Abbildung rechts).

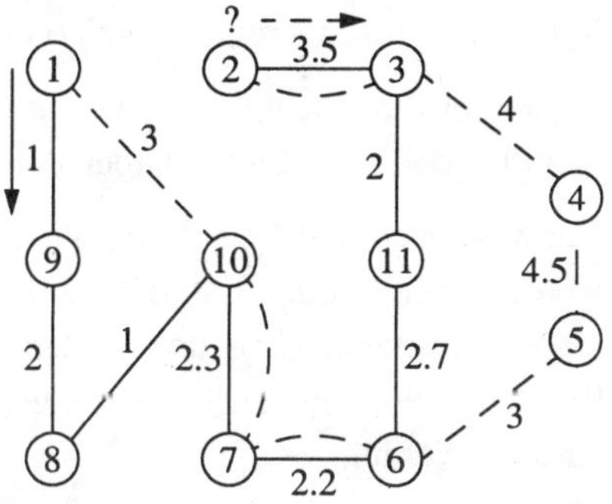

c) Wendet man das Verfahren an, ohne zunächst die in der Aufgabenstellung zu b) genannte Voraussetzung zu berücksichtigen, so geschieht Folgendes: In Knoten 2 bleibt das Verfahren in einer "Sackgasse" stecken, da kein noch nicht besuchter Nachbar existiert. Es würde ein Kurzzyklus entstehen, in den Knoten 4 und 5 nicht einbezogen sind (durchgezogene Kanten in nebenstehender Abbildung).

Bildet man jedoch zunächst den vollständigen Graphen (durch Kürzeste-Wege-Berechnung), so erhält man dafür die Rundreise r = [1,9,8,10,7,6,11,3,2,4,5,1]. Im Ausgangsgraphen entspricht sie der in der Abbildung durch gestrichelte Kanten ergänzten "Rundreise". Sie durchläuft mehrere Knoten zweifach.

d) Bei Wahl des ausgezeichneten Knotens $i_0 = 1$ ergibt sich der umseitig angegebene minimale 1-Baum mit Wert 26.7. Dabei erhält man die durchgezogenen Kanten durch die Bestimmung eines minimalen spannenden Baumes für den um Knoten 1 reduzierten Graphen; die beiden gestrichelten Kanten werden anschließend ergänzt.

Dieselbe Lösung (bei unterschiedlicher Einbeziehungsreihenfolge der Kanten) ergibt sich bei Wahl des Knotens $i_0 = 8$. Für den Knoten $i_0 = 4$ erhält man einen minimalen 1-Baum

---

1 Da hierbei der Fall parametrischer Lösungen auftritt, kann man (zufällig) auch eine gleichwertige nichtganzzahlige Lösung erhalten. In diesem Fall ergibt sich ein größerer B&B-Baum.

mit den Kanten [1,9], [8,10], [3,11], [8,9], [6,7], [7,10], [6,11], [5,6], [2,3] sowie [4,3] und [4,5] mit Wert 28.2. Insgesamt ergibt sich die untere Schranke:

$$\underline{F} = \max\{\underline{F}_1, \underline{F}_4, \underline{F}_8\} = 28.2\,.$$

e) Aus b) und d) folgen die obere Schranke $\overline{F} = 29.5$ und die untere Schranke $\underline{F} = 28.2$. Daher liegt der optimale Zielfunktionswert F* im Intervall [28.2, 29.5]. Daraus lässt sich die relative Abweichung der Lösung mit $\overline{F} = 29.5$ vom Optimum wie folgt nach oben abschätzen:

$$\frac{\overline{F}-\underline{F}}{\underline{F}} = (29.5-28.2)/(28.2) = 0.046, \text{ d.h. } 4.6\%$$

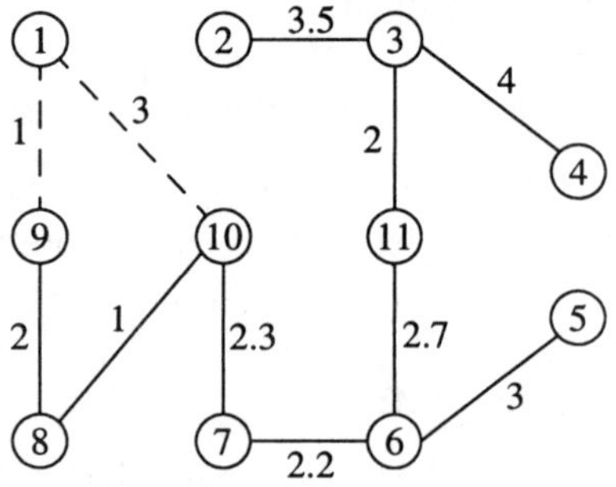

Aufgabe 6.5:

Die Montagezeiten für die Fahrzeugtypen i = 1,...,7 seien mit t_i bezeichnet. Fassen wir die Taktzeitüberschreitungen $d_{ij} := \max\{0, t_i + t_j - 10\}$ durch zwei aufeinander folgende LKW verschiedener Varianten i und j als Entfernungen auf, so lässt sich das Reihenfolgeproblem in ein äquivalentes TSP transformieren. Eine optimale Reihenfolge erhält man durch Bestimmung einer kürzesten offenen Rundreise. Die Matrix $D = (d_{ij})$ ist rechts wiedergegeben.

$$D = \begin{bmatrix} - & 2 & 0 & 1 & 0 & 0 & 0 \\ 2 & - & 0 & 3 & 1 & 2 & 0 \\ 0 & 0 & - & 0 & 0 & 0 & 0 \\ 1 & 3 & 0 & - & 0 & 1 & 0 \\ 0 & 1 & 0 & 0 & - & 0 & 0 \\ 0 & 2 & 0 & 1 & 0 & - & 0 \\ 0 & 0 & 0 & 0 & 0 & 0 & - \end{bmatrix}$$

Der entsprechende ungerichtete Graph ist rechts abgebildet; nicht beschriftete Kanten haben die Bewertung 0.

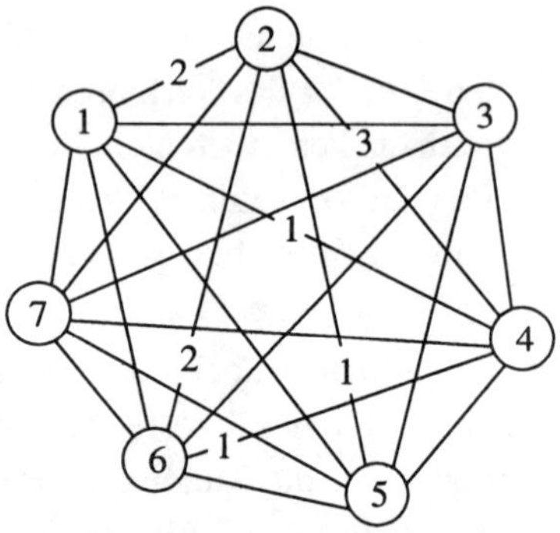

Das vorliegende offene TSP kann als geschlossenes gelöst werden, da alle mit Knoten 7 inzidenten Kanten die Bewertung 0 besitzen. Eine der beiden in einer geschlossenen Rundreise enthaltenen Kanten von Knoten 7 kann beliebig entfernt werden.

1. Methode des besten Nachfolgers:

Beginnend bei Knoten 1, ergibt sich z.B. [1,3,2,7,4,5,6,1]. Diese Rundreise ist optimal wegen F = 0. Eine mögliche optimale Fertigungsreihenfolge ist 4, 5, 6, 1, 3, 2, 7. Wegen des Zielfunktionswertes kann die Reihenfolge jedoch auch mit jeder anderen Variante beginnen.

2. Methode der sukzessiven Einbeziehung:

Ausgehend von einem Kurzzyklus mit 2 Knoten, wird die Rundreise schrittweise durch Einfügen eines Knotens erweitert. Dies geschieht so, dass die Steigerung der Gesamtkosten möglichst klein ist. Eine (heuristische) Möglichkeit besteht darin, denjenigen Knoten aufzunehmen, dessen kleinste Entfernung zu einem der im Zyklus befindlichen Knoten am größten ist.

Beginnen wir mit dem Kurzzyklus [1,2,1] der Länge F = 4, so ergibt sich folgender Lösungsgang (die mit * markierten Zeilen geben den jeweils gewählten Kurzzyklus an):

Iteration 1: Ausgewählt wird Knoten 4.

[1,2,4,1] ergibt $F = F - d_{21} + d_{24} + d_{41} = 4 - 2 + 3 + 1 = 6$

[1,4,2,1] ergibt $F = 4 - 2 + 1 + 3 = 6*$

Iteration 2: Gewählt wird z.B. Knoten 3 (alle kleinsten Entfernungen zu 1,2 bzw. 4 sind 0)

[1,3,4,2,1] ergibt $F = 6 - 1 + 0 + 0 = 5$

[1,4,3,2,1] ergibt $F = 6 - 3 + 0 + 0 = 3*$

[1,4,2,3,1] ergibt $F = 6 - 2 + 0 + 0 = 4$

Iteration 3: Wahl von Knoten 5 (möglich wären auch 6 und 7)

[1,5,4,3,2,1] ergibt $F = 3 - 1 + 0 + 0 = 2*$

[1,4,5,3,2,1] ergibt $F = 3 - 0 + 0 + 0 = 3$

[1,4,3,5,2,1] ergibt $F = 3 - 0 + 0 + 1 = 4$

[1,4,3,2,5,1] ergibt $F = 3 - 2 + 1 + 0 = 2$

Iteration 4: Wahl von Knoten 6 (möglich wäre auch 7)

[1,6,5,4,3,2,1] ergibt $F = 2*$

[1,5,6,4,3,2,1] ergibt $F = 3$

[1,5,4,6,3,2,1] ergibt $F = 3$

[1,5,4,3,6,2,1] ergibt $F = 4$

[1,5,4,3,2,6,1] ergibt $F = 2$

Iteration 5: Wahl von Knoten 7

[1,7,6,5,4,3,2,1], [1,6,7,5,4,3,2,1], [1,6,5,7,4,3,2,1], [1,6,5,4,7,3,2,1], [1,6,5,4,3,7,2,1] liefern $F = 2$.

[1,6,5,4,3,2,7,1] ergibt $F = 0$ und damit eine optimale Rundreise.

Eine optimale Fertigungsreihenfolge ist 1,6,5,4,3,2,7. Weitere lassen sich angeben, wenn man mit den anderen Varianten beginnt.

Bemerkung: Bei dem betrachteten Graphen ist die Dreiecksungleichung nicht erfüllt. Somit ist es möglich, dass sich beim Einfügen von Knoten die Länge des Kreises reduziert.

Aufgabe 6.6:

a) Wir erhalten die rechts angegebene symmetrische Entfernungsmatrix $D = (d_{ij})$.

	1	2	3	4	5	6	7
1	∞	3	10	4	3	8	7
2	3	∞	9	5	4	7	6
3	10	9	∞	6	13	4	9
4	4	5	6	∞	7	4	7
5	3	4	13	7	∞	11	10
6	8	7	4	4	11	∞	5
7	7	6	9	7	10	5	∞

b) **Methode der sukzessiven Einbeziehung:**

Startlösung: $r = [7,6,3,4,5,7]$ mit $F = 32$

noch nicht einbezogene Knoten: 1 und 2

Iteration 1: Kürzeste Entfernung von einem Knoten der Rundreise zu Knoten

1: $d_{15} = 3$

2: $d_{25} = 4$

Daher wird Knoten 2 in die Rundreise einbezogen:

[7,2,6,3,4,5,7] ergibt $F = F - d_{67} + d_{27} + d_{26} = 32 - 5 + 6 + 7 = 40$

[7,6,2,3,4,5,7] ergibt $F = 32 - 4 + 7 + 9 = 44$

[7,6,3,2,4,5,7] ergibt $F = 32 - 6 + 9 + 5 = 40$

[7,6,3,4,2,5,7] ergibt $F = 32 - 7 + 5 + 4 = 34$

[7,6,3,4,5,2,7] ergibt $F = 32 - 10 + 4 + 6 = 32^*$

Die kleinste Gesamtkostenerhöhung ergibt sich, wenn der Knoten 2 zwischen Knoten 5 und 7 eingefügt wird.

Iteration 2: Knoten 1 befindet sich als einziger noch nicht in der Rundreise:

[7,1,6,3,4,5,2,7] ergibt $F = 32 - 5 + 15 = 42$

[7,6,1,3,4,5,2,7] ergibt $F = 32 - 4 + 18 = 46$

[7,6,3,1,4,5,2,7] ergibt $F = 32 - 6 + 14 = 40$

[7,6,3,4,1,5,2,7] ergibt $F = 32 - 7 + 7 = 32^*$

[7,6,3,4,5,1,2,7] ergibt $F = 32 - 4 + 6 = 34$

[7,6,3,4,5,2,1,7] ergibt $F = 32 - 6 + 10 = 36$

Es ergibt sich die Rundreise r = [7,6,3,4,1,5,2,7] mit der Länge 32.

c) Die **Methode des besten Nachfolgers** liefert die Rundreise r = [1,2,5,4,6,3,7,1] mit Länge 38, die im linken Teil der nachfolgenden Abbildung angegeben ist. Durch Austausch der drei Kanten [1,7], [1,2] und [4,5] gegen die drei Kanten [2,7], [1,4] und [1,5] ergibt sich eine Verschiebung des Knotens 1 zwischen die Knoten 4 und 5. Daraus resultiert die im mittleren Teil der Abbildung angegebene Rundreise mit Länge 34. Durch Austausch der Kanten [3,7] und [4,6] gegen [6,7] und [3,4] ergibt sich die in b) ermittelte und im rechten Teil der Abbildung dargestellte Rundreise mit Länge 32.

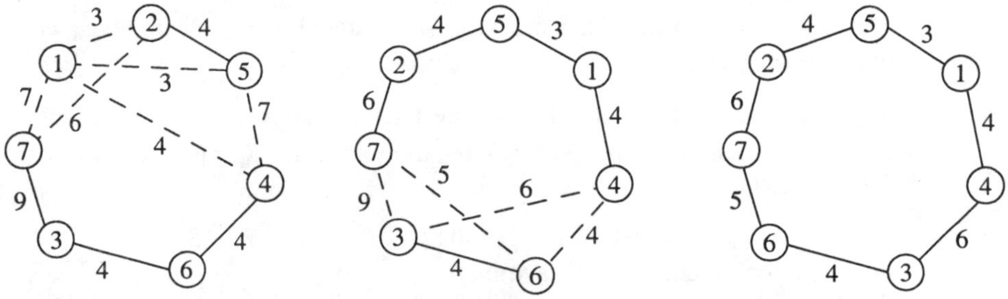

d) **Kruskal-Algorithmus** zur Bestimmung eines minimalen spannenden Baumes:

1. Sortieren der Kanten nach monoton steigendem Gewicht: [1,2],[1,5],[1,4],[2,5],[3,6],[4,6],...
2. Einführen der Kanten in der vorgegebenen Reihenfolge, so dass kein Kreis entsteht und jeder Knoten mit mindestens einer Kante inzident ist. Dies liefert den rechts dargestellten minimalen spannenden Baum mit 18 als Summe seiner Kantenbewertungen.

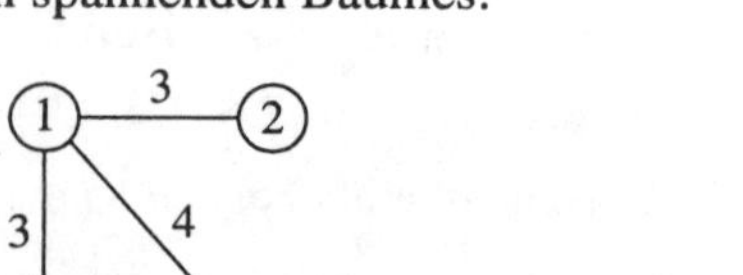

e) Bestimmung einer unteren Schranke mit **1-Baum-Relaxation:**

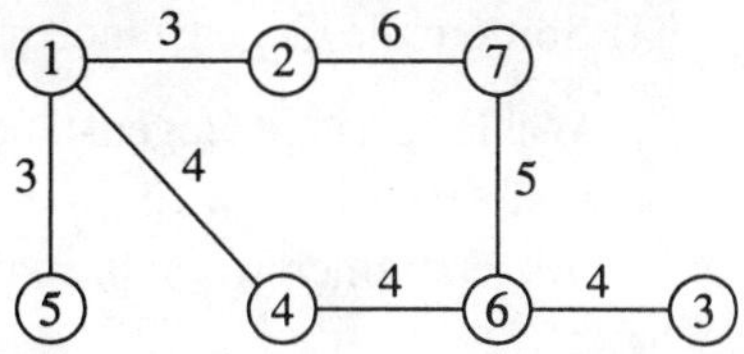

Hinzufügen der beiden kleinsten mit Knoten $i_0 = 7$ inzidenten Kanten. Der entstehende 1-Baum hat den Wert 29 als Summe seiner Kantenbewertungen. Er liefert eine untere Schranke $\underline{F} = 29$ für die Länge der kürzesten Rundreise. Aus Aufgabenteil b) erhält man eine obere Schranke $\overline{F} = 32$. Wegen $\overline{F} > \underline{F}$ kann nicht unmittelbar eine optimale Lösung abgeleitet werden. Für den optimalen Zielfunktionswert gilt $F^* \in [29, 32]$. Die maximale relative Abweichung der Lösung aus b) vom Optimum beträgt damit:

$$\frac{\overline{F} - \underline{F}}{\underline{F}} = \frac{32 - 29}{29} = 0.1034 = 10.34\,\%$$

f) Wir definieren für alle Kanten [i, j] des ungerichteten Graphen, d.h. für i = 1,...,6, j = 2,...,7 und i < j, Binärvariablen x_{ij}:

$$x_{ij} = \begin{cases} 1 & \text{falls Kante [i,j] in der Rundreise enthalten ist} \\ 0 & \text{sonst} \end{cases}$$

Die Bedingung zur Vermeidung des Kurzzyklus [1, 3, 4, 1] lautet damit: $x_{13} + x_{34} + x_{14} \le 2$

Aufgabe 6.7:

a) Das Knapsack-Problem P lässt sich wie folgt als binäres LP formulieren:

Knapsack-Problem P:	$\max \sum_{i=1}^{n} c_i x_i$	Zielfunktion
Nebenbedingungen:	$\sum_{i=1}^{n} g_i x_i \le G$	Gewichtsrestriktion
	$x_i \in \{0, 1\}$ für alle i	Binärbedingungen

Durch Weglassen der Ganzzahligkeitsforderung erhält man die LP-Relaxation:

Relaxation P':	$\max \sum_{i=1}^{n} c_i x_i$
Nebenbedingungen:	$\sum_{i=1}^{n} g_i x_i \le G$
	$0 \le x_i \le 1$ für alle i

Mit $z_i := g_i x_i$ und $c_i' = c_i / g_i$ lässt sich P' in ein äquivalentes Problem P'' transformieren:

Problem P'':	$\max \sum_{i=1}^{n} c_i' z_i$
Nebenbedingungen:	$\sum_{i=1}^{n} z_i \le G$
	$0 \le z_i \le g_i$ für alle i

Dabei bezeichnet c_i' den Nutzen pro Gewichtseinheit von Gegenstand i bzw. den *relativen Nutzen* von Gegenstand i. Damit entspricht x_i in P' dem mitgenommenen Anteil des Gegenstands i und z_i in P'' dem Gewicht des Anteils.

Verfahren zur **Lösung der Relaxation P''** (und damit von P'):

1. Sortiere die Gegenstände in der Reihenfolge monoton abnehmender relativer Nutzen.
2. Wähle so lange Gegenstände in der erzeugten Reihenfolge aus, bis die Gewichtsgrenze G überschritten wird. Von dem zuletzt gewählten Gegenstand kann u.U. nur ein Anteil mitgenommen werden, so dass die Gewichtsrestriktion gerade mit Gleichheit erfüllt ist.

Beweis der Optimalität:

Wir betrachten den Ablauf des Simplex-Algorithmus zur Lösung von P''. Das Starttableau sieht wie folgt aus, wobei wir o.B.d.A. annehmen, dass die Variablen in der Reihenfolge abnehmender relativer Nutzen indiziert sind:[2]

	z_1	z_2	z_3	...	z_i	...	z_n	Schlupfvariablen						b
$\sum z_i \le G$	1	1	1	...	1	...	1	1				...		G
$z_1 \le g_1$	[1]								1					g_1
$z_2 \le g_2$		1								1				g_2
:			:								:			:
$z_i \le g_i$					1							1		g_i
:			:									:		:
$z_n \le g_n$							1						1	g_n
F	$-c'_1$	$-c'_2$	$-c'_3$	...	$-c'_i$	...	$-c'_n$					...		0

Die *Pivotspalte* t wird dort gewählt, wo der kleinste (negative) Eintrag in der F-Zeile steht, d.h. es wird die Spalte t mit maximalem c'_t gewählt. In der ersten Iteration gilt t = 1.

Die *Pivotzeile* s wird dort gewählt, wo min $\{G, g_1,...,g_i,...,g_n\}$ gilt. Sinnvollerweise muss $g_i \le G$ für alle i gelten. In der ersten Iteration erhält man daher die Pivotzeile s = 2.

In der ersten Iteration des Simplex-Algorithmus ergibt sich damit folgendes Tableau:

	z_1	z_2	z_3	...	z_i	...	z_n	Schlupfvariablen						b
$\sum z_i \le G$	0	1	1	...	1	...	1	1	−1			...		$G' = G - g_1$
$z_1 \le g_1$	1								1					g_1
$z_2 \le g_2$		[1]								1				g_2
:			:								:			:
$z_i \le g_i$					1							1		g_i
:			:			...						:		:
$z_n \le g_n$							1						1	g_n
F	0	$-c'_2$	$-c'_3$	...	$-c'_i$	...	$-c'_n$		c'_1			...		$g_1 c'_1 = c_1$

2 Im Hinblick auf die leichtere Verständlichkeit formulieren wir auch für Beschränkungen einzelner Variablen explizit Restriktionen in den LP-Tableaus. Diese Bedingungen wären effizienter implizit zu berücksichtigen; vgl. Domschke und Drexl (2005, Kap. 2.6.1).

In der zweiten Iteration ergibt sich die Pivotspalte t = 2, da $-c'_2$ kleinstes (negatives) Kostenelement in der F-Zeile ist. Unter der Annahme, dass g_2 kleiner als die Restkapazität $G' = G - g_1$ ist, wird die Pivotzeile s = 3 gewählt.

	z_1	z_2	z_3	...	z_i	...	z_n	Schlupfvariablen							b
$\sum z_i \le G$	0	0	[1]	...	1	...	1	1	−1	−1			...		$G' = G - g_1 - g_2$
$z_1 \le g_1$	1								1						g_1
$z_2 \le g_2$		1								1					g_2
:			:								:				:
$z_i \le g_i$					1							1			g_i
:			:										:		:
$z_n \le g_n$							1							1	g_n
F	0	0	$-c'_3$	...	$-c'_i$	...	$-c'_n$		c'_1	c'_2			...		$c_1 + c_2$

Sobald die Restkapazität G' geringer als das Gewicht g_t des zur Pivotspalte t gehörenden Gegenstands ist, wird Zeile 1 als Pivotzeile gewählt, und es ergibt sich nach Durchführung der Tableautransformation eine optimale Lösung (alle Eintragungen in der F-Zeile sind wegen der Monotonie der c'_i nichtnegativ). Unterstellen wir den Fall $G' < g_3$, so erhalten wir folgendes Endtableau mit dem Zielfunktionswert $ZF = c_1 + c_2 + G'c'_3$:

	z_1	z_2	z_3	...	z_i	...	z_n	Schlupfvariablen						b
$\sum z_i \le G$	0	0	1	...	1	...	1	1	−1	−1				G'
$z_1 \le g_1$	1								1					g_1
$z_2 \le g_2$		1								1				g_2
$z_3 \le g_3$			0	...	−1	...	−1	−1	1	1	1			$g_3 - G'$
.			:								:			:
$z_i \le g_i$					1							1		g_i
:			:			...							:	:
$z_n \le g_n$							1						1	g_n
F	0	0	0	...	$-c'_i + c'_3$	...	$-c'_n + c'_3$	c'_3	$c'_1 - c'_3$	$c'_2 - c'_3$	0	...	0	ZF

Der aktuelle Zielfunktionswert entspricht jeweils dem Nutzen der bisher mitgenommenen Gegenstände. Wie man sieht, wird bei jeder Simplexiteration genau derjenige Gegenstand (u.U. anteilig) mitgenommen, der den größten relativen Nutzen hat, und der den Zielfunktionswert um den entsprechenden Nutzenwert erhöht. Daher entspricht die beschriebene Vorgehensweise dem Ablauf des Simplex-Algorithmus bei der Lösung von P".

b) Unter Verwendung der obigen Vorgehensweise zur Lösung von P" kann ein B&B-Verfahren für das Knapsack-Problem P wie folgt angegeben werden:

- *Verzweigen* durch Fixierung einer Variablen x_i zu 0 bzw. 1; z.B. Fixieren der Variablen x_i mit größtem c'_i.
- Lösen der Relaxation P" zur Berechnung *oberer Schranken* $\overline{F}_\mu$ im Teilproblem P_μ.
- Als (globale) *untere Schranke* dient der Zielfunktionswert der besten bekannten Lösung.
- Anwendung der *Maximal Upper Bound (MUB)-Regel* zur Auswahl von Teilproblemen aus der Kandidatenliste; vgl. Domschke und Drexl (2005, Kap. 6.4.3).

Man beginnt mit P_0 als einzigem Eintrag der Kandidatenliste, dessen obere Schranke sich wie folgt ergibt. Zunächst werden die relativen Nutzen der Gegenstände bestimmt:

$$c'_1 := c_1/g_1 = 10/5 = 2; \;\; c'_2 := 1.5; \;\; c'_3 := 1; \;\; c'_4 := 0.5; \;\; c'_5 := 0.75$$

Nun werden die Gegenstände in der Reihenfolge 1,2,3,5,4 sortiert. Die ersten drei Gegenstände lassen sich vollständig und der Gegenstand 5 aufgrund der Gewichtsgrenze nur zu einem Anteil von 7/12 mitnehmen. Daraus ergibt sich eine obere Schranke für den maximalen Nutzen von $\overline{F}_0 = 36.25$. Eine heuristisch ermittelte zulässige Lösung ist z.B. $\mathbf{x} = (0,1,1,0,1)$ mit der unteren Schranke $\underline{F} = 30$.

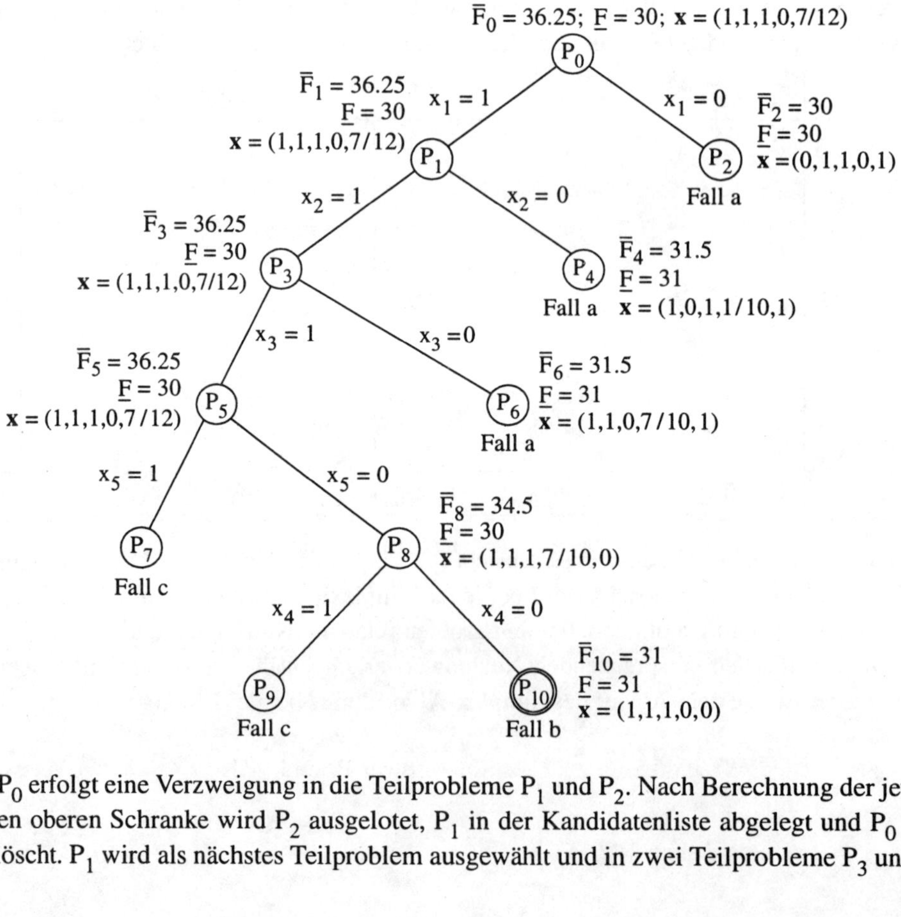

In P_0 erfolgt eine Verzweigung in die Teilprobleme P_1 und P_2. Nach Berechnung der jeweiligen oberen Schranke wird P_2 ausgelotet, P_1 in der Kandidatenliste abgelegt und P_0 dort gelöscht. P_1 wird als nächstes Teilproblem ausgewählt und in zwei Teilprobleme P_3 und P_4

zerlegt, die nach Schrankenberechnung anstelle von P_1 in die Kandidatenliste aufgenommen werden. Insgesamt ergibt sich der obenstehende B&B-Baum, in dem die Knoten in ihrer Erzeugungsreihenfolge nummeriert sind. Aufgrund der MUB-Regel und der jeweils bei Erzeugung der Teilprobleme ermittelten oberen Schranken werden die Knoten in der Reihenfolge P_0 (v), P_2 (a), P_1 (v), P_3 (v), P_5 (v), P_7 (a), P_8 (v), P_9 (a), P_{10} (a), P_4 (a), P_6 (a) verzweigt (kurz: v) oder ausgelotet (kurz: a). Die beiden Teilprobleme P_4 und P_6 lassen sich nach Fall a ausloten, weil ihre (aufgrund der Ganzzahligkeit der Zielfunktionskoeffizienten abgerundeten) oberen Schranken die zum Betrachtungszeitpunkt bekannte untere Schranke $\underline{F} = 31$ nicht übersteigen.

Als optimale Lösung ergibt sich $\mathbf{x}^* = (1,1,1,0,0)$ mit $F^* = 31$.

Aufgabe 6.8:

a) Wir definieren Entscheidungsvariablen x_i für alle Spieler i = 1,...,6 wie folgt:

$$x_i = \begin{cases} 1 & \text{falls Spieler i verkauft wird} \\ 0 & \text{sonst} \end{cases}$$

Das binäre Optimierungsproblem lautet damit:

Minimiere $F(\mathbf{x}) = \sum_{i=1}^{6} c_i x_i = 10x_1 + 12x_2 + 9x_3 + 12x_4 + 6x_5 + 10x_6$

unter den Nebenbedingungen

$$\sum_{i=1}^{6} g_i x_i = x_1 + 0.75x_2 + 1.5x_3 + 1.5x_4 + 0.5x_5 + 2x_6 \geq 4.5$$

$$x_i \in \{0,1\} \qquad \text{für } i = 1,...,6$$

b) Das Problem ähnelt sehr stark dem Knapsack-Problem. Während dort der Gesamtnutzen unter Beachtung einer Höchstgewichtsrestriktion maximiert wird, handelt es sich hier um ein Problem der Schadensminimierung unter Einhaltung eines Mindesterlöses.

c) Aufgrund der Analogie zum Knapsack-Problem kann das B&B-Verfahren aus Aufgabe 6.7 wie folgt modifiziert werden:

- Lösung der LP-Relaxation zur Bestimmung *unterer Schranken* $\underline{F}_\mu$: Statt nach monoton fallenden relativen Nutzen wird nach monoton steigenden relativen Zuschauerverlusten (Schäden) $c'_i := c_i/g_i$ sortiert. Es ergibt sich aus $c'_1 := 10$, $c'_2 := 16$, $c'_3 := 6$, $c'_4 := 8$, $c'_5 := 12$ sowie $c'_6 := 5$ die Betrachtungsreihenfolge 6,3,4,1,5,2.

- Die *obere Schranke* $\overline{F}$ entspricht stets dem Zielfunktionswert der besten bekannten zulässigen Lösung. Fixieren wir Variablen in der oben ermittelten Betrachtungsreihenfolge 6,3,4,1,5,2 jeweils so lange zu 1, bis die ≥-Restriktion erfüllt ist (alle übrigen Variablen erhalten den Wert 0), so ergibt sich die zulässige Lösung $\mathbf{x} = (0,0,1,1,0,1)$ mit dem Zielfunktionswert 31, der zu Beginn des B&B-Verfahrens als obere Schranke $\overline{F} = 31$ dient.

- *Verzweigung:* Verwendung der Minimal Lower Bound (MLB)-Regel und Verzweigung nach demjenigen Spieler i mit kleinstem c'_i.

Es ergibt sich der folgende B&B-Baum:

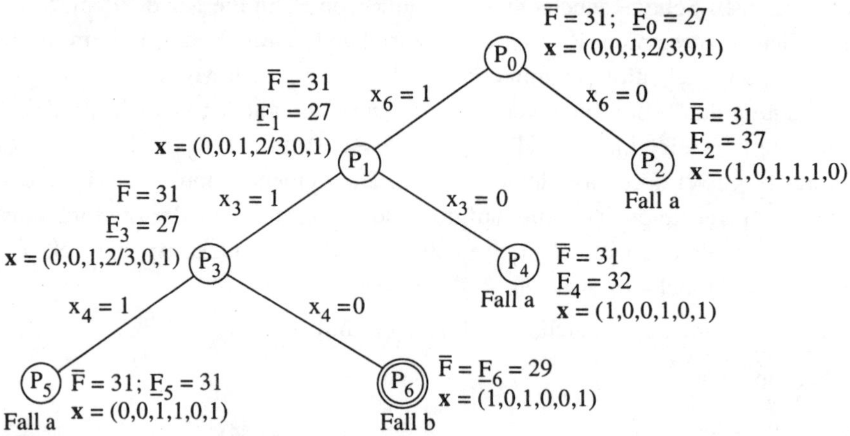

Die Knoten werden in ihrer Nummerierungsreihenfolge erzeugt, d.h. in die Kandidatenliste aufgenommen, und gemäß der MLB-Regel in der Reihenfolge P_0 (v), P_2 (a), P_1 (v), P_4 (a), P_3 (v), P_5 (a), P_6 (a) ausgelotet (kurz: a) bzw. aufgrund vollständiger Verzweigung (kurz: v) aus der Kandidatenliste entfernt.

Die Spieler 1, 3 und 6 sollten verkauft werden, da dann ein minimaler Zuschauerverlust von 29000 eintritt und der Mindesterlös von 4.5 Mio. € erzielt wird.

d) Ausgehend von $\mathbf{x} = (0,0,1,1,0,1)$ ergibt sich bei einer Tabudauer von einer Iteration der folgende Lösungsgang:

	x_1	x_2	x_3	x_4	x_5	x_6	Marktwert	Zusch.-schwund
Start	0	0	1	1	0	1	5.0 Mio. €	31000
Iter. 1	0	0	1	1	**1**	1	5.5 Mio. €	37000
Iter. 2	**1**	0	1	1	1	1	6.5 Mio. €	47000
Iter. 3	1	0	1	**0**	1	1	5.0 Mio. €	35000
Iter. 4	1	0	1	0	**0**	1	4.5 Mio. €	29000

Bemerkung: In Iteration 1 und 2 lässt sich der Zielfunktionswert nicht verbessern, da ansonsten der Mindestverkaufserlös von 4.5 Mio. € nicht erreicht würde.

Ergebnis: In Iteration 4 ergibt sich die optimale Lösung (vgl. Teil c). Dies lässt sich nur bei Tabudauer 1 oder 2 erreichen, da bei einer längeren Tabudauer x_5 in Iteration 4 noch nicht auf 0 gesetzt werden dürfte.

Aufgabe 6.9:

a) Bei der zu lösenden Aufgabenstellung handelt es sich um ein verallgemeinertes Knapsack-Problem. Es lässt sich in ein Standard-Knapsack-Problem überführen, indem man jeden Gegenstand dupliziert und anschließend fordert, dass immer nur ein Exemplar jedes Gegenstandes mitgeführt werden darf. Der Nutzen und das Gewicht der duplizierten Gegenstände werden von den Originalgegenständen übernommen.

b) Wir definieren Entscheidungsvariablen x_i, die angeben, wie viel Exemplare eines Gegenstandes $i = 1,\ldots,5$ eingepackt werden. Dann ergibt sich folgendes ganzzahlige LP:

Maximiere $F(\mathbf{x}) = 3x_1 + 6x_2 + 6x_3 + 8x_4 + x_5$

unter den Nebenbedingungen

$$5x_1 + 4x_2 + 2x_3 + 2x_4 + 2x_5 \le 15$$

$$0 \le x_i \le 2 \text{ und ganzzahlig} \qquad \text{für } i = 1,\ldots,5$$

c) Die zusätzlichen Bedingungen lassen sich wie folgt modellieren:

- Durch $x_3 \ge x_2$ ist gewährleistet, dass der Wanderer mindestens so viele Exemplare von Gegenstand 3 wie von Gegenstand 2 bei sich trägt.
- Sollen ingesamt höchstens zwei Exemplare der Gegenstände 2 und 5 mitgenommen werden, so lässt sich dies wie folgt sicherstellen: $x_2 + x_5 \le 2$
- Die Bedingung $2x_4 \ge x_3$ garantiert, dass der Wanderer, falls er ein oder mehrere Exemplare von Gegenstand 3 mitführt, auch mindestens ein Exemplar von Gegenstand 4 einpackt. Die Bedingung lässt sich am einfachsten durch Einsetzen verifizieren: Im Falle $x_3 = 0$ ergibt sich die nicht einschränkende Bedingung $x_4 \ge 0$. Gilt $x_3 = 1$, so resultiert $x_4 \ge 0{,}5$ und im Zusammenwirken mit der Ganzzahligkeitsbedingung $x_4 \ge 1$. Für $x_3 = 2$ folgt unmittelbar $x_4 \ge 1$.
  Bemerkung: Eine Formulierung durch $x_4 \ge x_3$ wäre falsch, da bei $x_3 = 2$ die Zuweisung $x_4 = 2$ erfolgen würde, obwohl $x_4 = 1$ und $x_4 = 2$ zulässig sind.
- Die Modellierung der Inkompatibilität der Gegenstände 1 und 5 erfordert die Definition einer zusätzlichen Binärvariable z, die den Wert 1 annehmen muss, falls mindestens ein Exemplar von Gegenstand 1 in der Lösung enthalten ist, und 0, falls dies für Gegenstand 5 gilt. Damit ergeben sich die folgenden zusätzlichen Nebenbedingungen

  $$x_1 \le 2z, \quad x_5 \le 2 \cdot (1 - z), \quad z \in \{0, 1\}$$

  Für den Fall $x_1 > 0$ folgt $z = 1$ und somit $x_5 \le 2 \cdot (1 - 1) = 0$. Umgekehrt erfordert $x_5 > 0$ den Wert $z = 0$, und es resultiert $x_1 \le 2 \cdot 0$.

d) Aufgrund der Verwandtschaft zum Knapsack-Problem lassen sich obere Schranken wie folgt bestimmen:

- Die Ganzzahligkeitsforderung für die Entscheidungsvariablen sowie die zusätzlichen Nebenbedingungen werden fallengelassen.
- Den einzelnen Gegenständen ordnet man relative Nutzen $c_i' = c_i / g_i$ $(i = 1,\ldots,5)$ zu und sortiert sie nach monoton fallenden Werten. Es ergibt sich $c_1' = 3/5$, $c_2' = 3/2$, $c_3' = 3$, $c_4' = 4$, $c_5' = 1/2$ sowie die Betrachtungsreihenfolge 4, 3, 2, 1, 5.
- Die Gegenstände werden in der ermittelten Reihenfolge ausgewählt. Danach werden jeweils so viel (maximal zwei) Exemplare in die Lösung aufgenommen, wie die Gewichtsgrenze zulässt. Vom letzten betrachteten Gegenstand lässt sich u.U. nur ein Anteil des ersten bzw. zweiten Exemplars mitnehmen, so dass die Gewichtsrestriktion gerade mit Gleichheit erfüllt ist.

Wir schildern die Berechnung einer oberen Schranke für P_0. Von den ersten beiden Gegenständen in der Sortierung lassen sich jeweils zwei Exemplare mitnehmen. Dagegen ist für den dritten Gegenstand lediglich ein Exemplar vollständig und ein anderes mit einem Anteil von 3/4 einzupacken. Daraus ergibt sich eine obere Schranke für den maximalen Nutzen in Höhe von $\overline{F}_0 = 38.5$.

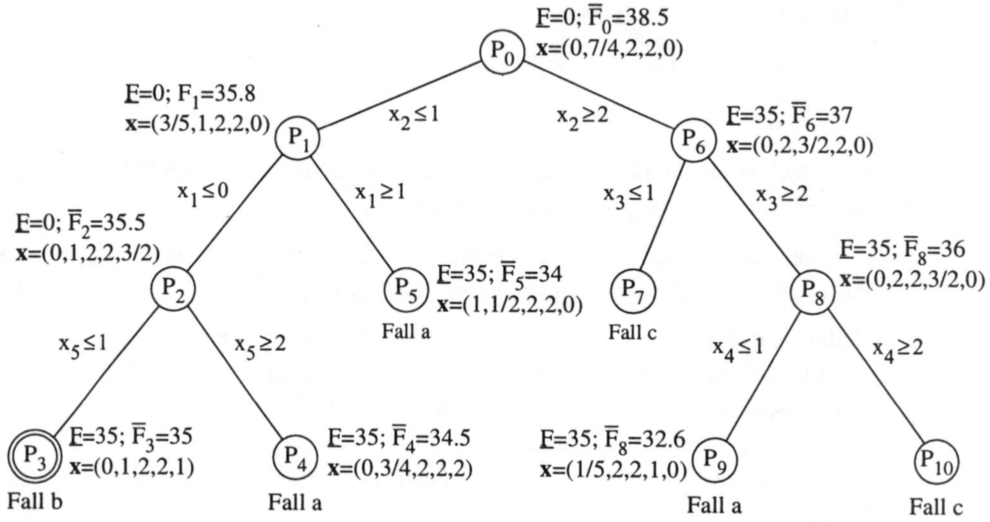

Mit der geschilderten Schrankenberechnung ergibt sich der oben abgebildete Lösungsbaum. Die Knoten werden in ihrer Nummerierungsreihenfolge erzeugt. Dabei sind die Knoten P_7 und P_{10} wegen Unzulässigkeit auszuloten. Die Einschränkungen der Variablen in P_7 bewirken, dass sich die zusätzliche Nebenbedingung $x_3 \geq x_2$ nicht mehr einhalten lässt. In P_{10} erfolgt eine Verletzung der Gewichtsrestriktion.

Als optimale Lösung ergibt sich $\mathbf{x}^* = (0,1,2,2,1)$ mit $F^* = 35$.

Aufgabe 6.10:

a) Die nebenstehende Abbildung verdeutlicht den Lösungsraum der LP-Relaxation und eine Höhenlinie der Zielfunktion für $F = 2$. Die optimale Lösung der LP-Relaxation ist $\mathbf{x} = (0.5, 1.5)$, aus der sich die obere Schranke $\overline{F}_0 = 2$ ergibt.

Da kein ganzzahliger Punkt innerhalb des bezüglich der Bedingungen (1) und (2) zulässigen Bereiches liegt, besitzt das Modell keine zulässige ganzzahlige Lösung.

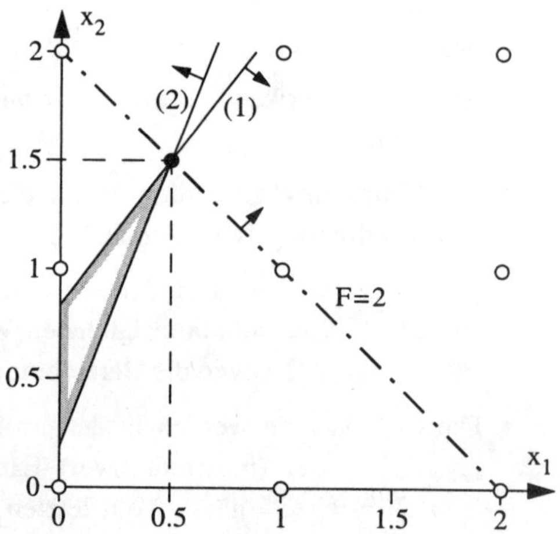

b) Es ergibt sich der nachfolgend dargestellte B&B-Baum, anhand dessen sich ebenfalls erkennen lässt, dass das Modell keine zulässige Lösung besitzt.

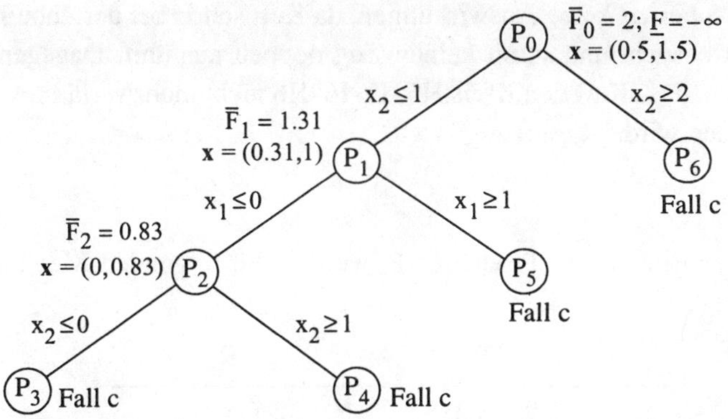

c) Das modifizierte Modell weist den in der rechten Abbildung angegebenen Bereich zulässiger Lösungen auf.

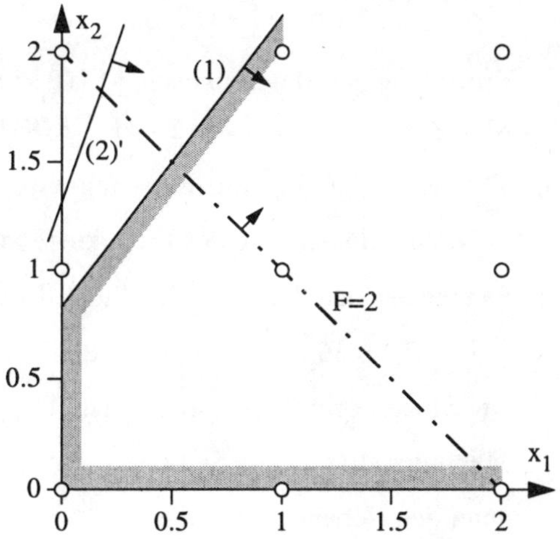

Der Lösungsraum der LP-Relaxation ist unbeschränkt. Für das ganzzahlige Modell bestehen damit die Alternativen, dass es ebenfalls unbeschränkt ist oder dass überhaupt keine zulässige Lösung existiert. Eine Möglichkeit dies zu überprüfen, besteht darin, die Zielrichtung des Modells umzukehren (d.h. die Zielfunktion mit –1 zu multiplizieren).

Dabei ergibt sich in P_0 der Ursprung als optimale Lösung der Relaxation. Das Ausgangsproblem besitzt somit eine ganzzahlige Lösung. Aus der Unbeschränktheit der Lösungsmenge der LP-Relaxation folgt die Unbeschränktheit des ganzzahligen Modells.

Besäße unser Ausgangsmodell z.B. zusätzlich die Nebenbedingungen $0.25 \le x_2 \le 0.75$, so würde trotz der Unbeschränktheit der Relaxation keine ganzzahlige Lösung existieren.

Aufgabe 6.11:

a) Bei einer Best Fit-Strategie wird die Nachbarschaft vollständig untersucht und jeweils die beste Möglichkeit realisiert. Damit gelangt Kurt – ausgehend von F3 – über F4, F5, G5 und H5 nach I5. Die erzielte Höhe ist 31.

b) Verwendet Kurt für seine Suche die Metastrategie Tabu Search mit einer Tabudauer von vier Iterationen, so ergibt sich der in der Tabelle angegebene Lösungsgang. Der älteste Eintrag in der Tabuliste steht dabei jeweils an erster Position.

It.	Standort	Höhe	Tabuliste
0	F3	0	–
1	F4	14	F4
2	F5	17	F4, F5
3	G5	21	F4, F5, G5
4	H5	26	F4, F5, G5, H5
5	I5	31	F5, G5, H5, I5
6	I6	25	G5, H5, I5, I6
7	H6	23	H5, I5, I6, H6
8	H7	24	I5, I6, H6, H7
9	G7	40	I6, H6, H7, G7
10	F7	49	H6, H7, G7, F7

c) Eine Tabudauer von 8 besitzt keine Auswirkungen, da Kurt schon bei der Tabudauer 4 kein Planquadrat doppelt besucht und somit keinen Zug doppelt ausführt. Dagegen führt eine Tabudauer von 2 dazu, dass Kurt den Kreis H5-I5-I6-H6 nicht mehr verlässt, wodurch das Optimum nie gefunden wird.

Aufgabe 6.12:

a) Zur Herstellung einer Einheit des Produktes P_i werden die folgenden Mengen der Rohstoffe R_j benötigt:

	R_1	R_2	R_3
P_1	$8\ (= 2\cdot 3+1\cdot 2)$	$9\ (= 3\cdot 3)$	$2\ (= 1\cdot 2)$
P_2	$4\ (= 2\cdot 1+1\cdot 2)$	$9\ (= 3\cdot 1+6\cdot 1)$	$5\ (= 1\cdot 2+3\cdot 1)$

Ermittlung der Materialkosten $MK(P_i)$ pro ME von Endprodukt P_i:

$MK(P_1) = 2\cdot 8+1\cdot 9+3\cdot 2=31$ $\quad MK(P_2) = 8 + 9 + 15 = 32$

b) Wir verwenden folgende Entscheidungsvariablen:

x_i Produktionsmenge des Produktes P_i $(i = 1,2)$

Es ergeben sich die folgenden Stück-Deckungsbeiträge:

$DB(P_1) = 36 - 31 = 5GE$ und $DB(P_2) = 40 - 32 = 8GE$

Die Modellformulierung lautet damit:

Maximiere $F(x_1,x_2) = 5x_1 + 8x_2$

unter den Nebenbedingungen

$8x_1 + 4x_2 \leq 48$ Verfügbarkeit Rohstoff R_1 (1)

$9x_1 + 9x_2 \leq 58.5$ Verfügbarkeit Rohstoff R_2 (2)

$2x_1 + 5x_2 \leq 20$ Verfügbarkeit Rohstoff R_3 (3)

$x_1,x_2 \geq 0$ und ganzzahlig

c) In der nebenstehenden graphischen Darstellung sind die zulässigen Lösungen als Kreise angegeben.

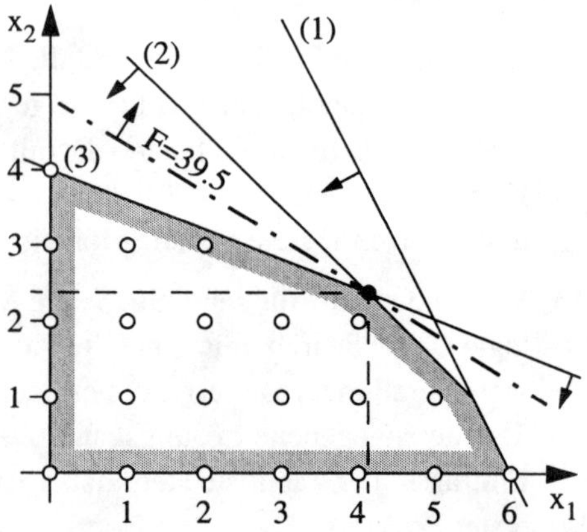

d) B&B-Verfahren zur Lösung des Problems:

- Eine mögliche untere Schranke ist $\underline{F} = 34$ für die zulässige Lösung $\mathbf{x} = (2,3)$.
- Zur Bestimmung oberer Schranken wird die LP-Relaxation verwendet, deren optimale Lösung graphisch ermittelt wird (schwarzer Punkt).

Es ergibt sich der folgende B&B-Baum:

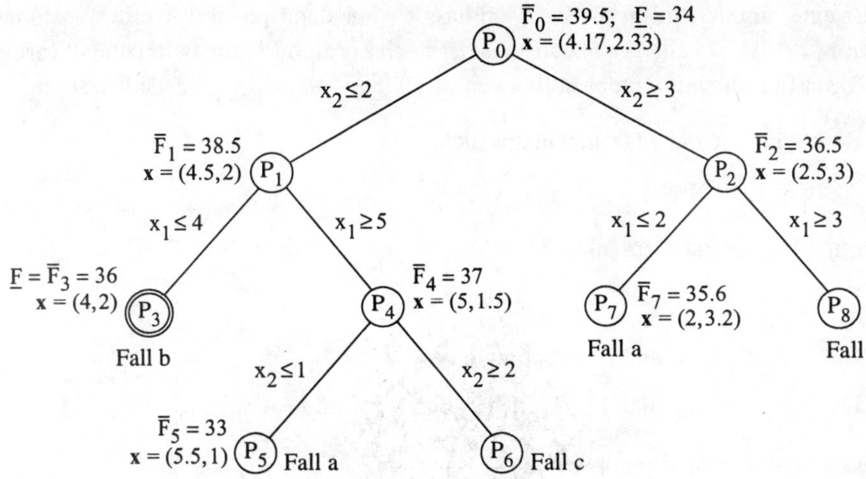

Die Teilprobleme werden in Nummerierungsreihenfolge gebildet. Nach Ermittlung einer oberen Schranke werden sie in der Kandidatenliste abgelegt. Die Auswahl der dort enthaltenen Probleme erfolgt in der Reihenfolge $P_0, P_1, P_4, P_2, P_3, P_7, P_5$. Die Teilprobleme P_6 und P_8 werden unmittelbar nach Lösung der Relaxation ausgelotet.

Man erhält die einzige optimale Lösung $\mathbf{x}^* = (4,2)$ mit $F^* = 36$.

Bemerkung: Unter Beachtung der Ganzzahligkeit der Zielfunktionskoeffizienten könnte auf die Betrachtung der Teilprobleme P_7 und P_8 verzichtet werden.

Aufgabe 6.13:

a) Als *Entscheidungsvariablen* wählen wir:

z_{jt} binäre Rüstvariable mit

$$z_{jt} = \begin{cases} 1 & \text{falls Produkt j am Tag t gefertigt wird} \\ 0 & \text{sonst} \end{cases}$$

l_{jt} Lagerbestand des Produktes j am Ende des Tages t

q_{jt} Losgröße von Produkt j am Tag t

Zielfunktion: Maximiere den Deckungsbeitrag aller Produkte im Planungszeitraum.

Maximiere $DB(\mathbf{q},\mathbf{l},\mathbf{z}) = \sum_{j=1}^{n} \sum_{t=1}^{T} (p_j b_{jt} - f_j q_{jt} - r_j z_{jt} - c_j l_{jt})$

unter den Nebenbedingungen

(1) Lagerbilanzgleichungen

$l_{j,t-1} + q_{jt} - l_{jt} = b_{jt}$ für j = 1,...,n; t = 1,...,T

(2) Verknüpfung von Losgrößen und Rüstvariablen

$q_{jt} \leq z_{jt} \cdot M$ für j = 1,...,n; t = 1,...,T

M ist eine hinreichend große Zahl, so dass q_{jt} nur dann positive Werte annehmen kann, wenn $z_{jt} = 1$ ist. Da am Tag t höchstens der noch bis zum Planungshorizont T verbleibende Restbedarf produziert werden sollte, kann $M = \sum_{\tau=t}^{T} b_{j\tau} - l_{j,t-1}$ gewählt werden.

(3) Beschränkung der Maschinenkapazität

$\sum_{j=1}^{n} \kappa_j q_{jt} \le \kappa$ für $t = 1,...,T$

(4) Lagerkapazitätsbeschränkung

$\sum_{j=1}^{n} \lambda_j l_{jt} \le \lambda$ für $t = 1,...,T$

(5) Nichtnegativitäts- und Binärbedingungen

$l_{jt} \ge 0,\ q_{jt} \ge 0,\ z_{jt} \in \{0,1\}$ für $j = 1,...,n$ und $t = 1,...,T$

(6) Lageranfangs- und -endbestand

$l_{j0} = l_{jT} = 0$ für $j = 1,...,n$

b) Die Nebenbedingungen (3) und (4) werden aus dem Nebenbedingungssystem entfernt. Ihr Schlupf wird jeweils mit einem nichtnegativen Lagrange-Multiplikator gewichtet und der entstehende Term zur Zielfunktion hinzuaddiert. Dadurch erhält man ein leichter lösbares Problem; bei gegebenen Multiplikatoren sind n voneinander unabhängige Probleme für jeweils ein Gut (Wagner-Whitin-Probleme) zu lösen.

Die Lagrange-Relaxation lautet:

$$\text{Maximiere } \Phi(\mathbf{q},\mathbf{l},\mathbf{z}) = \sum_{j=1}^{n} \sum_{t=1}^{T} (p_j b_{jt} - f_j q_{jt} - r_j z_{jt} - c_j l_{jt}) + \sum_{t=1}^{T} u_t \cdot \left(\kappa - \sum_{j=1}^{n} \kappa_j q_{jt}\right) + \sum_{t=1}^{T} v_t \cdot \left(\lambda - \sum_{j=1}^{n} \lambda_j l_{jt}\right)$$

unter den Nebenbedingungen (1), (2), (5), (6)

Für beliebige, nichtnegative u_t und v_t ist $\Phi(\mathbf{q},\mathbf{l},\mathbf{z})$ eine obere Schranke für den optimalen Zielfunktionswert des Ausgangsproblems. Dies kann man sich wie folgt überlegen:

Wird der gewichtete Schlupf von (3) und (4) zur Zielfunktion des Ausgangsproblems addiert, ohne (3) und (4) aus dem Nebenbedingungssystem zu entfernen, so bleibt die Menge der zulässigen Lösungen unverändert. Der Zielfunktionswert jeder zulässigen Lösung ist mindestens so groß wie zuvor.

Eliminiert man in einem zweiten Schritt nun die Bedingungen (3) und (4), so vergrößert sich dadurch die Menge der zulässigen Lösungen. Der Zielfunktionswert der besten dieser Lösungen ist eine obere Schranke für den optimalen Zielfunktionswert des Ausgangsproblems.

Aufgabe 6.14:

a) Modellformulierung P (Knapsack-Problem):

Wir definieren *Entscheidungsvariablen* x_i für alle Tagungen i = 1,...,5 mit:

$$x_i = \begin{cases} 1 & \text{falls Tagung i besucht wird} \\ 0 & \text{sonst} \end{cases}$$

Sind c_i der Nutzen und g_i die Kosten von Tagung i, so erhalten wir das folgende *Modell*:

Maximiere $F(\mathbf{x}) = \sum_{i=1}^{5} c_i x_i = 2.5x_1 + 3x_2 + 3x_3 + 4x_4 + 0.5x_5$

unter den Nebenbedingungen

$\sum_{i=1}^{5} g_i x_i = 2.5x_1 + 2x_2 + x_3 + 0.5x_4 + 1.5x_5 \le 4$

$x_i \in \{0,1\}$ für i = 1,...,5

b) Wir lösen das Knapsack-Problem mit dem in Aufgabe 6.7 angegebenen B&B-Verfahren, wählen jedoch zum Verzweigen jeweils die Variable, die in der optimalen Lösung der Relaxation einen nichtganzzahligen Wert besitzt.

Es ergeben sich die folgenden relativen Nutzen:

$c_1' := c_1/g_1 = 1;\ c_2' := 1.5;\ c_3' := 3;\ c_4' := 8;\ c_5' := 1/3$

Die Tagungsprioritätenfolge bzw. Teilnahmereihenfolge (nach größtem relativem Nutzen) ist daher Hamburg, Aachen, Helsinki, Miami, Lissabon.

Es ergibt sich folgender Lösungsgang:

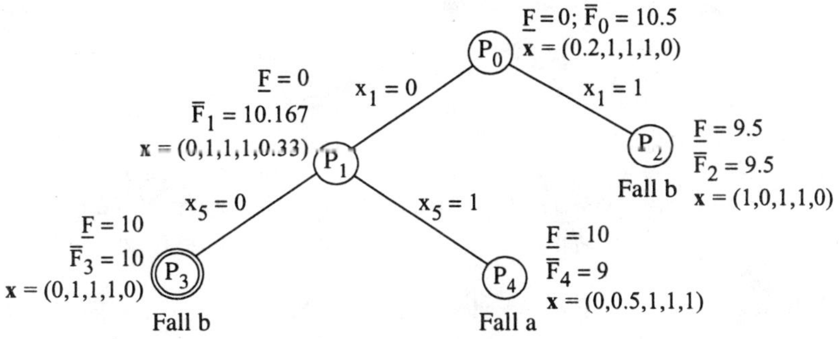

Die Knoten werden in ihrer Nummerierungsreihenfolge erzeugt, d.h. in die Kandidatenliste aufgenommen, und gemäß der MUB-Regel in der Reihenfolge P_0, P_2, P_1, P_3, P_4 ausgelotet bzw. aufgrund vollständiger Verzweigung aus der Kandidatenliste entfernt.

Ergebnis: Die Tagungen in Hamburg, Aachen und Helsinki sollten besucht werden, da dann ein maximaler Nutzen von 10 eintritt und bei Kosten von 3500 € das Budget von 4000 € nicht überschritten wird.

Aufgabe 6.15:

a) Rechts geben wir eine graphische Darstellung des Modells P (zulässige Lösungen sind als Kreise gekennzeichnet).

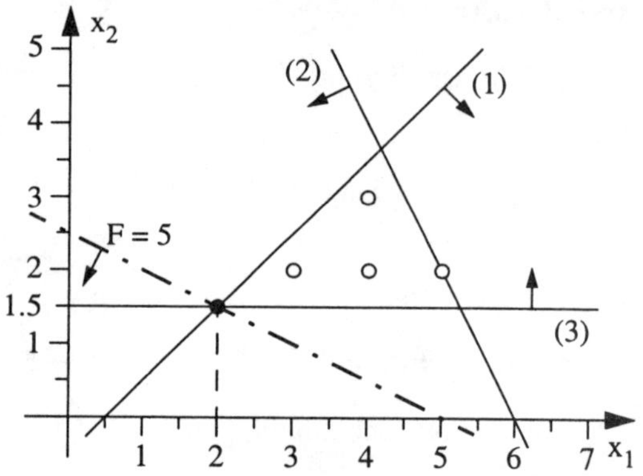

b) Im Rahmen des B&B-Verfahrens angewendete Regeln:

- keine Startheuristik zur Ermittlung einer ersten zulässigen Lösung; daher Initialisierung der globalen oberen Schranke $\overline{F}$ mit ∞
- LP-Relaxation P_i' von Problem P_i, d.h. Weglassen der Ganzzahligkeitsbedingungen
- MLB-Regel zur Auswahl des nächsten zu verzweigenden Teilproblems P_i
- Verzweigen nach derjenigen Variablen mit größtem nichtganzzahligem Anteil, Bildung von jeweils zwei Teilproblemen mit einer zusätzlichen oberen bzw. unteren Schranke für die Verzweigungsvariable x_j: $x_j \le \lfloor x_j' \rfloor$ bzw. $x_j \ge \lfloor x_j' \rfloor + 1$ (x_j' gibt den Wert der Variablen x_j in der Lösung von P_i' an)
- Ausloten von Teilproblem P_i nach den üblichen Regeln.

Es ergibt sich der folgende B&B-Baum:

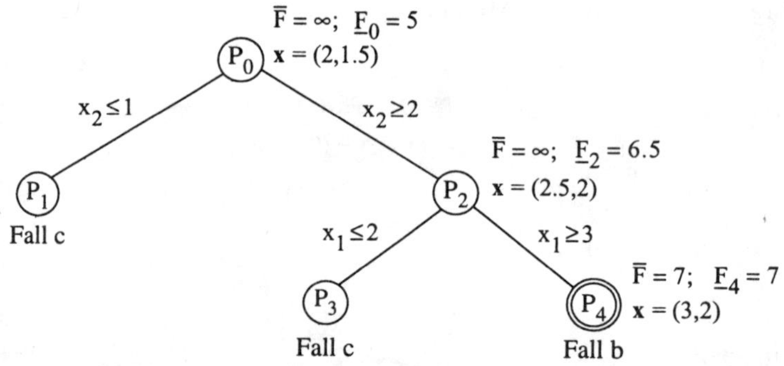

c) Das zur LP-Relaxation P' von P duale Modell DP' ergibt sich mit Hilfe der Dualisierungsregeln nach Umformung der Bedingung (2) in eine ≥-Bedingung wie folgt:

Maximiere $FD(\mathbf{w}) = 0.5w_1 - 12w_2 + 1.5w_3$

unter den Nebenbedingungen

$$w_1 - 2w_2 \le 1 \qquad (1)$$

$$-w_1 - w_2 + w_3 \le 2 \qquad (2)$$

$$w_1, w_2, w_3 \ge 0 \qquad (3)$$

d) Das Modell DP (DP' mit ganzzahligen w_i) wird mit dem Verfahren aus b) optimiert, wobei die LP-Relaxation mit Hilfe des Simplex-Algorithmus gelöst wird. In P_0 ist das Modell DP' als LP-Relaxation zu lösen:

	w_1	w_2	w_3	w_4	w_5	
w_4	1	–2	0	1	0	1
w_5	–1	–1	[1]	0	1	2
FD	–0.5	12	–1.5			0
w_4	[1]	–2	0	1	0	1
w_3	–1	–1	1	0	1	2
FD	–2	10.5	0	0	1.5	3
w_1	1	–2	0	1	0	1
w_3	0	–3	1	1	1	3
FD	0	6.5	0	2	1.5	5

Die Lösung von DP' ist ganzzahlig, weshalb P_0 ausgelotet werden kann. Die optimale Lösung des ganzzahligen Modells DP ist demnach $\mathbf{w}^* = (1,0,3)$ mit dem Zielfunktionswert FD* = 5.

e) Aus dem Optimaltableau des dualen Modells DP' lässt sich die optimale Lösung des primalen Modells P' ablesen. Die optimalen Werte der primalen Strukturvariablen entsprechen den Schattenpreisen der dualen Schlupfvariablen; vgl. Domschke und Drexl (2005, Bem. 2.8). Die Dualisierung in c) ist also korrekt, da die Lösung von P_0' in Aufgabenteil b) ($\mathbf{x} = (2,1.5)$ mit Zielfunktionswert 5) den Werten von $-c_4$, $-c_5$ und FD in der Zielfunktionszeile des letzten Tableaus aus d) entspricht.

f) Die LP-Relaxationen P' und DP' von P bzw. DP sind zueinander dual. Aufgrund des Einschließungssatzes weisen ihre optimalen Lösungen den gleichen Zielfunktionswert auf; vgl. Domschke und Drexl (2005, Satz 2.5). Die optimale Lösung von P' liefert eine untere Schranke für P und die optimale Lösung von DP' eine obere Schranke für DP. Nur wenn beide Relaxationen ganzzahlige Optima haben, stimmen die Zielfunktionswerte aller betrachteten Probleme überein. Hier gilt zwar F*(P') = FD*(DP') = FD*(DP) = 5, jedoch F*(P) = 7.

Aufgabe 6.16:

1) Für u = 0 ist das folgende (einperiodige) Knapsack-Problem zu lösen:

   Minimiere $\Phi(\mathbf{x}) = 9x_1 + 5x_2 + 4x_3 + 0 \cdot (14 - 8x_1 - 3x_2 - 6x_3)$

   unter den Nebenbedingungen

   $6x_1 + 5x_2 + 6x_3 \geq 10$ (1)

   $x_1, x_2, x_3 \in \{0,1\}$ (3)

   Um die Nebenbedingung (1) zu erfüllen, ist es nötig, dass mindestens zwei Variablen den Wert 1 besitzen. Die kostenminimale Lösung ist $\mathbf{x} = (0,1,1)$, die die untere Schranke $\underline{F}_0 = 9$ liefert. Sie erfüllt jedoch nicht die Nebenbedingung:

   $8x_1 + 3x_2 + 6x_3 \geq 14$ (2)

   Laut Aufgabenstellung erhöhen wir daher u auf 1/2.

2) Bei u = 1/2 lautet die Zielfunktion:

   Minimiere $\Phi(\mathbf{x}) = 9x_1 + 5x_2 + 4x_3 + 7 - 4x_1 - 1.5x_2 - 3x_3 = 5x_1 + 3.5x_2 + x_3 + 7$

   Die optimale Lösung der Relaxation ist wiederum $\mathbf{x} = (0,1,1)$. Sie besitzt nun jedoch den Zielfunktionswert 11.5 und führt daher zu einer verbesserten unteren Schranke $\underline{F}_0 = 11.5$. Sie ist wiederum nicht zulässig bezüglich Bedingung (2). Wir erhöhen daher u erneut um 1/2.

3) Bei u = 1 lautet die Zielfunktion:

   Minimiere $\Phi(\mathbf{x}) = 9x_1 + 5x_2 + 4x_3 + 14 - 8x_1 - 3x_2 - 6x_3 = x_1 + 2x_2 - 2x_3 + 14$

   Die optimale Lösung der Relaxation ist $\mathbf{x} = (1,0,1)$ mit dem Zielfunktionswert 13 und damit der erneut verbesserten unteren Schranke $\underline{F}_0 = 13$.

   Da die Lösung darüber hinaus die Bedingung (2) erfüllt und auch im Ausgangsproblem den Zielfunktionswert 13 besitzt, handelt es sich um die optimale Lösung des Problems.

Kapitel 7: Dynamische Optimierung

Aufgabe 7.1:

Betrachten Sie den Netzplan aus Aufgabe 5.1! Formulieren Sie das Problem der Bestimmung des kritischen Weges bzw. der minimalen Projektdauer als Problem der dynamischen Optimierung (DO)! Welche Darstellungsart für Netzpläne verwenden Sie? Lösen Sie das Problem mit Hilfe einer Vorwärtsrekursion!

Aufgabe 7.2:

Heinz Hektisch bleiben 7 Tage Zeit, bis seine Abschlussprüfungen in drei Prüfungsfächern beginnen. Diese Zeit will er so effektiv wie möglich nutzen.

Da er den Mut zur Lücke nicht hat, benötigt er für jedes Fach mindestens einen Tag. Pro Tag kann und will er sich jeweils nur mit genau einem Fach und mit jedem Fach höchstens 4 Tage beschäftigen.

Das Ergebnis der Prüfungen hängt natürlich jeweils vom Lernaufwand ab. Die geschätzten Punktzahlen pro Fach und Anzahl Lerntage sind nebenstehender Tabelle zu entnehmen.

# Arbeitstage	Fach 1	Fach 2	Fach 3
1	4	3	5
2	4	5	6
3	5	5	8
4	8	7	8

Investiert er z.B. 1 Arbeitstag für Fach 3, so bekommt er in der Prüfung voraussichtlich 5 Punkte.

Wie soll er sich die Woche einteilen, d.h. wie viele der 7 Tage soll er sich jeweils mit den Fächern 1, 2, 3 beschäftigen, so dass er in den Prüfungen so viele Punkte wie möglich erreicht? Helfen Sie ihm mit DO! Gehen Sie dabei von folgenden Überlegungen aus: Die Stufen entsprechen den Fächern. Die Entscheidungsvariable x_k gibt die Zahl der für Fach k einzuplanenden Arbeitstage an. Die Zustände beschreiben die Anzahl bereits verplanter Arbeitstage.

a) Geben Sie die Zustandsmengen Z_k $(k = 0,...,n)$ an! Welche Werte sind für die Entscheidungsvariablen x_k jeweils grundsätzlich möglich?

   Wie lautet die Transformationsfunktion $t_k(z_{k-1}, x_k)$? Wie könnte man eine Zielfunktion formulieren? Geben Sie beispielhaft $f_3(z_2, x_3 = 1)$ und $f_2(z_1, x_2 = 4)$ an!

b) Lösen Sie das Problem aus a) mittels DO! Verwenden Sie dabei die Rückwärtsrekursion! Geben Sie die von Ihnen verwendete Funktionalgleichung und die Bedeutung der dort auftretenden $F_k^*(z_k)$ an!

   Wie lautet eine für Heinz optimale Politik? Welche Gesamtpunktzahl kann er damit erreichen? Ist die erhaltene Lösung optimal oder suboptimal?

Aufgabe 7.3:

Gegeben ist das folgende LP:

Maximiere $F(x_1,x_2) = x_1 + 2x_2$

unter den Nebenbedingungen

$$x_1 + x_2 \leq 100 \quad (1)$$

$$6x_1 + 9x_2 \leq 720 \quad (2)$$

$$x_2 \leq 60 \quad (3)$$

$$x_1, x_2 \geq 0 \quad (4)$$

a) Das Problem soll mit DO gelöst werden. Zerlegen Sie das Problem dazu in Entscheidungsstufen und geben Sie die von Ihnen verwendeten Zustände, Entscheidungen, stufenbezogenen Zielfunktions- und Transformationsterme sowie Funktionalgleichungen an!

b) Lösen Sie das Problem mit einem rückwärtsrekursiven DO-Verfahren![1]

Aufgabe 7.4:

Der Höhepunkt der alljährlichen Ritterspiele in der Grafschaft Katzenelnbogen ist die so genannte Drachenjagd, der sich alle tapferen jungen Männer des Marktfleckens stellen müssen.

Der Wettbewerb findet wie folgt statt: Drei Drachen unterschiedlicher Größe (XL, M und S) sind mit Pfeilen zu durchbohren. Während des "Kampfes" weiß der Ritter nicht, ob seine bereits abgeschossenen Pfeile getroffen haben. Pro Drache steht ein Pfeil zur Verfügung; darüber hinaus können insgesamt zwei Zusatzpfeile eingesetzt werden.

Ritter A. von Scholl und Rauch ist ein angesehener Mann in K. und möchte seinen ehrenhaften Ruf nicht durch eine Blamage bei der Drachenjagd beflecken. Ohne Einsatz der Zusatzpfeile (d.h. mit nur einem Schuss pro Drachen) verfehlt er den angepeilten Drachen mit einer Wahrscheinlichkeit von 0.3 (XL), 0.6 (M) bzw. 0.9 (S).

Verwendet er zusätzliche Pfeile, so sinkt die Wahrscheinlichkeit, den Drachen nicht zu erlegen. Die nebenstehende Tabelle zeigt die Verfehlungswahrscheinlichkeiten bezüglich der drei Drachen, wenn 0, 1 oder 2 Zusatzpfeile eingesetzt werden.

# Zusatzpfeile	Drache 1 XL	Drache 2 M	Drache 3 S
0	0.3	0.6	0.9
1	0.2	0.5	0.65
2	0.15	0.35	0.45

Das peinlichste Erlebnis für einen edlen Ritter ist, wenn er keinen der drei Drachen erlegen kann, d.h. wenn er alle drei Drachen mit seinen Pfeilen verfehlt; denn dann hat er keine Chance auf die Gunst des holden Burgfräuleins S. von der Lahn. Wie soll sich der tapfere Ritter A. seine Zusatzpfeile einteilen, so dass die Wahrscheinlichkeit, alle drei Drachen zu verfehlen, minimal ist?

1 LP-Modelle sind mit DO nicht effizient lösbar; an obigem Beispiel lässt sich jedoch das Prinzip der DO verdeutlichen und vertiefen.

Sie werden gebeten, ihm mit DO zu helfen. Legen Sie dabei folgende Überlegungen zu Grunde: Die Stufen entsprechen den Drachen. Die Entscheidungsvariablen x_k geben die Zahl der für einen Drachen k einzusetzenden Zusatzpfeile an. Die Zustände entsprechen der Anzahl noch verfügbarer Zusatzpfeile.

a) Geben Sie die Zustandsmengen Z_k $(k = 0,...,n)$ an! Welche Werte sind für die Entscheidungsvariablen x_k jeweils grundsätzlich möglich? Wie lautet die Transformationsfunktion $t_k(z_{k-1}, x_k)$? Wie könnte man eine Zielfunktion formulieren?

b) Lösen Sie das Problem aus a) mittels DO! Verwenden Sie dabei die Vorwärtsrekursion! Geben Sie die von Ihnen verwendete Funktionalgleichung und die Bedeutung der dort auftretenden $F_k^*(z_k)$ an!

   Wie lautet eine für Ritter A. optimale Politik? Mit welcher "Blamierwahrscheinlichkeit" muss er dann noch leben?

Aufgabe 7.5:

Wie in Aufgabe 3.9 bereits geschildert, betreibt die clevere Geschäftsfrau Biggi S. ein kleines Geschäft für Tenniszubehör. Mit Hilfe der Notation der DO lässt sich ihre Situation wie folgt darstellen:

Frau S. kann den Bedarf b_k an Tennisbällen für die kommenden 4 Wochen $k = 1,...,4$ ziemlich genau abschätzen. Da sie während ihres Studiums in einer Vorlesung zur Einführung in die Betriebswirtschaftslehre etwas vom ökonomischen Prinzip gehört hat, möchte sie die in diesem Zeitraum benötigten Tennisbälle kostenminimal einkaufen und lagern. Dabei kann sie auf Grund von Händlerzusagen davon ausgehen, dass der Einkaufspreis pro Ball konstant bleibt.

Für die Lagerung nicht verkaufter Bälle entstehen variable Lagerhaltungskosten c_k (GE pro Stück und Woche). Zur Vereinfachung der Berechnung wird davon ausgegangen, dass die Nachfrage b_k jeweils zu Beginn der Woche k auftritt, entsprechende Bälle also in k nicht mehr gelagert werden müssen.

Woche k	1	2	3	4
b_k	70	40	50	60
Φ_k	25	30	37	52
c_k	0.5	0.4	0.3	(0.3)

Bei einer Bestellung von Tennisbällen bei ihrem Lieferanten (jeweils zu Beginn einer Woche k) entstehen Frau S. fixe Bestellkosten in Höhe von Φ_k GE. Eine Bestellung trifft jeweils noch am gleichen Tag ein und kann somit sofort zur Deckung des aktuellen Wochenbedarfs verwendet werden. Obige Tabelle enthält die entsprechenden Daten.

Wie viele Bälle sind zu Beginn jeder der 4 Wochen zu bestellen (falls bestellt wird), so dass die Gesamtkosten minimal werden?

Lösen Sie das Problem mit Hilfe der DO! Gehen Sie dabei davon aus, dass das Lager zu Beginn und am Ende des betrachteten Zeitraumes leer ist!

Aufgabe 7.6:

Der Handelsvertreter Erwin P. ist bekannt für seine Eskapaden und Frauengeschichten. Jeden Tag steht Erwin erneut vor dem Problem, eine Anzahl von Kunden in verschiedenen Orten zu besuchen, so dass die dabei insgesamt zurückzulegende Entfernung so gering wie möglich ist; morgens will er so spät wie möglich losfahren, und abends wird er in der Regel auch schon erwartet. (Der geübte Unternehmensberater riecht hier ein TSP.) Im Gegensatz zum üblichen TSP handelt es sich bei Erwin jedoch um ein so genanntes *offenes* TSP, da ein elementarer (zyklenfreier) Weg in einem Graphen G gesucht ist, der, ausgehend von einem Startknoten a (z.B. Freundin Antje) und endend in einem Zielknoten b (z.B. Verlobte Berta), jeden Knoten von G genau einmal enthält.

Da Erwin in der Regel nur sehr wenige Besuche pro Tag erledigt, ist G klein genug, so dass die Bestimmung einer optimalen Lösung mit Hilfe der DO möglich sein sollte.

a) Geben Sie die allgemeine Form eines Modells der DO zur Lösung von offenen TSPen an!

   Hinweis: Verwenden Sie u.a. die Begriffe Entscheidung, Anfangs-, Endzustand!

b) Lösen Sie für Erwin das Problem mit 3 Besuchsorten und den in der Tabelle angegebenen Entfernungen c_{ij} mit Hilfe der DO unter Verwendung Ihrer Modellformulierung aus a) optimal!

von\nach	a	1	2	3	b
a	–	3	5	4	6
1	3	–	3	4	3
2	5	3	–	2	5
3	4	4	2	–	4
b	6	3	5	4	–

Lösungen zu Kapitel 7: Dynamische Optimierung

Aufgabe 7.1:

Zur Lösung des Problems verwenden wir die Darstellung des Projekts als Vorgangspfeilnetzplan und führen zusätzliche Scheinvorgänge S_1, S_2, S_3 und S_4 ein, so dass jeder Weg vom Startknoten 0 zum Zielknoten 9 fünf Pfeile enthält, also der Graph in fünf Stufen unterteilbar ist (dies ist nicht unbedingt erforderlich, aber für den Einstieg in DO hilfreich). Der entstehende Netzplan hat folgendes Aussehen:

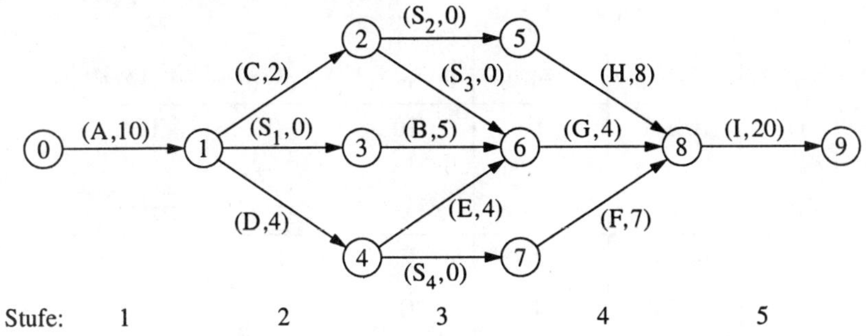

Die Vorgänge werden durch die zugehörigen Pfeile (i,j) im Vorgangspfeilnetzplan beschrieben (angegeben sind jeweils Knotenbezeichnung und -dauer). Die Knoten repräsentieren Zustände auf den Stufen 0,...,5. Die im Graphen bestehenden (direkten) Vorrangbeziehungen geben wir mit Hilfe von Vorgängermengen $\mathcal{V}(i)$ und Nachfolgermengen $\mathcal{N}(i)$ für die Knoten i = 0,...,9 an.

Eine Formulierung als DO-Modell lautet wie folgt:

Maximiere $F(x_1,...,x_5) = \sum_{k=1}^{5} f_k(z_{k-1},x_k) = \sum_{k=1}^{5} d(x_k)$

unter den Nebenbedingungen

$Z_0 = \{z_0 = 0\}$

$Z_k = \{z_k \in \mathcal{N}(z_{k-1}) \mid z_{k-1} \in Z_{k-1}\}$ für k = 1,...,5

$x_k \in X_k(z_{k-1}) = \{(z_{k-1},j) \mid j \in \mathcal{N}(z_{k-1})\}$ für k = 1,...,5

Dabei bedeuten:

Z_k Menge aller möglichen Zustände auf Stufe k

z_k Nummer des auf Stufe k gewählten Knotens (Zustands)

x_k Wahl eines Vorgangs auf Stufe k, d.h. Entscheidung auf Stufe k

$d(x_k)$ Dauer des Vorgangs x_k

Wir ermitteln die optimale Lösung des Problems mit Hilfe der *Vorwärtsrekursion*. (Da Anfangs- und Endzustand bekannt sind, kann alternativ die Rückwärtsrekursion durchgeführt werden.)

Im Anfangszustand gilt $F_0^*(z_0) = 0$. Allgemein bezeichnet $F_k^*(z_k)$ die Länge des längsten (d.h. des kritischen) Weges von z_0 nach z_k.

Für jeden Zustand z_k der Stufen k = 1,...,5 (bzw. für die von z_0 nach z_k führende Teilpolitik $(x_1,...,x_k)$) wird der optimale Zielfunktionswert mit der folgenden rekursiven Funktionalgleichung aus den optimalen Zielfunktionswerten der Vorgängerzustände auf Stufe k-1 bestimmt:

$$F_k^*(z_k) := \max\{ f_k(z_{k-1}, x_k) + F_{k-1}^*(z_{k-1}) \mid z_{k-1} \in \mathcal{V}(z_k) \text{ und } x_k \in X_k(z_{k-1}) \}$$

$$= \max\{ d(x_k) + F_{k-1}^*(z_{k-1}) \mid z_{k-1} \in \mathcal{V}(z_k) \text{ und } x_k \in X_k(z_{k-1}) \}$$

Dies ergibt folgenden Lösungsgang:

k = 1:

z_0	x_1	z_1	$f_1(z_0,x_1)$	$F_0^*(z_0)$	$F_1(z_1)$
0	(0,1)*	1	10	0	10*

k = 2:

z_1	x_2	z_2	$f_2(z_1,x_2)$	$F_1^*(z_1)$	$F_2(z_2)$
1	(1,2)*	2	2	10	12*
	(1,3)*	3	0	10	10*
	(1,4)*	4	4	10	14*

k = 3:

z_2	x_3	z_3	$f_3(z_2,x_3)$	$F_2^*(z_2)$	$F_3(z_3)$
2	(2,5)*	5	0	12	12*
2	(2,6)	6	0	12	12
3	(3,6)	6	5	10	15
4	(4,6)*	6	4	14	18*
4	(4,7)*	7	0	14	14*

k = 4:

z_3	x_4	z_4	$f_4(z_3,x_4)$	$F_3^*(z_3)$	$F_4(z_4)$
5	(5,8)	8	8	12	20
6	(6,8)*	8	4	18	22*
7	(7,8)	8	7	14	21

k = 5:

z_4	x_5	z_5	$f_5(z_4,x_5)$	$F_4^*(z_4)$	$F_5(z_5)$
8	(8,9)*	9	20	22	42*

Die minimale Projektdauer (Länge des längsten Weges) beträgt T* = 42. Die optimale Politik (der kritische Weg) lässt sich anhand der Markierungen in einer Rückwärtsrechnung ermitteln. Es ergibt sich sukzessive $z_5 = 9$, $z_4 = 8$, $z_3 = 6$, $z_2 = 4$, $z_1 = 1$ und $z_0 = 0$. Der kritische Weg ist daher w = (0, 1, 4, 6, 8, 9) bzw. (A, D, E, G, I).

Aufgabe 7.2:

a) Die Anzahl der *Stufen* (= Fächer) ist n = 3. Auf Stufe k = 1, 2, 3 gilt:

Entscheidungsvariable x_k: Anzahl Arbeitstage für Fach k

Zustand z_k: Anzahl bereits verplanter Arbeitstage, nachdem über die Fächer 1,...,k entschieden wurde

Zustandsmengen: $Z_0 = \{0\}$ (d.h. $z_0 := 0$ Anfangszustand)

$Z_1 = \{1,2,3,4\}$

$Z_2 = \{3,4,5,6\}$

$Z_3 = \{7\}$ (d.h. $z_3 := 7$ Endzustand)

Wertebereiche der Entscheidungsvariablen:

$x_k \in X_k(z_{k-1}) = \{1,\ldots,\min\{4,\ 7-z_{k-1}-n+k\}\}$ für k = 1,2,3

Transformationsfunktion:

$z_k = t_k(z_{k-1}, x_k) = z_{k-1} + x_k$ für k = 1,2,3

Mögliche *Zielfunktion:*

Maximiere $F(\mathbf{x}) = \sum_{k=1}^{3} f_k(z_{k-1}, x_k) = \sum_{k=1}^{3} c_k(x_k)$

Dabei gibt $c_k(x_k)$ die erwartete Punktzahl an, wenn x_k Lerntage für Fach k aufgewendet werden (vgl. die Tabelle in der Aufgabenstellung).

Beispielsweise gilt: $f_3(z_2, x_3 = 1) = 5$ und $f_2(z_1, x_2 = 4) = 7$

b) Lösung durch *Rückwärtsrekursion:*

$F_k^*(z_k)$ bezeichnet die Länge des längsten Weges (d.h. die maximale Punktzahl) von z_k nach z_3; $F_3^*(z_3) := 0$.

Für jeden Zustand $z_{k-1} \in Z_{k-1}$ bzw. für die von z_{k-1} nach z_3 führende Teilpolitik $(x_k,\ldots,x_3)$ wird der optimale Zielfunktionswert mit der folgenden rekursiven Funktionalgleichung aus den optimalen Zielfunktionswerten der Nachfolgezustände auf Stufe k bestimmt:

$$F_{k-1}^*(z_{k-1}) := \max\{f_k(z_{k-1}, x_k) + F_k^*(z_k = t_k(z_{k-1}, x_k)) \mid x_k \in X_k(z_{k-1})\}$$

Dies ergibt folgenden Lösungsgang:

k = 3:

z_3	x_3	z_2	$f_3(z_2,x_3)$	$F_3^*(z_3)$	$F_2(z_2)$
7	1*	6	5	0	5*
	2*	5	6	0	6*
	3*	4	8	0	8*
	4*	3	8	0	8*

k = 2:

z_2	x_2	z_1	$f_2(z_1,x_2)$	$F_2^*(z_2)$	$F_1(z_1)$
6	2*	4	5	5	10*
	3	3	5	5	10
	4	2	7	5	12
5	1	4	3	6	9
	2*	3	5	6	11*
	3	2	5	6	11
	4*	1	7	6	13*
4	1*	3	3	8	11*
	2*	2	5	8	13*
	3*	1	5	8	13*
3	1	2	3	8	11
	2*	1	5	8	13*

k = 1:

z_1	x_1	z_0	$f_1(z_0,x_1)$	$F_1^*(z_1)$	$F_0(z_0)$
4	4*	0	8	10	18*
3	3	0	5	11	16
2	2	0	4	13	17
1	1	0	4	13	17

Die optimale Politik ist $x_1^* = 4$, $x_2^* = 2$, $x_3^* = 1$ mit dem Zielfunktionswert $F_0^*(z_0) = 18$. Das heißt, Heinz sollte die Arbeitstage wie folgt einplanen:

Fach 1: 4 Tage   Fach 2: 2 Tage   Fach 3: 1 Tag

So kann er in den Prüfungen voraussichtlich insgesamt 18 Punkte erreichen.

Diese mittels Rückwärtsrekursion ermittelte Lösung ist optimal, da sich in der DO die optimale (Gesamt-) Politik aus den optimalen Teilpolitiken zusammensetzt (Bellman'sches Optimalitätsprinzip).

Aufgabe 7.3:

a) *Problemzerlegung:* Das Problem wird in n = 2 Stufen zerlegt. In Stufe 1 wird der Wert der Variablen x_1 und in Stufe 2 derjenige von x_2 bestimmt.

Zustände: Es werden *mehrdimensionale* Zustandsvariablen $\mathbf{z}_k = (s_{1k}, s_{2k}, s_{3k})$ betrachtet. Dabei bezeichnet s_{ik} den im Zustand $\mathbf{z}_k$ verbliebenen Schlupf der Nebenbedingung $i = 1,2,3$. Als Anfangszustand fungiert $\mathbf{z}_0 = (b_1, b_2, b_3) = (100, 720, 60)$. Es gibt keinen eindeutigen Endzustand z_2, da in einer optimalen Lösung nicht alle Nebenbedingungen mit Gleichheit erfüllt sein müssen. Allerdings gilt $\mathbf{z}_2 \geq (0,0,0)$.

Entscheidungen: In einem Zustand $\mathbf{z}_{k-1}$ wird eine Entscheidung über den Wert der Variablen x_k getroffen. Der Wertebereich $X_k(\mathbf{z}_{k-1})$ kann aus dem jeweiligen Zustand $\mathbf{z}_{k-1}$ unter Verwendung des Spaltenvektors $\mathbf{a}_k$ (k-ter Spaltenvektor der Koeffizientenmatrix A) wie folgt ermittelt werden: $x_k \mathbf{a}_k \leq \mathbf{z}_{k-1}$

Transformationsfunktion:

$$\mathbf{z}_k = (s_{1k}, s_{2k}, s_{3k}) := (s_{1,k-1} - x_k a_{1k},\ s_{2,k-1} - x_k a_{2k},\ s_{3,k-1} - x_k a_{3k}) = \mathbf{z}_{k-1} - x_k \mathbf{a}_k$$

Stufenbezogene Zielfunktion:

$$f_k(\mathbf{z}_{k-1}, x_k) := c_k x_k$$

Die *Funktionalgleichung* lautet bei Rückwärtsrekursion:

$$F^*_{k-1}(\mathbf{z}_{k-1}) = \max\{c_k x_k + F^*_k(\mathbf{z}_k) \mid x_k \mathbf{a}_k \leq \mathbf{z}_{k-1} \text{ mit } \mathbf{z}_k \in Z_k\}$$

Es gilt $F^*_2(\mathbf{z}_2) = 0$.

b) Wir beginnen bei **Stufe k = 2:**

$$F^*_1(\mathbf{z}_1) = \max\{c_2 x_2 \mid x_2 \leq s_{11} \wedge x_2 \leq s_{21}/9 \wedge x_2 \leq s_{31}\} = 2 \cdot \min\{s_{11}, s_{21}/9, s_{31}\}$$

Hinweis: Der Wert der Variable x_2 darf nur so groß sein, dass keine der Nebenbedingungen verletzt wird; vgl. die Pivotzeilenwahl beim Simplex-Algorithmus!

Für **Stufe k = 1** gilt:

$$\begin{aligned} F^*_0(\mathbf{z}_0) &= x_1 + 2x_2 \\ &= \max\{x_1 + 2 \cdot \min\{100 - x_1, (720 - 6x_1)/9, 60\} \mid x_1 \leq 100 \wedge 6x_1 \leq 720\} \end{aligned}$$

Nun gilt:

$$\min\{100 - x_1, (720 - 6x_1)/9, 60\} = \begin{cases} 100 - x_1 & 60 \leq x_1 \\ 80 - 2/3 x_1 \quad \text{für} & 30 \leq x_1 \leq 60 \\ 60 & 0 \leq x_1 \leq 30 \end{cases}$$

Daraus ergibt sich:

$$\begin{aligned} F^*_0(\mathbf{z}_0) &= \max\{x_1 + 2 \cdot \min\{100 - x_1, (720 - 6x_1)/9, 60\} \mid x_1 \leq 100\} \\ &= \max \left\{ \begin{array}{lll} 200 - x_1 & & 60 \leq x_1 \leq 100 \\ 160 - x_1/3 & \text{für} & 30 \leq x_1 \leq 60 \\ 120 + x_1 & & 0 \leq x_1 \leq 30 \end{array} \right\} = \max\{140, 150, 150\} = 150 \end{aligned}$$

Die optimale Lösung für Stufe 1 ist $x_1^* = 30$. Auf Stufe 2 ergibt sich $x_2^* = \min\{100 - x_1^*, (720 - 6x_1^*) / 9, 60\} = \min\{70, 60, 60\} = 60$. Der optimale Zielfunktionswert ist $F^* = 150$.

Aufgabe 7.4:

a) Die Anzahl der Stufen (= Drachen) ist $n = 3$. Auf Stufe $k = 1,2,3$ gilt:

Entscheidungsvariable x_k: Anzahl Zusatzpfeile für den Drachen k

Zustand z_k: Anzahl noch verfügbarer Zusatzpfeile, nachdem auf die Drachen 1,...,k geschossen wurde

Zustandsmengen:

$Z_0 = \{2\}$ (d.h. $z_0 := 2$ Anfangszustand)

$Z_1 = \{0,1,2\}$

$Z_2 = \{0,1,2\}$

$Z_3 = \{0\}$ (d.h. $z_3 := 0$ Endzustand)

Da die Wahrscheinlichkeit, einen beliebigen der Drachen zu verfehlen, mit dem Einsatz jedes Zusatzpfeils geringer wird, ist es sinnvoll, alle Pfeile zu verbrauchen.

Wertebereiche der Entscheidungsvariablen:

$x_k \in X_k(z_{k-1}) \subseteq \{0,1,2\}$ für $k = 1,2,3$

Transformationsfunktion:

$z_k = t_k(z_{k-1}, x_k) = z_{k-1} - x_k$ für $k = 1,2,3$

Mögliche *Zielfunktion:*

Minimiere $F(\mathbf{x}) = \prod_{k=1}^{3} f_k(z_{k-1}, x_k) = \prod_{k=1}^{3} c_k(x_k)$

Dabei gibt $c_k(x_k)$ die Wahrscheinlichkeit an, den Drachen k zu verfehlen, wenn für diesen x_k Zusatzpfeile verwendet werden (vgl. die Tabelle in der Aufgabenstellung).

b) Lösung durch *Vorwärtsrekursion:*

$F_k^*(z_k)$ ist der Zielfunktionswert der optimalen Teilpolitik von z_0 bis z_k mit $F_0^*(z_0) := 1$.

Für jeden Zustand z_k der Stufen $k = 1,2,3$ bzw. für die von z_0 nach z_k führende Teilpolitik $(x_1,...,x_k)$ wird der optimale Zielfunktionswert $F_k^*(z_k)$ mit der folgenden rekursiven Funktionalgleichung aus den optimalen Zielfunktionswerten $F_{k-1}^*(z_{k-1})$ der Vorgängerzustände auf Stufe $k-1$ bestimmt:

$$F_k^*(z_k) := \min\{ f_k(z_{k-1}, x_k) \cdot F_{k-1}^*(z_{k-1}) \mid z_{k-1} \in \mathcal{V}(z_k) \text{ und } x_k \in X_k(z_{k-1}) \}$$

Dies ergibt folgenden Lösungsgang:

k = 1:

z_0	x_1	z_1	$f_1(z_0, x_1)$	$F_0^*(z_0)$	$F_1(z_1)$
2	0*	2	0.3	1	0.3*
	1*	1	0.2	1	0.2*
	2*	0	0.15	1	0.15*

k = 2:

z_1	x_2	z_2	$f_2(z_1,x_2)$	$F_1^*(z_1)$	$F_2(z_2)$
2	0*	2	0.6	0.3	0.18*
	1	1	0.5	0.3	0.15
	2	0	0.35	0.3	0.105
1	0*	1	0.6	0.2	0.12*
	1	0	0.5	0.2	0.10
0	0*	0	0.6	0.15	0.09*

k = 3:

z_2	x_3	z_3	$f_3(z_2,x_3)$	$F_2^*(z_2)$	$F_3(z_3)$
2	2	0	0.45	0.18	0.081
1	1*	0	0.65	0.12	0.078*
0	0	0	0.9	0.09	0.081

Die optimale Politik ist $x_1^* = 1$, $x_2^* = 0$, $x_3^* = 1$ mit dem Zielfunktionswert $F_3^*(z_3) = 0.078$. Ritter A. sollte somit die Zusatzpfeile wie folgt einplanen:

Drache XL: 1 Zusatzpfeil

Drache M: 0 Zusatzpfeile

Drache S: 1 Zusatzpfeil

So kann er die "Blamierwahrscheinlichkeit" wenigstens auf $0.078 = 7.8\,\%$ reduzieren. Ohne Einsatz von Zusatzpfeilen beträgt sie $0.3 \cdot 0.6 \cdot 0.9 = 0.162 = 16.2\,\%$.

Aufgabe 7.5:

Es liegt ein Problem mit vier Perioden vor, für die jeweils eine Entscheidung hinsichtlich einer Bestellung zu treffen ist. Zur Modellierung verwenden wir folgende Bezeichnungen:

z_k Lagerbestand am Ende der Periode k, wobei $z_0 = z_4 = 0$ vorgegeben ist

Z_k Menge möglicher Lagerzustände (Lagermengen) am Ende von Periode k

x_k Anzahl der zu Beginn der Periode k einzukaufenden (und zum selben Zeitpunkt bereits verfügbaren) Bälle. Der Bedarf b_k wird ebenfalls zu Beginn der Periode unmittelbar aus der eintreffenden Lieferung x_k oder aus dem Lagerbestand gedeckt.

$X_k(z_{k-1})$ mögliche Bestellmengen für Periode k

$z_k = z_{k-1} + x_k - b_k$ Lagerbilanzgleichung (Transformationsfunktion)

$f_k(z_{k-1}, x_k)$ periodenbezogene Kosten, bestehend aus bestellfixen Kosten Φ_k (falls bestellt wird) und Lagerhaltungskosten $c_k z_k$, d.h.

$$f_k(z_{k-1},x_k) = \begin{cases} \Phi_k + c_k \cdot (z_{k-1} + x_k - b_k) & \text{falls } x_k > 0 \\ c_k \cdot (z_{k-1} + x_k - b_k) & \phantom{\text{falls }} x_k = 0 \end{cases}$$

Hinsichtlich der möglichen Lagerzustände lässt sich folgende *Optimalitätsbedingung* (Regenerationseigenschaft) ausnutzen:

Es wird in einer Periode nur dann bestellt, wenn das Lager zu Beginn leer war. Darüber hinaus ist es wegen der anfallenden bestellfixen Kosten und Lagerhaltungskosten ökonomisch nur sinnvoll, zukünftige Periodenbedarfe entweder vollständig oder überhaupt nicht zu bestellen und auch nur in der Reihenfolge ihres Auftretens in eine Bestellung aufzunehmen. Damit ergeben sich die in der folgenden Abbildung enthaltenen Lagerzustände (Knoten des Graphen) und Entscheidungsalternativen (Kanten). Die Kantenbewertungen sind $(x_k, f_k(z_{k-1}, x_k))$.

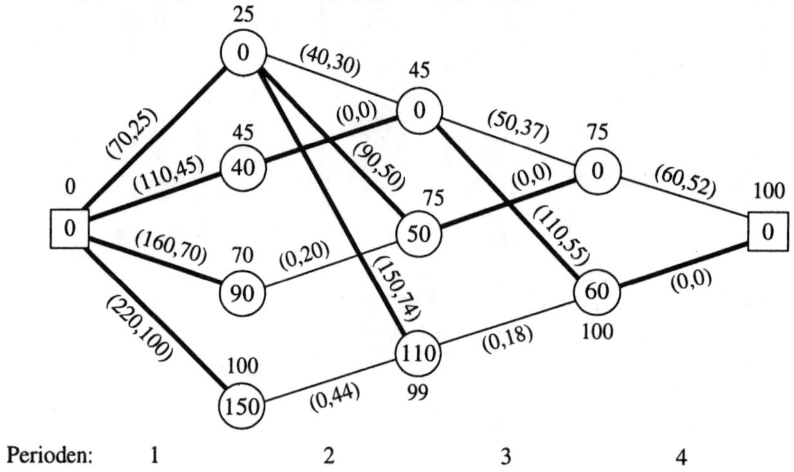

Bei der Berechnung der optimalen Politik verwenden wir eine Vorwärtsrekursion. Die optimale Politik und optimale Teilpolitiken (vom Zustand z_0 zu jedem möglichen Zustand in den Perioden 1 bis 3) sind fett hervorgehoben; die minimalen Kosten sind als Knotenbewertungen notiert. Die optimale Politik ist $\mathbf{x}^* = (x_1^*, x_2^*, x_3^*, x_4^*) = (110,0,110,0)$ mit Kosten von 100 GE.

Aufgabe 7.6:

a) Das zu betrachtende offene TSP lässt sich wie folgt als diskretes, deterministisches DO-Modell mit endlichen Zustands- und Entscheidungsmengen formulieren. Sei dazu $V = \{1,...,n\}$ die Menge der anzulaufenden Knoten des Graphen G ohne den Startknoten $j_0 := a$ und ohne den Zielknoten $j_{n+1} := b$.

Entscheidung: Auf jeder Stufe $k = 1,...,n + 1$ wird über den Besuch eines Knotens $x_k = j_k$ entschieden.

Ein *Zustand* $z_k := (j_k;\{j_0,...,j_{k-1}\})$ wird durch den in Stufe k besuchten Knoten j_k sowie die Menge der zuvor durchlaufenen Knoten bestimmt.

Anfangszustand: $z_0 = (a;\{\})$; Endzustand: $z_{n+1} = (b;\{j_0,...,j_n\})$

Ausgehend von einem Zustand $z_{k-1} := (j_{k-1};\{j_0,...,j_{k-2}\})$ auf Stufe $k-1$, ergibt sich bei der Entscheidung, Knoten j_k anzulaufen, der folgende *stufenbezogene Zielfunktionswert:*

$f_k(z_{k-1}, j_k) := c_{j_{k-1}j_k}$ Kosten beim Übergang von j_{k-1} nach j_k

Für die Funktionsgleichung ergibt sich:

$F_0^*(z_0) = 0$

$F_k^*(z_k) = \min\{F_{k-1}^*(z_{k-1}) + f_k(z_{k-1}, j_k) \mid z_{k-1}$ ist Vorgängerzustand von $z_k\}$

b) Wir erhalten folgenden Lösungsgang bei Anwendung der Vorwärtsrekursion:

k = 1:

z_0	j_1	z_1	$f_1(z_0, j_1)$	$F_0^*(z_0)$	$F_1(z_1)$
(a, { })	1	(1;{a})	3	0	3*
	2	(2;{a})	5	0	5*
	3	(3;{a})	4	0	4*

k = 2:

z_1	j_2	z_2	$f_2(z_1, j_2)$	$F_1^*(z_1)$	$F_2(z_2)$
(1;{a})	2	(2;{a,1})	3	3	6*
	3	(3;{a,1})	4	3	7*
(2;{a})	1	(1;{a,2})	3	5	8*
	3	(3;{a,2})	2	5	7*
(3;{a})	1	(1;{a,3})	4	4	8*
	2	(2;{a,3})	2	4	6*

k = 3:

z_2	j_3	z_3	$f_3(z_2, j_3)$	$F_2^*(z_2)$	$F_3(z_3)$
(2;{a,1})	3	(3;{a,1,2})	2	6	8*
(3;{a,1})	2	(2;{a,1,3})	2	7	9*
(1;{a,2})	3	(3;{a,1,2})	4	8	12
(3;{a,2})	1	(1;{a,2,3})	4	7	11
(1;{a,3})	2	(2;{a,1,3})	3	8	11
(2;{a,3})	1	(1;{a,2,3})	3	6	9*

k = 4 mit dem Endzustand z_4 = (b;{a,1,2,3}):

z_3	j_4	$f_4(z_3, j_4)$	$F_3^*(z_3)$	$F_4(z_4)$
(3;{a,1,2})	b	4	8	12*
(2;{a,1,3})	b	5	9	14
(1;{a,2,3})	b	3	9	12*

Es gibt zwei optimale Lösungen (a,1,2,3,b) und (a,3,2,1,b). Der optimale Zielfunktionswert beträgt jeweils $F_4^*(z_4) = 12$.

Die Kantenbewertungen des folgenden Graphen geben die getroffenen Entscheidungen x_k an. An den Knoten sind die optimalen stufenbezogenen Zielfunktionswerte notiert. Die optimalen Politiken sind hervorgehoben.

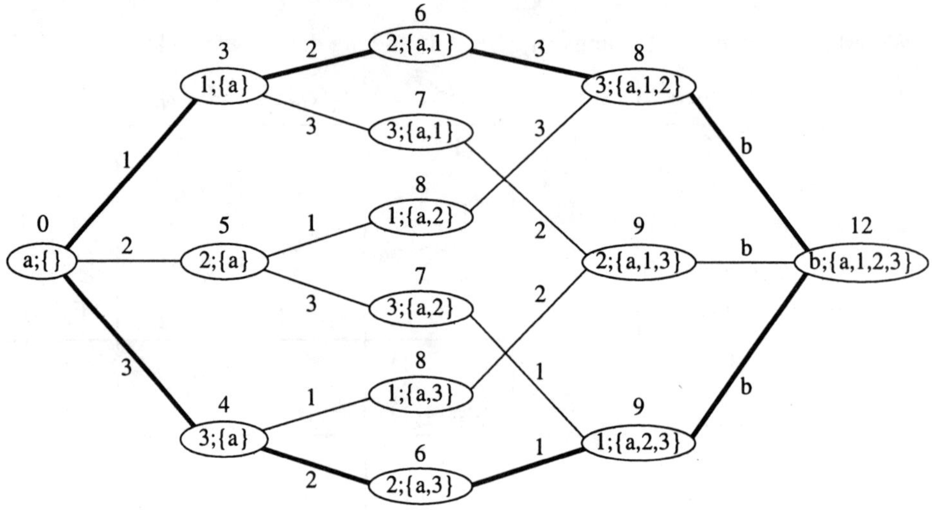

Kapitel 8: Nichtlineare Optimierung

Aufgabe 8.1:

a) Welche der folgenden Matrizen sind positiv (semi-) definit, negativ (semi-) definit bzw. keines von beidem?

$$A = \begin{bmatrix} 2 & 0 \\ 0 & 2 \end{bmatrix} \qquad B = \begin{bmatrix} -2 & 0 \\ 0 & -6 \end{bmatrix} \qquad C = \begin{bmatrix} -2 & 4 \\ 4 & 4 \end{bmatrix} \qquad D = \begin{bmatrix} 0 & 0 \\ 0 & 1 \end{bmatrix}$$

b) Zeigen Sie, dass für zwei positiv (semi-) definite $n \times n$-Matrizen A und B die Matrix $A+B$ ebenfalls positiv (semi-) definit ist!

Aufgabe 8.2:

Welche der folgenden Funktionen sind über $\mathbb{R}$ bzw. $\mathbb{R}^2$ konkav, konvex bzw. keines von beidem?

a) $F(x) = 5x - 2x^2$

b) $F(x) = 4x^3 + x^4$

c) $F(x) = 12x - 7$

d) $F(x_1, x_2) = x_1 x_2 - x_1^2 - x_2^2$

Aufgabe 8.3:

a) Sei $F : X \to \mathbb{R}$ auf einer konvexen Menge X definiert.

Man zeige: F konvex $\Rightarrow$ F quasikonvex!

b) Sei $F : X \to \mathbb{R}$ und $X = \{(x_1, x_2) \in \mathbb{R}^2 \mid x_2 > 0\}$.

Man zeige, dass die Funktion $F(x_1, x_2) = |x_1| / x_2$ quasikonvex, aber nicht konvex ist!

Aufgabe 8.4:

Seien $f_1, \ldots, f_n : X \to \mathbb{R}$ konvexe Funktionen über einer konvexen Menge $X \subseteq \mathbb{R}^n$ und a_i für $i = 1, \ldots, n$ nichtnegative reelle Zahlen. Zeigen Sie, dass die Funktionen

a) $F(\mathbf{x}) := \max \{f_i(\mathbf{x}) \mid i = 1, \ldots, n\}$ bzw.

b) $F(\mathbf{x}) := \sum_{i=1}^{n} a_i f_i(\mathbf{x})$

für $\mathbf{x} \in X$ ebenfalls konvex sind!

Aufgabe 8.5:

Lösen Sie die folgenden Minimierungsaufgaben!

a) Minimiere $F(x) = -4x^3 + 8x^2 - 5x + 1$

unter der Nebenbedingung

$0 \le x \le 1$

b) Minimiere $F(\mathbf{x}) = x_1^2 + x_2^2 + x_3^2$

unter den Nebenbedingungen

$x_1 + x_2 + x_3 = 1$

$x_i \in \mathbb{R}$ für i = 1, 2, 3

Aufgabe 8.6:

Gegeben sei die Funktion $F(x) = -0.5x^2 - e^{-x}$.

a) Bestimmen Sie mit der Methode des goldenen Schnittes eine Näherung der Maximalstelle dieser Funktion! Man verwende das Anfangsintervall $[a_1,b_1]$ mit $a_1 = 0$, $b_1 = 1$ und führe zwei Schritte aus!

b) Eine weitere Methode zur eindimensionalen unrestringierten Minimierung ist das Newton-Verfahren, mit dessen Hilfe man bei zweimal stetig differenzierbaren Funktionen das bei konkaven Funktionen eindeutig bestimmte Maximum durch die Iterationsvorschrift

$$x^{k+1} = x^k - \frac{F'(x^k)}{F''(x^k)}$$ erhält.

Führen Sie bei gegebenem Startpunkt $x^0 = 0$ drei Schritte des Newton-Verfahrens durch!

c) Beschreiben Sie kurz die Vor- und Nachteile beider Verfahren!

Aufgabe 8.7:

Bestimmen Sie die Maximallösung der (konkaven) Funktion $F(x) = -\max\{e^{-x}, x\}$ mit der Methode des goldenen Schnittes! Wählen Sie $\varepsilon = 0.05$ als Abbruchschranke sowie $a_1 = 0$ und $b_1 = 1$ für das Anfangsintervall! Runden Sie Zwischenergebnisse jeweils auf drei Stellen nach dem Komma!

Aufgabe 8.8:

Sei $F : \mathbb{R}^n \to \mathbb{R}$ eine konkave, stetig differenzierbare Funktion. Zeigen Sie, dass die Funktion $H(\lambda) := F(\mathbf{x} + \lambda \cdot \nabla F(\mathbf{x}))$ mit $\lambda \in \mathbb{R}$ für beliebiges $\mathbf{x} \in \mathbb{R}^n$ konkav ist!

Aufgabe 8.9:

Man zeige, dass das Gradientenverfahren das quadratische Optimierungsmodell

Maximiere $F(\mathbf{x}) = \mathbf{b}^T\mathbf{x} - 1/2\mathbf{x}^T\mathbf{x}$

mit $\mathbf{x} \in \mathbb{R}^n$ und $\mathbf{b} \in \mathbb{R}^n$

in einem Schritt exakt löst!

Aufgabe 8.10:

Kann der Punkt $\mathbf{x} = (1,2)$ eine optimale Lösung des folgenden Optimierungsmodells sein?

Maximiere $F(x_1,x_2) = 36x_1 + 9x_1^2 - 6x_1^3 + 36x_2 - 3x_2^3$

unter den Nebenbedingungen

$$x_1 + x_2 \leq 3$$
$$x_1, x_2 \geq 0$$

Aufgabe 8.11:

Gegeben sei das Optimierungsmodell

Maximiere $F(x_1,x_2) = 8x_1 - x_1^2 + 4x_2 - x_2^2$

unter den Nebenbedingungen

$$x_1 + x_2 \leq 2$$
$$x_1, x_2 \geq 0$$

a) Verwenden Sie die Karush-Kuhn-Tucker-Bedingungen zur Herleitung einer optimalen Lösung!

b) Stellen Sie das Problem graphisch dar, und überprüfen Sie anhand der Zeichnung Ihre in a) abgeleitete Lösung!

Aufgabe 8.12:

Lösen Sie das folgende Optimierungsmodell mit dem Algorithmus von Wolfe:

Maximiere $F(\mathbf{x}) = \mathbf{c}^T\mathbf{x} - 1/2\,\mathbf{x}^T C\mathbf{x}$

unter den Nebenbedingungen

$$\mathbf{Ax} \leq \mathbf{b}$$
$$\mathbf{x} \geq \mathbf{0}$$

Dabei gilt $\mathbf{c}^T = (2,3)$, $\mathbf{b}^T = (3,5)$, $C = \begin{bmatrix} 4 & 1 \\ 1 & 6 \end{bmatrix}$ und $A = \begin{bmatrix} -0.5 & 1 \\ 1 & 0.5 \end{bmatrix}$.

Aufgabe 8.13:

Lösen Sie das Optimierungsmodell

Maximiere $F(x_1,x_2) = 12x_1 - x_1^2 + 4x_2 - x_2^2$

unter den Nebenbedingungen

$$4x_1 + 5x_2 \leq 20$$
$$2x_1 + x_2 \leq 7$$
$$x_1, x_2 \geq 0$$

mit der Methode der zulässigen Richtungen bzw. des steilsten Anstiegs! Starten Sie im Punkt $\mathbf{x}^{(0)} = (0,0)$!

Lösungen zu Kapitel 8: Nichtlineare Optimierung

Aufgabe 8.1:

a) Eine symmetrische, quadratische Matrix ist genau dann positiv (semi-) definit, wenn alle Eigenwerte positiv (nichtnegativ) sind; vgl. Satz 8.2 in Domschke und Drexl (2005, Kap. 8.2). Sie ist genau dann negativ (semi-) definit, wenn alle Eigenwerte negativ (nichtpositiv) sind. Die Eigenwerte λ einer Matrix H lassen sich durch Lösen der Gleichung $\det(H-\lambda \cdot I) = 0$, einem Polynom in λ, ermitteln.

Es gilt:

$$\det(A-\lambda\cdot I) = \det\begin{bmatrix} 2-\lambda & 0 \\ 0 & 2-\lambda \end{bmatrix} = (2-\lambda)^2 \overset{!}{=} 0 \;\Rightarrow\; \lambda = 2 > 0, \text{ d.h. A ist positiv definit.}$$

$$\det(B-\lambda\cdot I) = \det\begin{bmatrix} -2-\lambda & 0 \\ 0 & -6-\lambda \end{bmatrix} = (2+\lambda)(6+\lambda) \overset{!}{=} 0 \;\Rightarrow$$

$\lambda_1 = -2 < 0$, $\lambda_2 = -6 < 0$, d.h. B ist negativ definit.

$$\det(C-\lambda\cdot I) = \det\begin{bmatrix} -2-\lambda & 4 \\ 4 & 4-\lambda \end{bmatrix} = (2+\lambda)(\lambda-4) - 16 = \lambda^2 - 2\lambda - 24 \overset{!}{=} 0 \;\Rightarrow$$

$\lambda_1 = 6 > 0$, $\lambda_2 = -4 < 0$, d.h. C ist weder positiv noch negativ (semi-) definit.

$$\det(D-\lambda\cdot I) = \det\begin{bmatrix} -\lambda & 0 \\ 0 & 1-\lambda \end{bmatrix} = \lambda(\lambda-1) \overset{!}{=} 0 \;\Rightarrow\; \lambda_1 = 0,\ \lambda_2 = 1 > 0,$$

d.h. D ist positiv semidefinit, jedoch nicht positiv definit.

b) Seien A und B positiv semidefinite Matrizen und $\mathbf{x} \in \mathbb{R}^n$ ein n-dimensionaler Vektor. Dann gilt wegen $\mathbf{x}^T A \mathbf{x} \geq 0$ und $\mathbf{x}^T B \mathbf{x} \geq 0$ auch $\mathbf{x}^T (A+B) \mathbf{x} = \mathbf{x}^T A \mathbf{x} + \mathbf{x}^T B \mathbf{x} \geq 0$.

Für den Fall positiver Definitheit gilt bei $\mathbf{x} \neq \mathbf{0}$ jeweils ">" anstelle von "$\geq$".

Aufgabe 8.2:

a) Seien $x_1, x_2 \in \mathbb{R}$ und $\lambda \in [0,1]$. Dann gilt:

$$\begin{aligned}
F(\lambda x_1 + (1-\lambda) x_2) &= 5(\lambda x_1 + (1-\lambda) x_2) - 2(\lambda x_1 + (1-\lambda) x_2)^2 \\
&= 5\lambda x_1 + 5(1-\lambda) x_2 - 4\lambda(1-\lambda) x_1 x_2 - 2\lambda^2 x_1^2 - 2(1-\lambda)^2 x_2^2 \\
&= \lambda(5x_1 - 2x_1^2) + (1-\lambda)(5x_2 - 2x_2^2) - 2\lambda(\lambda-1) x_1^2 + 2\lambda(1-\lambda) x_2^2 - 4\lambda(1-\lambda) x_1 x_2 \\
&= \lambda F(x_1) + (1-\lambda) F(x_2) + 2\lambda(1-\lambda)(x_1^2 - 2x_1 x_2 + x_2^2) \\
&= \lambda F(x_1) + (1-\lambda) F(x_2) + 2\lambda(1-\lambda)(x_1 - x_2)^2 \\
&\geq \lambda F(x_1) + (1-\lambda) F(x_2) \qquad (\text{wegen } \lambda(1-\lambda) \geq 0)
\end{aligned}$$

$\Rightarrow$ F ist konkav; vgl. z.B. Definition 8.4 in Domschke und Drexl (2005, Kap. 8.2).

Die gezeigte Lösung verdeutlicht, dass es sehr mühsam sein kann, Konvexität bzw. Konkavität auf direktem Wege nachzuweisen. Wir bedienen uns daher im Folgenden eines geeigneten Satzes:

Eine zweimal stetig differenzierbare Funktion über $X \subseteq \mathbb{R}$ ist konkav (konvex), wenn $F''(x) \leq 0$ ($F''(x) \geq 0$) für alle $x \in X$ gilt. Im Falle von $F''(x) < 0$ bzw. $F''(x) > 0$ nennt man die Funktion streng konkav bzw. streng konvex. Für den n-dimensionalen Fall gilt:

Eine zweimal stetig differenzierbare Funktion über $X \subseteq \mathbb{R}^n$ ist genau dann konkav (konvex), wenn die Hesse-Matrix $H(\mathbf{x})$ für alle $\mathbf{x} \in X$ negativ (positiv) semidefinit ist; sie ist streng konkav bzw. streng konvex, wenn $H(\mathbf{x})$ jeweils negativ bzw. positiv definit ist. Vgl. hierzu Bazaraa et al. (1993, S. 90 ff.).

Daraus ergeben sich für die Beispiele die folgenden Lösungen:

a) $F''(x) = -4$ für alle $x \in \mathbb{R}$. Somit ist $F(x)$ streng konkav über $\mathbb{R}$.

b) $F''(x) = 12x(2+x)$ kann für $x \in \mathbb{R}$ sowohl positive als auch negative Werte annehmen. Somit ist $F(x)$ weder konvex noch konkav über $\mathbb{R}$. Man kann jedoch sagen, dass $F(x)$ im Intervall $(-2,0)$ konkav und in den Intervallen $(-\infty,-2)$ und $(0,\infty)$ konvex ist.

c) $F''(x) = 0$ für alle $x \in \mathbb{R}$. Die Funktion $F(x)$ ist linear; man kann auch sagen, sie sei über $\mathbb{R}$ sowohl konvex als auch konkav.

d) Die Hesse-Matrix ist $H(\mathbf{x}) = \begin{bmatrix} -2 & 1 \\ 1 & -2 \end{bmatrix}$ für alle $\mathbf{x} \in \mathbb{R}^2$. Sie besitzt die Eigenwerte -3 und -1, ist also negativ definit. Somit ist $F(\mathbf{x})$ streng konkav über $\mathbb{R}^2$.

Aufgabe 8.3:

a) Seien $\mathbf{x}, \mathbf{y} \in X$, so folgt die Behauptung wegen der Konvexität von F:

$$F(\lambda\mathbf{x}+(1-\lambda)\mathbf{y}) \leq \lambda F(\mathbf{x})+(1-\lambda)F(\mathbf{y}) \leq \lambda \max\{F(\mathbf{x}),F(\mathbf{y})\}+(1-\lambda)\max\{F(\mathbf{x}),F(\mathbf{y})\}$$
$$= \max\{F(\mathbf{x}),F(\mathbf{y})\}$$

b) Seien $\mathbf{x} = (x_1,x_2)$, $\mathbf{y} = (y_1,y_2) \in X$ sowie $\lambda \in [0,1]$. O.B.d.A. setzen wir $F(\mathbf{x}) \leq F(\mathbf{y})$ voraus. Zu zeigen ist dann $F(\lambda\mathbf{x}+(1-\lambda)\mathbf{y}) \leq \max\{F(\mathbf{x}),F(\mathbf{y})\} = F(\mathbf{y})$!

Wegen der Voraussetzung $F(\mathbf{x}) \leq F(\mathbf{y})$ sowie $x_2 > 0$ und $y_2 > 0$ gilt auch $|x_1|y_2 \leq |y_1|x_2$ und somit die folgende Ungleichungskette:

$$|\lambda x_1+(1-\lambda)y_1|y_2 \leq \lambda|x_1|y_2+(1-\lambda)|y_1|y_2 \leq$$
$$\lambda|y_1|x_2+(1-\lambda)|y_1|y_2 = |y_1|(\lambda x_2+(1-\lambda)y_2)$$

Wegen $|\lambda x_1+(1-\lambda)y_1|y_2 \leq |y_1|(\lambda x_2+(1-\lambda)y_2) \Leftrightarrow \dfrac{|\lambda x_1+(1-\lambda)y_1|}{\lambda x_2+(1-\lambda)y_2} \leq \dfrac{|y_1|}{y_2} = F(\mathbf{y}) =$ $\max\{F(\mathbf{x}),F(\mathbf{y})\}$ folgt, dass F quasikonvex ist.

Um zu zeigen, dass die Funktion F nicht konvex ist, genügt es, ein geeignetes Gegenbeispiel anzugeben:

Veranschaulicht man sich den Funktionsverlauf von $F(x_1,x_2) = |x_1|/x_2$ graphisch, so liegt die Wahl von $x_1 = 0$ sowie $\lambda > 0.5$ nahe. Für $\lambda = 2/3$ sowie weiterhin $x_2 = 3$, $y_1 = 3$ und $y_2 = 30$ erhalten wir wegen $1/12 > 1/30$ einen Widerspruch zur Definition der Konvexität.

Aufgabe 8.4:

Sei $\lambda \in [0,1]$ und seien $\mathbf{x}$ und $\mathbf{y}$ zwei n-dimensionale Vektoren. Dann gilt:

a) $F(\lambda\mathbf{x}+(1-\lambda)\mathbf{y}) = \max\{f_i(\lambda\mathbf{x}+(1-\lambda)\mathbf{y}) \mid i=1,\ldots,n\}$

$\leq \max\{\lambda f_i(\mathbf{x})+(1-\lambda)f_i(\mathbf{y}) \mid i=1,\ldots,n\}$ (da f_i konvex für i = 1,...,n)

$\leq \lambda\cdot\max\{f_i(\mathbf{x}) \mid i=1,\ldots,n\}+(1-\lambda)\cdot\max\{f_i(\mathbf{y}) \mid i=1,\ldots,n\}$

$= \lambda F(\mathbf{x})+(1-\lambda)F(\mathbf{y})$

b) $F(\lambda\mathbf{x}+(1-\lambda)\mathbf{y}) = \sum_{i=1}^{n} a_i f_i(\lambda\mathbf{x}+(1-\lambda)\mathbf{y})$

$\leq \sum_{i=1}^{n} a_i\cdot(\lambda f_i(\mathbf{x})+(1-\lambda)f_i(\mathbf{y}))$ (da f_i konvex und $a_i \geq 0$ für i = 1,...,n)

$= \lambda F(\mathbf{x})+(1-\lambda)F(\mathbf{y})$

Aufgabe 8.5:

a) Minimiere $F(x) = -4x^3+8x^2-5x+1$ unter der Nebenbedingung $0 \leq x \leq 1$

Nullsetzen der ersten Ableitung (notwendige Bedingung) liefert:

$F'(x) = -12x^2+16x-5 \overset{!}{=} 0 \Leftrightarrow x = 5/6$ oder $x = 1/2$

Überprüfen der zweiten Ableitung (hinreichende Bedingung) liefert: $F''(x) = -24x + 16$

$F''(5/6) = -4 < 0$, d.h. $F(x)$ hat bei $x = 5/6$ ein lokales Maximum.

$F''(1/2) = 4 > 0$, d.h. $F(x)$ hat bei $x = 1/2$ ein lokales und somit (nach Überprüfen der Randwerte des Intervalls) ein globales Minimum mit $F(1/2) = 0$.

Die mit Hilfe der Ableitungen ermittelte Lösung ist für die restringierte Aufgabe zulässig und optimal, da $1/2 \in [0,1]$. Eine zweite optimale Lösung existiert im Punkt $x = 1$.

b) Wegen $x_1 + x_2 + x_3 = 1$ und $x_i \in \mathbb{R}$ für i = 1, 2, 3 lässt sich x_3 durch $x_3 = 1-x_1-x_2$ substituieren, so dass man das folgende (äquivalente) unrestringierte Optimierungsmodell erhält:

Minimiere $F(\mathbf{x}) = x_1^2 + x_2^2 + (1-x_1-x_2)^2$ mit $x_1, x_2 \in \mathbb{R}$

Nullsetzen des Gradienten (notwendige Bedingung) liefert:

$$\nabla F(\mathbf{x}) = \begin{bmatrix} 4x_1+2x_2-2 \\ 2x_1+4x_2-2 \end{bmatrix} \overset{!}{=} \mathbf{0},$$ was für $x_1 = x_2 = 1/3$ erreicht wird.

Überprüfen der Hesse-Matrix auf positive Definitheit (hinreichende Bedingung) liefert:

$$H(\mathbf{x}) = \begin{bmatrix} 4 & 2 \\ 2 & 4 \end{bmatrix}$$ für alle $(x_1,x_2) \in \mathbb{R}^2$

$$\det(H(\mathbf{x})-\lambda\cdot I) = \det\begin{bmatrix}4-\lambda & 2\\ 2 & 4-\lambda\end{bmatrix} = (4-\lambda)^2-4 \overset{!}{=} 0 \Rightarrow \lambda_1 = 2>0,\ \lambda_2 = 6>0$$

Daraus ergibt sich, dass H positiv definit ist. Die optimale Lösung lautet nach Rücksubstitution von x_3: $x_1 = x_2 = x_3 = 1/3$

Aufgabe 8.6:

a) Um die Methode des goldenen Schnittes anwenden zu können, muss zunächst die Voraussetzung geprüft werden, dass es sich bei F(x) um eine konkave Funktion handelt.

Dies ist der Fall, da $F''(x) = -1-e^{-x}$ und daher $F''(x) < 0$ für alle $x \in \mathbb{R}$ gilt (vgl. die Lösung zur Aufgabe 8.2). Ferner ist $[a_1,b_1] = [0,1]$ und $\delta = 0.382$.

Start:

$\lambda_1 = a_1 + \delta(b_1 - a_1) = 0 + 0.382\,(1-0) = 0.382$

$\mu_1 = a_1 + (1-\delta)(b_1 - a_1) = 0 + 0.618\,(1-0) = 0.618$

$F(\lambda_1) = -0.5\cdot 0.382^2 - e^{-0.382} = -0.755;\quad F(\mu_1) = -0.5\cdot 0.618^2 - e^{-0.618} = -0.730$

1. Iteration:

$F(\lambda_1) < F(\mu_1);\ a_2 := \lambda_1;\ b_2 := b_1;$ d.h. $[a_2,b_2] = [0.382, 1]$

$\lambda_2 = \mu_1 = 0.618;\ \mu_2 = a_2 + (1-\delta)(b_2 - a_2) = 0.382 + 0.618\,(1-0.382) = 0.764$

$F(\lambda_2) = F(\mu_1) = -0.730;\ F(\mu_2) = -0.5\cdot 0.764^2 - e^{-0.764} = -0.758$

2. Iteration:

$F(\lambda_2) \geq F(\mu_2);\ a_3 := a_2;\ b_3 := \mu_2;$ d.h. $[a_3,b_3] = [0.382, 0.764]$

$\mu_3 = \lambda_2 = 0.618;\ \lambda_3 = a_3 + \delta(b_3 - a_3) = 0.382 + 0.382\,(0.764 - 0.382) = 0.528$

$F(\mu_3) = F(\lambda_2) = -0.730;\ F(\lambda_3) = -0.5\cdot 0.528^2 - e^{-0.528} = \ 0.729$

Nach 16 Iterationen erreicht man ein Maximum an der Stelle x = 0.567 mit F(x) = −0.728.

b) Es gelten $F(x) = -0.5x^2 - e^{-x}$; $F'(x) = -x + e^{-x}$; $F''(x) = -1 - e^{-x}$ und $x^0 = 0$.

Mit dem Newton-Verfahren ergeben sich $x^1 = 1/2$, $x^2 = 0.566$ und $x^3 = 0.567$ mit $F(x^3) = -0.728$ (jeweils auf drei Nachkommastellen gerundet).

c) *Goldener Schnitt*:

- Vorteile: verwendet keine Ableitungen, dadurch je Iteration geringer Rechenaufwand; Differenzierbarkeit der Zielfunktion nicht erforderlich
- Nachteile: langsame Konvergenz; zu Beginn muss ein Intervall bekannt sein, das die Lösung enthält; Konkavität der Zielfunktion muss geprüft werden

Newton-Verfahren:

- Vorteile: schnelle Konvergenz
- Nachteile: zweimalige Differenzierbarkeit der Zielfunktion ist Voraussetzung; zweimalige Ableitung erforderlich, dadurch unter Umständen hoher Rechenaufwand

Aufgabe 8.7:

k	1	2	3	4	5	6	7	8
a_k	0.000	0.382	0.382	0.382	0.472	0.528	0.528	0.549
b_k	1.000	1.000	0.764	0.618	0.618	0.618	0.584	0.584
λ_k	0.382	0.618	0.528	0.472	0.528	0.562	0.549	0.562
μ_k	0.618	0.764	0.618	0.528	0.562	0.584	0.562	0.570
$F(\lambda_k)$	−0.682	−0.618	−0.590	−0.624	−0.590	−0.570	−0.577	−0.570
$F(\mu_k)$	−0.618	−0.764	−0.618	−0.590	−0.570	−0.584	−0.570	−0.570
$F(a_k)$	−1.000	−0.682	−0.682	−0.682	−0.624	−0.590	−0.590	−0.577
$F(b_k)$	−1.000	−1.000	−0.764	−0.618	−0.618	−0.618	−0.584	−0.584

Die beste bekannte Lösung ist $\hat{x} = 0.562$ mit $F(\hat{x}) = -0.570$. (Man beachte, dass die Funktionswerte von a_k bzw. b_k nicht notwendigerweise zu berechnen sind; sie lassen sich jedoch zur Abschätzung der Lösungsgüte verwenden.)

Bei einer Abbruchschranke $\varepsilon = 0.0005$ ergibt sich die beste bekannte Lösung $\hat{x} = 0.567$ mit $F(\hat{x}) = -0.567$.

Aufgabe 8.8:

Seien $\alpha \in [0,1]$ und $\delta_1, \delta_2 \in \mathbb{R}$ sowie $\mathbf{x} \in \mathbb{R}^n$. Für $\lambda = \alpha \cdot \delta_1 + (1-\alpha)\delta_2$ gilt:

$$\begin{aligned} H(\alpha \cdot \delta_1 + (1-\alpha)\delta_2) &= F(\mathbf{x} + [\alpha \cdot \delta_1 + (1-\alpha)\delta_2]\nabla F(\mathbf{x})) \\ &= F(\alpha \cdot \mathbf{x} + (1-\alpha)\mathbf{x} + [\alpha \cdot \delta_1 + (1-\alpha)\delta_2]\nabla F(\mathbf{x})) \\ &= F(\alpha(\mathbf{x} + \delta_1 \nabla F(\mathbf{x})) + (1-\alpha)(\mathbf{x} + \delta_2 \nabla F(\mathbf{x}))) \end{aligned}$$

Mit $\mathbf{y} := \mathbf{x} + \delta_1 \nabla F(\mathbf{x})$ und $\mathbf{z} := \mathbf{x} + \delta_2 \nabla F(\mathbf{x})$ ergibt sich wegen der Konkavität von F:

$$\begin{aligned} H(\alpha \cdot \delta_1 + (1-\alpha)\delta_2) &= F(\alpha\mathbf{y} + (1-\alpha)\mathbf{z}) \geq \alpha \cdot F(\mathbf{y}) + (1-\alpha) \cdot F(\mathbf{z}) \\ &= \alpha \cdot H(\delta_1) + (1-\alpha) \cdot H(\delta_2) \end{aligned}$$

Aufgabe 8.9:

Es ist zu zeigen, dass ausgehend von einer beliebigen Startlösung $\mathbf{x}^0 \in \mathbb{R}^n$ mit $\mathbf{x}^0 \neq \mathbf{b}$ für die erste Näherung $\mathbf{x}^1$ der Abbruch aufgrund von $\nabla F(\mathbf{x}^1) = \mathbf{0}$ (oder $\mathbf{x}^1 = \mathbf{b}$ wegen $\nabla F(\mathbf{x}) = \mathbf{b} - \mathbf{x}$) erfolgt. Für $\mathbf{x}^0 = \mathbf{b}$ wäre bereits die Startlösung optimal.

In der Iteration k = 0 ist $H(\lambda) = F(\mathbf{x}^0 + \lambda \nabla F(\mathbf{x}^0))$ und damit gilt:

$$H'(\lambda) = \nabla [F(\mathbf{x}^0 + \lambda \nabla F(\mathbf{x}^0))]^T \nabla F(\mathbf{x}^0)$$

Da die Hesse-Matrix von $F(\mathbf{x})$ negativ definit ist, handelt es sich bei $F(\mathbf{x})$ um eine streng konkave Funktion. Demzufolge ist H konkav in λ (siehe Aufgabe 8.8) und für den optimalen Wert λ^* gilt: $H'(\lambda) \overset{!}{=} 0$

Wegen $\nabla F(\mathbf{y}) = \mathbf{b} - \mathbf{y}$ für $\mathbf{y} = \mathbf{x}^0 + \lambda \nabla F(\mathbf{x}^0)$ gilt:

$$H'(\lambda) = (\mathbf{b} - \mathbf{x}^0 - \lambda(\mathbf{b} - \mathbf{x}^0))^T(\mathbf{b} - \mathbf{x}^0) = (\mathbf{b} - \mathbf{x}^0)^T(\mathbf{b} - \mathbf{x}^0) - \lambda(\mathbf{b} - \mathbf{x}^0)^T(\mathbf{b} - \mathbf{x}^0) \overset{!}{=} 0$$

$$\Rightarrow \lambda^* = 1$$

Daraus folgt aber $\mathbf{x}^1 = \mathbf{x}^0 + \nabla F(\mathbf{x}^0) = \mathbf{x}^0 + \mathbf{b} - \mathbf{x}^0 = \mathbf{b}$.

Aufgabe 8.10:

Als Lagrange-Funktion erhalten wir:

$$L(\mathbf{x}, u) = 36x_1 + 9x_1^2 - 6x_1^3 + 36x_2 - 3x_2^3 + u(3 - x_1 - x_2)$$

Die Karush-Kuhn-Tucker-Bedingungen (KKT-Bedingungen) lauten (vgl. Satz 8.8 in Domschke und Drexl (2005, Kap. 8.4)):

(1) $\quad L_x(\mathbf{x}, u) = \begin{bmatrix} 36 + 18x_1 - 18x_1^2 - u \\ 36 - 9x_2^2 - u \end{bmatrix} \le \mathbf{0}$

(2a) $\quad x_1(36 + 18x_1 - 18x_1^2 - u) = 0$

(2b) $\quad x_2(36 - 9x_2^2 - u) = 0$

(3) $\quad x_1 + x_2 \le 3$

(4) $\quad u(3 - x_1 - x_2) = 0$

(5) $\quad x_1, x_2 \ge 0$

(6) $\quad u \ge 0$

Wegen (1) und (5) lässt sich die zweite KKT-Bedingung separat für x_1 und x_2 formulieren (Bedingungen (2a) und (2b)).

Die Lösung $\mathbf{x} = (1,2)$ kann nur optimal sein, wenn sie die KKT-Bedingungen erfüllt.

Einsetzen von (1,2) in (2a) bzw. (2b) liefert wegen $x_1 \neq 0$ und $x_2 \neq 0$:

$36 + 18x_1 - 18x_1^2 - u = 0,\qquad$ d.h. $u = 36$ und

$36 - 9x_2^2 - u = 0,\qquad$ d.h. $u = 0$.

Da (1,2) die (in jedem Falle notwendigen) KKT-Bedingungen nicht erfüllt, kann die Lösung nicht optimale Lösung der vorliegenden Optimierungsaufgabe sein.

Aufgabe 8.11:

a) Herleitung einer optimalen Lösung mit Hilfe der Lagrange-Funktion:

$L_x(\mathbf{x},u) = 8x_1 - x_1^2 + 4x_2 - x_2^2 + u(2 - x_1 - x_2)$

Die KKT-Bedingungen lauten:

(1) $L_x(\mathbf{x}, u) = \begin{bmatrix} 8-2x_1-u \\ 4-2x_2-u \end{bmatrix} \leq \mathbf{0}$

(2a) $x_1(8 - 2x_1 - u) = 0 \Leftrightarrow x_1 = 0$ oder $x_1 = 4 - u/2$

(2b) $x_2(4 - 2x_2 - u) = 0 \Leftrightarrow x_2 = 0$ oder $x_2 = 2 - u/2$

(3) $x_1 + x_2 \leq 2$

(4) $u(2 - x_1 - x_2) = 0 \Leftrightarrow u = 0$ oder $x_1 + x_2 = 2$

(5) $x_1, x_2 \geq 0$

(6) $u \geq 0$

Aufgrund logischer Überlegungen, d.h. Vergleich der möglichen Wertzuweisungen für die Variablen x_1, x_2 und u, stellt man fest, dass lediglich der Punkt $\mathbf{x} = (2,0)$ mit $u = 4$ die KKT-Bedingungen erfüllt.

Im vorliegenden Fall sind die KKT-Bedingungen notwendig und hinreichend dafür, dass sich in (2,0) ein globales Maximum befindet, denn

(i) F(**x**) ist konkav und

(ii) die Slater-Bedingung ist erfüllt (vgl. Satz 8.8 in Domschke und Drexl (2005)).

Zu (i): F(**x**) ist streng konkav, falls die zugehörige Hesse-Matrix negativ definit ist.

Es gilt $\nabla F(\mathbf{x}) = \begin{bmatrix} 8-2x_1 \\ 4-2x_2 \end{bmatrix}$ und $H(\mathbf{x}) = \begin{bmatrix} -2 & 0 \\ 0 & -2 \end{bmatrix}$ für alle $(x_1,x_2) \in \mathbb{R}^2$, so dass

$\det(H(\mathbf{x}) - \lambda \cdot I) = \begin{bmatrix} -2-\lambda & 0 \\ 0 & -2-\lambda \end{bmatrix} = (2+\lambda)^2 \overset{!}{=} 0$

$\Rightarrow \lambda = -2 < 0$ für alle $(x_1,x_2) \in \mathbb{R}^2$ mit $(x_1,x_2) \neq (0,0)$, d.h. H ist negativ definit und somit F(**x**) konkav.

Zu (ii): Die Slater-Bedingung ist erfüllt, falls ein $\mathbf{x} = (x_1,x_2) \geq \mathbf{0}$ existiert, so dass $x_1 + x_2 < 2$; dies ist beispielsweise durch (1/2, 1/2) oder (0,0) gewährleistet (vgl. Def. 8.7 in Domschke und Drexl (2005, Kap. 8.4)).

Die optimale Lösung lautet also $\mathbf{x}^* = (2,0)$ mit $F(2,0) = 12$.

b) Die nebenstehende Abbildung veranschaulicht sowohl das lineare Nebenbedingungssystem als auch die kreisförmigen Höhenlinien der quadratischen Zielfunktion:

$$F(\mathbf{x}) = 8x_1 - x_1^2 + 4x_2 - x_2^2$$
$$= 20 - (x_1 - 4)^2 - (x_2 - 2)^2$$

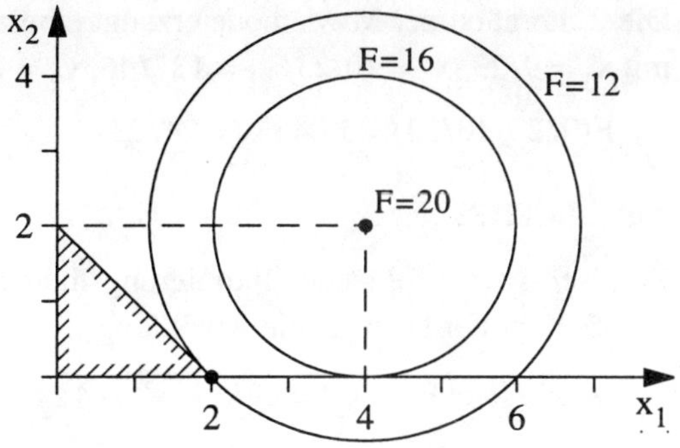

Aufgabe 8.12:

Wir überprüfen zunächst die Voraussetzung der positiven Definitheit der Matrix C:

$$\det(C - \lambda \cdot I) = \det \begin{bmatrix} 4-\lambda & 1 \\ 1 & 6-\lambda \end{bmatrix} = (4-\lambda)(6-\lambda) - 1 = \lambda^2 - 10\lambda + 23 \overset{!}{=} 0$$

$$\Rightarrow \lambda_1 = 5 + \sqrt{2} > 0, \lambda_2 = 5 - \sqrt{2} > 0, \text{ d.h. C ist positiv definit.}$$

Aufgrund der KKT-Bedingungen lässt sich nicht unmittelbar eine zulässige Basislösung angeben. Das Modell liegt in Maximierungsform vor, so dass wir für die Anwendung der M-Methode unter Hinzunahme von künstlichen Variablen z_j das folgende Ausgangstableau erhalten:

BV	x_1	x_2	u_1	u_2	y_1	y_2	v_1	v_2	z_1	z_2	b_i
z_1	4	1	−1/2	1	−1				1		2
z_2	1	[6]	1	1/2		−1				1	3
v_1	−1/2	1					1				3
v_2	1	1/2						1			5
M-Zeile	−5M	−7M	−1/2M	−3/2M	M	M					−5M

Die 1. Iteration der M-Methode liefert das folgende Tableau:

BV	x_1	x_2	u_1	u_2	y_1	y_2	v_1	v_2	z_1	z_2	b_i
z_1	[23/6]		−2/3	11/12	−1	1/6			1	■	3/2
x_2	1/6	1	1/6	1/12		−1/6				■	1/2
v_1	−2/3		−1/6	−1/12		1/6	1			■	5/2
v_2	11/12		−1/12	−1/24		1/12		1		■	19/4
M-Zeile	−23/6M		2/3M	−11/12M	M	−1/6M				■	−3/2M

Die 2. Iteration der M-Methode erzeugt eine zulässige Basislösung ohne künstliche Variablen mit $x_1 = 9/23$, $x_2 = 10/23$, $v_1 = 127/46$, $v_2 = 101/23$. Der Zielfunktionswert beträgt:

$F(9/23,\ 10/23) = 1.0434\ (= 24/23)$

Aufgabe 8.13:

Zu lösen ist das folgende Optimierungsmodell (zum Lösungsgang vgl. Domschke und Drexl (2005, Kap. 8.6.1) sowie die Abbildung):

Maximiere $F(x_1,x_2) = 12x_1 - x_1^2 + 4x_2 - x_2^2$

unter den Nebenbedingungen

$$
\begin{array}{llcllll}
[\mathbf{a}^1\mathbf{x} :=] & 4x_1 & + & 5x_2 & \le & 20 & (1) \\
[\mathbf{a}^2\mathbf{x} :=] & 2x_1 & + & x_2 & \le & 7 & (2) \\
[\mathbf{a}^3\mathbf{x} :=] & -x_1 & & & \le & 0 & \\
[\mathbf{a}^4\mathbf{x} :=] & & - & x_2 & \le & 0 &
\end{array}
$$

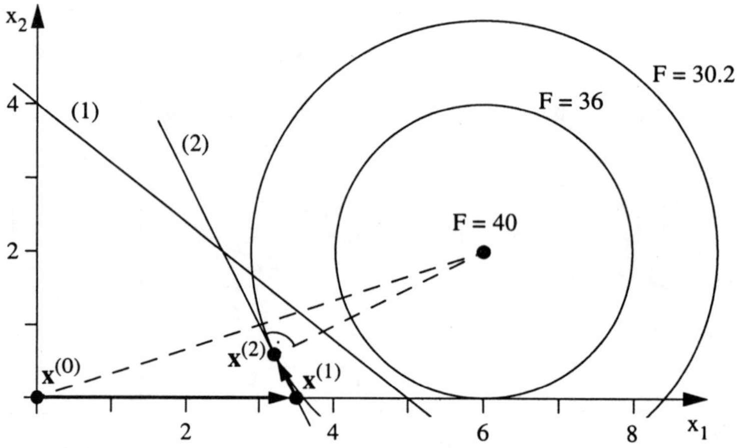

Es gilt $\nabla F(\mathbf{x}) = \begin{bmatrix} 12-2x_1 \\ 4-2x_2 \end{bmatrix}$. Gestartet wird in $\mathbf{x}^{(0)} = (0,0)$.

Iteration 1:

$\nabla F(\mathbf{x}^{(0)}) = \begin{bmatrix} 12 \\ 4 \end{bmatrix}$

$I(\mathbf{x}^{(0)}) = \{3,4\}$

$K(\mathbf{x}^{(0)}) = \{\mathbf{h} \in \mathbb{R}^2 \mid h_1 \ge 0, h_2 \ge 0\}$

In Schritt 3 ist folgendes LP zu lösen:

Maximiere $\nabla F(\mathbf{x}^{(0)})^T \mathbf{h} = 12h_1 + 4h_2$

unter den Nebenbedingungen

$$\begin{array}{rcrcl} h_1 & & & \geq & 0 \\ & & h_2 & \geq & 0 \\ 12h_1 & + & 4h_2 & \leq & 1 \end{array}$$

Als optimale Lösung ermittelt der Simplex-Algorithmus $\tilde{\mathbf{h}} = (\tilde{h}_1, \tilde{h}_2) = (1/12, 0)$. Zu berechnen ist nun die maximale Schrittweite in Richtung $\tilde{\mathbf{h}}$ innerhalb des zulässigen Bereichs X:

$$J(\tilde{\mathbf{h}}) = \{1,2\}; \quad \bar{\lambda}(\tilde{\mathbf{h}}) = \min\{20/(4/12),\ 7/(2/12)\} = 42$$

Zu prüfen ist, ob vor Erreichen der maximalen Schrittweite $\bar{\lambda}(\tilde{\mathbf{h}})$ ein lokales Maximum auftritt:

$$F((0,0) + \lambda \cdot (1/12,0)) = \lambda - \lambda^2/144$$

$$F'((0,0) + \lambda \cdot (1/12,0)) = 1 - 2\lambda/144 \overset{!}{=} 0$$

Durch Bilden und Überprüfen der 2. Ableitung wird ersichtlich, dass sich an der Stelle $\lambda = 72$ (also außerhalb des zulässigen Bereichs) ein lokales Maximum befindet. Somit gilt $\tilde{\lambda} = \bar{\lambda} = 42$.

Wir erhalten die verbesserte zulässige Lösung:

$$\mathbf{x}^{(1)} = \mathbf{x}^{(0)} + \tilde{\lambda} \cdot \tilde{\mathbf{h}} = \begin{bmatrix} 0 \\ 0 \end{bmatrix} + 42 \cdot \begin{bmatrix} 1/12 \\ 0 \end{bmatrix} = \begin{bmatrix} 3.5 \\ 0 \end{bmatrix}$$

Iteration 2:

$$\nabla F(\mathbf{x}^{(1)}) = \begin{bmatrix} 5 \\ 4 \end{bmatrix}$$

$$I(\mathbf{x}^{(1)}) = \{2,4\}$$

$$K(\mathbf{x}^{(1)}) = \{\mathbf{h} \in \mathbb{R}^2 \mid 2h_1 + h_2 \leq 0,\ h_2 \geq 0\}$$

In Schritt 3 ist das daher folgende LP zu lösen:

Maximiere $\nabla F(\mathbf{x}^{(1)})^T \mathbf{h} = 5h_1 + 4h_2$

unter den Nebenbedingungen

$$\begin{array}{rcrcl} 2h_1 & + & h_2 & \leq & 0 \\ h_1 & & & \in & \mathbb{R} \\ & & h_2 & \geq & 0 \\ 5h_1 & + & 4h_2 & \leq & 1 \end{array}$$

Als optimale Lösung erhält man $(\tilde{h}_1, \tilde{h}_2) = (-1/3, 2/3)$.

$J(\tilde{\mathbf{h}}) = \{1,3\}$; $\bar{\lambda}(\tilde{\mathbf{h}}) = \min\{(20-14)/(4\cdot(-1/3) + 5\cdot 2/3), -3.5/(-1/3)\} = 3$

$F((3.5,0) + \lambda\cdot(-1/3, 2/3)) = 119/4 + \lambda - 5\lambda^2/9$

$F'((3.5,0) + \lambda\cdot(-1/3, 2/3)) = 1 - 10\lambda/9 \overset{!}{=} 0$

Daraus und aufgrund der 2. Ableitung folgt $\tilde{\lambda} = 9/10$ und $\mathbf{x}^{(2)} = (3.2, 0.6)$.

Iteration 3:

$$\nabla F(\mathbf{x}^{(2)}) = \begin{bmatrix} 5.6 \\ 2.8 \end{bmatrix}$$

$I(\mathbf{x}^{(2)}) = \{2\}$

$K(\mathbf{x}^{(2)}) = \{\mathbf{h} \in \mathbb{R}^2 \mid 2h_1 + h_2 \le 0\}$

In Schritt 3 ist das folgende LP zu lösen:

Maximiere $\nabla F(\mathbf{x}^{(2)})^T \mathbf{h} = 5.6\,h_1 + 2.8\,h_2$

unter den Nebenbedingungen

$$\begin{aligned} 2h_1 &+ h_2 \le 0 \\ 5.6\,h_1 &+ 2.8\,h_2 \le 1 \end{aligned}$$

Wegen $\nabla F(\mathbf{x}^{(2)})^T \tilde{\mathbf{h}} = 0$ kann das Verfahren abgebrochen werden. $\mathbf{x}^{(2)} = (3.2, 0.6)$ ist das Optimum mit $F(\mathbf{x}^{(2)}) = 30.2$.

Kapitel 9: Warteschlangentheorie

Aufgabe 9.1:

In einem Fertigungsbetrieb sind zwei vollautomatische Maschinen M_1 und M_2 von einer Person zu warten. Bei der Wartung, die zufällig in relativ großen Abständen nötig wird, hat M_1 absoluten Vorrang vor M_2. Fällt also M_1 aus, während an M_2 gearbeitet wird, so ist die Reparatur von M_2 zu unterbrechen und erst wieder aufzunehmen, nachdem M_1 wieder einsetzbar ist. Damit ergeben sich vier mögliche Zustände a_i $(i = 0, 1, 2, 3)$ für das betrachtete Produktionssystem:

a_0 beide Maschinen laufen

a_1 M_1 ist zu bedienen, und M_2 läuft

a_2 M_2 ist zu bedienen, und M_1 läuft

a_3 M_1 ist zu bedienen, und M_2 muss warten

Die Übergangswahrscheinlichkeiten p_{ij} für den Übergang von a_i nach a_j mit $i, j = 0, 1, 2, 3$ sind der folgenden Tabelle zu entnehmen. Da diese Wahrscheinlichkeiten unabhängig von vergangenen Übergängen sind, repräsentiert das betrachtete System eine homogene Markovkette.

von\nach	a_0	a_1	a_2	a_3
a_0	0.4	0.3	0.2	0.1
a_1	0.2	0.5	0.2	0.1
a_2	0.1	0.2	0.4	0.3
a_3	0.0	0.0	0.3	0.7

Bestimmen Sie die Gleichgewichtswahrscheinlichkeiten!

Aufgabe 9.2:

An der Kasse der XYZ-Bank trifft im Mittel alle drei Minuten ein Kunde ein, um dort Geld einzuzahlen, abzuheben oder zu wechseln. Eine Einzahlung bzw. eine Abhebung dauert durchschnittlich zwei Minuten, während das Wechseln von Geld eine Minute beansprucht. Vorausgegangene Untersuchungen haben ergeben, dass 30% (60%) der Kunden Einzahlungen (Abhebungen) vornehmen und der Rest der Kunden Geld wechselt. Wir nehmen nun an, dass

- Ankunft und Abfertigung der Kunden unabhängig voneinander sind,
- sich ein Kunde nur dann in die Schlange an der Kasse einreiht, wenn sich weniger als sieben Personen am Schalter befinden, und dass
- innerhalb von einer Minute höchstens ein Kunde kommt.

Bestimmen Sie die Ankunftsrate, die Abfertigungsrate und die Wahrscheinlichkeiten dafür, dass sich $j = 0, 1, \ldots, N\ (= 7)$ Kunden in der Schlange befinden, sowie die durchschnittliche Anzahl wartender Kunden, die durchschnittliche Verweilzeit eines Kunden im System und die durchschnittliche Wartezeit eines Kunden in der Schlange!

Hinweis: Mit der *Simulation* von Warteschlangensystemen beschäftigen sich die Aufgaben 10.8 und 10.9!

Lösungen zu Kapitel 9: Warteschlangentheorie

Aufgabe 9.1:

Die Matrix $\overline{P} = (\overline{p}_{ij})$ der Gleichgewichtswahrscheinlichkeiten lässt sich wie folgt ermitteln.

Mit $\overline{P} \cdot P = \overline{P}$ und $p_1 := \overline{p}_{i1}, p_2 := \overline{p}_{i2}, \ldots$ gilt:

$$0.4p_1 + 0.2p_2 + 0.1p_3 = p_1 \quad (1)$$
$$0.3p_1 + 0.5p_2 + 0.2p_3 = p_2 \quad (2)$$
$$0.2p_1 + 0.2p_2 + 0.4p_3 + 0.3p_4 = p_3 \quad (3)$$
$$0.1p_1 + 0.1p_2 + 0.3p_3 + 0.7p_4 = p_4 \quad (4)$$
$$p_1 + p_2 + p_3 + p_4 = 1 \quad (5)$$
$$p_i \geq 0 \qquad \text{für } i = 1,\ldots,4 \quad (6)$$

Auflösen der Gleichung (1) nach p_1:

$$p_1 = 2/6\,p_2 + 1/6\,p_3 \quad (1)'$$

(1)' in (2) einsetzen:

$$1/10\,p_2 + 1/20\,p_3 + 1/2\,p_2 + 1/5\,p_3 = p_2 \Rightarrow p_2 = 5/8\,p_3 \quad (2)'$$

(1)' in (3) einsetzen:

$$2/30\,p_2 + 1/30\,p_3 + 1/5\,p_2 + 2/5\,p_3 + 3/10\,p_4 = p_3$$
$$\Rightarrow 4/15\,p_2 + 3/10\,p_4 = 17/30\,p_3 \quad (3)'$$

(2)' in (3)' einsetzen:

$$1/6\,p_3 + 3/10\,p_4 = 17/30\,p_3 \Rightarrow p_3 = 3/4\,p_4 \quad (3)''$$

(1)', (2)' und (3)" sukzessive in (5) einsetzen:

$$8/6\,p_2 + 7/6\,p_3 + p_4 = 1 \Rightarrow 2\,p_3 + p_4 = 1 \Rightarrow 5/2\,p_4 = 1$$
$$\Rightarrow p_4 = 2/5 \Rightarrow p_3 = 3/10 \Rightarrow p_2 = 3/16 \Rightarrow p_1 = 9/80 \quad (5)'$$

Man erhält daher die folgende Matrix $\overline{P}$ der Gleichgewichtswahrscheinlichkeiten:

von \ nach	a_0	a_1	a_2	a_3
a_0	9/80	3/16	3/10	2/5
a_1	9/80	3/16	3/10	2/5
a_2	9/80	3/16	3/10	2/5
a_3	9/80	3/16	3/10	2/5

Aufgabe 9.2:

Wir erhalten $N = 7$, $T = 3$ (Zwischenankunftszeit) und $\overline{T} = 0.3 \cdot 2 + 0.6 \cdot 2 + 0.1 \cdot 1 = 1.9 \approx 2.0$ (durchschnittliche Abfertigungsrate). Die Wahrscheinlichkeit für das Eintreffen eines Kunden innerhalb einer Zeiteinheit (Minute) ist $\lambda = 1/T = 1/3$, die Wahrscheinlichkeit für die Abfertigung $\mu = 1/\overline{T} = 1/2$.

Mit $\rho = \frac{\lambda}{\mu} = \frac{1/3}{1/2} = \frac{2}{3}$ erhalten wir die Verkehrsdichte oder den Servicegrad des Systems sowie mit $\bar{p}_j = \rho^j \cdot \frac{1-\rho}{1-\rho^{N+1}}$ die Wahrscheinlichkeiten dafür, dass sich genau $j = 0, 1, \ldots, 7$ Kunden im System aufhalten:

j	0	1	2	3	4	5	6	7
$\bar{p}_j$	0.347	0.231	0.154	0.103	0.069	0.046	0.030	0.020

Bei unbeschränktem Warteraum ($N \to \infty$) ergeben sich folgende Durchschnittswerte:

Systemlänge: $L = \frac{\rho}{1-\rho} = 2$

Schlangenlänge: $L_S = \frac{\rho^2}{1-\rho} = \frac{4}{3}$

Anzahl an Kunden in der Abfertigung: $L_A = \rho = \frac{2}{3}$

Verweilzeit eines Kunden im System: $Vz = \frac{L}{\lambda} = \frac{\rho}{(1-\rho) \cdot \lambda} = 6$

Wartezeit eines Kunden im Warteraum: $Wz = \frac{L_S}{\lambda} = \frac{\rho^2}{(1-\rho) \cdot \lambda} = 4$

Kapitel 10: Simulation

Aufgabe 10.1:

Gegeben sei eine gleichschenklige Dreiecksverteilung mit der folgenden Dichtefunktion:

$$f(x) = \begin{cases} \frac{1}{4}x & \text{für } 0 \leq x \leq 2 \\ 1 - \frac{1}{4}x & \text{für } 2 < x \leq 4 \\ 0 & \text{sonst} \end{cases}$$

a) Zeichnen Sie die Dichtefunktion!

b) Beschreiben Sie zwei Möglichkeiten, Zufallszahlen x_h (h=1,2,...) zu bestimmen, die entsprechend f(x) verteilt sind! Bei der ersten Möglichkeit soll jeweils eine im Intervall (0,1) gleichverteilte Standardzufallszahl z_h, bei der zweiten sollen zwei Standardzufallszahlen y_h und z_h verwendet werden.

Aufgabe 10.2:

Zur Berechnung der maximal möglichen Lademenge eines Transportschiffes soll der zur Zeit des nächsten Transports bestehende Pegelstand des Rheins simuliert werden. Aufgrund von Vergangenheitsbeobachtungen kann davon ausgegangen werden, dass der Pegelstand $N(\mu, \sigma)$-normalverteilt ist mit den Parametern $\mu = 300$ und $\sigma = 10$ (jeweils in cm).

Unbeladen hat das Schiff einen Tiefgang von 1,20 m. Pro Tonne Zuladung nimmt der Tiefgang um 1 mm zu. Als Sicherheitsabstand müssen 30 cm zum Rheingrund eingehalten werden.

a) Ermitteln Sie mit Hilfe der folgenden Standardzufallszahlen (d.h. (0,1)-gleichverteilten Zufallszahlen) anhand der obigen Normalverteilung eine Zufallszahl für den Pegelstand:

0.44 0.89 0.54 0.96 0.87 0.30 0.22 0.89 0.16 0.21 0.42 0.21

b) Der Schiffseigner hat bereits Aufträge im Umfang von 110 Tonnen angenommen. Nun steht er vor der Frage, ob er einen weiteren, lukrativen Auftrag über den Transport von 30 Tonnen Zement annehmen soll. Dabei möchte er mit einer Wahrscheinlichkeit von 90% "sichergehen", dass der Transport im fest vereinbarten Zeitraum auch tatsächlich stattfinden kann, da ansonsten empfindliche Konventionalstrafen drohen.

Mit Hilfe einer Tabellenkalkulationssoftware wurden auf die in a) angegebene Weise 500 zufällige Pegelstände P_i (i=1,...,500) berechnet. Diese fielen mit den in nebenstehender Tabelle angegebenen Häufigkeiten h_j in die Klassen (Intervalle) K_j.

j	K_j	h_j
1	[260, 270)	2
2	[270, 280)	8
3	[280, 290)	76
4	[290, 300)	173
5	[300, 310)	181
6	[310, 320)	50
7	[320, 330]	10

Muss sich der Schiffseigner bei dem aktuellen Auftragsbestand Sorgen machen? Sollte er darüber hinaus den Zusatzauftrag annehmen?

Aufgabe 10.3:

Approximieren Sie mit Hilfe der Simulation die Kreiszahl π! Verwenden Sie dazu Ihre Kenntnisse über den Einheitskreis!

Aufgabe 10.4:

Bestimmen Sie mit Hilfe (0,1)-gleichverteilter Zufallszahlen eine Menge von Punkten, die auf den folgenden geometrischen Objekten mit Radius r gleichverteilt ist:

a) Kreisbogen

b) Kreisfläche

c) Kugeloberfläche

Realisieren Sie zur Kontrolle Ihrer Ergebnisse unter a) und b) Ihre Vorgehensweise in einem Tabellenkalkulationsprogramm wie z.B. Microsoft Excel!

Aufgabe 10.5:

Beschreiben Sie einen Zufallszahlengenerator, der ganze Zahlen z_i zufällig und gleichverteilt aus dem Intervall $[n_1, n_2]$ mit $n_1, n_2 \in \mathbb{N}$ auswählt!

Hinweis: Verwenden Sie die vordefinierte Funktion "rand(0;1)", die eine (0,1)-gleichverteilte Zufallszahl erzeugt, sowie die vordefinierte Funktion "trunc(x)", die die Nachkommastellen einer reellen Zahl abschneidet!

Aufgabe 10.6:

Beschreiben Sie einen Algorithmus, der die Zufallszahlen 1,...,n mit den (gegebenen) Wahrscheinlichkeiten $p_1, p_2, \ldots, p_n$ auswählt (wobei $\sum_{i=1}^{n} p_i = 1$ gilt)! Verwenden Sie die in Aufgabe 10.5 beschriebene Funktion "rand(0;1)"!

Aufgabe 10.7:

Eines der ältesten Verfahren zur Bestimmung von Zufallszahlen ist die folgende (auf von Neumann zurückgehende) so genannte "Midsquare-Methode":

Man startet mit einer Zahl x_0, die eine gerade Anzahl k an Stellen besitzt, und quadriert diese. Das Quadrat x_0^2 wird bei Bedarf durch führende Nullen zu einer $2 \cdot k$-stelligen Zahl erweitert, deren mittlere k Stellen dann die neue Zahl x_1 definieren, usw.

Zufallszahlen zwischen 0 und 1 erhält man, indem man x_1, x_2,... jeweils durch 10^k teilt. Starten Sie jeweils mit den 2-stelligen Zahlen x_0 = 23, 47 bzw. 58, und berechnen Sie die Zufallszahlenfolge! Welche Besonderheit ergibt sich?

Aufgabe 10.8:

Um zu überprüfen, ob seine beiden Mitarbeiter wirklich so überlastet sind, wie diese immer behaupten, und somit die Betreuungsqualität für Studierende leidet, beschließt Professor V., dies mittels eines (diskreten, ereignisorientierten) Simulationsexperimentes zu überprüfen. Dabei soll zunächst der Ablauf der normalen Mitarbeitersprechstunden (Do., 11-12 Uhr) simuliert werden. Die Ankünfte der Studierenden werden über Zufallszahlenströme abgebildet. Dabei verwenden wir Tripel (a, b, c) mit der folgenden Bedeutung:

a Ankunftszeitpunkt: ab 11 Uhr, gleichverteilt zwischen 0 und 60 Minuten

b Sprechzeitbedarf: gleichverteilt zwischen 10 und 60 Minuten

c Geschlecht: gleichverteilt zwischen m = männlich und w = weiblich
(ein zusätzlicher Index dient zur Unterscheidung der Studierenden)

a	0	10	25	35	40	50	55
b	30	10	50	10	60	20	10
c	m1	m2	w3	w4	m5	w6	m7

Vereinfachend wird angenommen, dass Studierende immer einzeln zur Sprechstunde kommen und dass die Mitarbeiterin W und der Mitarbeiter M des Professors identische Kenntnisse besitzen. Studierende stellen sich an der kürzeren Warteschlange an; bei gleicher Länge wählen Studenten die attraktive Mitarbeiterin W und Studentinnen den smarten Mitarbeiter M. Hierbei sei die Länge von Warteschlangen als die Anzahl wartender Studierender einschließlich des/der ggf. gerade in der Beratung befindlichen Studierenden definiert. Weiterhin wird angenommen, dass die Warteschlangen (WW und WM) streng nach dem FIFO-Prinzip "abgearbeitet" und dass auf jeden Fall alle Studierenden, die vor 12 Uhr eintreffen, noch "bedient" werden. Ein Wechsel der Schlange während des Wartens ist nicht erlaubt.

a) Simulieren Sie manuell den Ablauf einer Sprechstunde unter Verwendung des oben angegebenen Zufallszahlenstroms, der das Eintreffen von sieben Studierenden während der Sprechzeit abbildet!

   Geben Sie den aktuellen Zustand (Anzahl Wartende) für jeden diskreten Zeitpunkt an, zu dem sich die Länge einer Warteschlange durch Zu- oder Abgang verändert!

b) Schaffen es die beiden Mitarbeiter, ihre Verabredungen mit Kollegen von anderen Lehrstühlen zum gemeinsamen Mittagessen in der Mensa um 12.45 Uhr einzuhalten?

Aufgabe 10.9:

Dr. Raffzahn ist ein guter Zahnarzt. Seine Praxis mit einem Wartezimmer für vier Personen und einem Behandlungsraum ist immer häufiger voll besetzt, so dass weitere Patienten abgewiesen werden müssen. Bisher hat Dr. Raffzahn keine Termine vergeben und ankommende Patienten, deren Zwischenankunftszeiten in Stunden exponentialverteilt mit dem Parameter $1/\delta = 0.3$ sind, nach dem First Come-First Serve-Prinzip behandelt.

Hinsichtlich der Behandlungsdauern lassen sich die Patienten, je nach Art der notwendigen Behandlung, in drei *Gruppen* unterteilen:

- Personen, bei denen nur eine „Kontrolle" erfolgt;
- Personen, die eine „Füllung" erhalten;
- Personen, bei denen eine „Extraktion" erforderlich ist.

	Anteil	min	max
Kontrolle	34%	0.2	0.4
Füllung	54%	0.4	0.7
Extraktion	12%	0.5	1.0

Der prozentuale Anteil der Fälle und die Behandlungsdauern in Stunden sind obiger Tabelle zu entnehmen. Letztere sind jeweils gleichverteilt in den Intervallen [min, max].

a) Um welche Art eines Warteschlangenmodells handelt es sich bei der Praxis von Dr. Raffzahn?

b) Simulieren Sie mit Hilfe eines Tabellenkalkulationsprogramms die aktuelle Situation für einen Zeitraum von 100 Tagen mit jeweils 10 Stunden. Wie viele Patienten behandelt Dr. Raffzahn durchschnittlich? Wie viele Patienten befinden sich durchschnittlich im Wartezimmer, wie lang ist die mittlere Wartezeit, und wie viele Patienten muss Dr. Raffzahn während des Betrachtungszeitraums abweisen?

c) Aus humanitären Gründen möchte Dr. Raffzahn die Anzahl der ggf. abgewiesenen Patienten verringern. Eine Möglichkeit dazu besteht in der Erweiterung der Kapazität des Wartezimmers auf bis zu acht Stühle. Führen Sie entsprechende Simulationsexperimente durch und beurteilen Sie die verschiedenen Möglichkeiten!

Lösungen zu Kapitel 10: Simulation

Aufgabe 10.1:

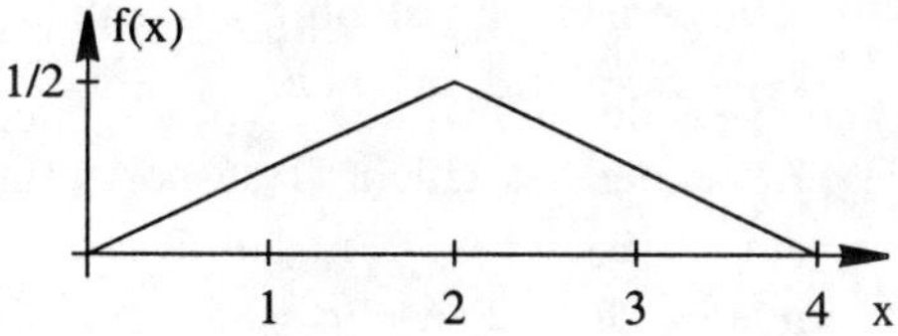

a) Die Dichtefunktion hat den rechts dargestellten Verlauf.

b) *Möglichkeit 1:* Die Dichtefunktion der gleichschenkligen Dreiecksverteilung mit den Parametern a, b und c ist (vgl. Domschke und Drexl (2005, Kap. 10.2.1)):

$$f(x) = \begin{cases} \frac{2(x-a)}{(c-a)(b-a)} & \text{für } a \le x \le b \\ \frac{2(c-x)}{(c-a)(c-b)} & \text{für } b < x \le c \\ 0 & \text{sonst} \end{cases}$$

Durch Integration erhalten wir die Verteilungsfunktion:

$$F(x) = \begin{cases} \frac{1}{(c-a)(b-a)} \cdot (x^2 - 2ax + a^2) & \text{für } a \le x \le b \\ \frac{1}{2} + \frac{1}{(c-a)(c-b)} \cdot (2cx - x^2 + b^2 - 2bc) & \text{für } b < x \le c \end{cases}$$

Bezeichnen wir F(x) als z, so lautet die Umkehrfunktion von F(x):

$$x = \begin{cases} a + \sqrt{z \cdot (c-a)(b-a)} & \text{für } 0 \le z \le 1/2 \\ c - \sqrt{(c-b)(c-b+(c-a) \cdot (1/2 - z))} & \text{für } 1/2 < z \le 1 \end{cases}$$

Im Beispiel gilt a = 0, b = 2 und c = 4. Mit Hilfe von Standardzufallszahlen z_h lassen sich (0,2,4)-dreiecksverteilte Zufallszahlen x_h (h=1,2,...) daher wie folgt bilden:

$$x_h = \begin{cases} 2 \cdot \sqrt{2 \cdot z_h} & \text{für } 0 \le z_h \le 1/2 \\ 4 - 2 \cdot \sqrt{2 - 2 \cdot z_h} & \text{für } 1/2 < z_h \le 1 \end{cases}$$

Möglichkeit 2: Man erhält (0,2,4)-dreiecksverteilte Zufallszahlen x_h (h=1,2,...) auch durch Addition zweier (0,2)-gleichverteilter Zufallszahlen. Ausgehend von (0,1)-gleichverteilten Zufallszahlen y_h und z_h ergibt sich dies wie folgt: $x_h = 2y_h + 2z_h$

Aufgabe 10.2:

a) Seien z_j (j = 1,...,12) die angegebenen Standardzufallszahlen, so erhält man eine approximativ N(0,1)-verteilte Zufallszahl y wie folgt:

$$y := (\sum_{j=1}^{12} z_j) - 6$$

Es ergibt sich y = 6.11 – 6 = 0.11. Ausgehend davon errechnet sich eine N(300,10)-verteilte Zufallszahl P für den Pegelstand:

$$P = \mu + \sigma \cdot y = 300 + 10 \cdot 0.11 = 301.10 \text{ cm}$$

b) Bei der bisher angenommenen Menge von Transportaufträgen ergibt sich ein benötigter Mindestpegelstand von $\underline{P} = 1.20 + 0.30 + 110 \cdot 0.01 = 2.60$ m, der im Simulationsexperiment immer eingehalten wird. Auch wenn dies die Möglichkeit eines niedrigeren Pegelstandes nicht vollständig ausschließt, braucht sich der Schiffseigner zunächst sicherlich keine Sorgen zu machen.

Käme der zusätzliche Transportauftrag hinzu, würde der benötigte Mindestpegelbestand um $30 \cdot 0.01 = 0.30$ m auf $\underline{P}' = 2{,}90$m ansteigen. Die Häufigkeitstabelle zeigt, dass in $h_1 + h_2 + h_3 = 2 + 8 + 76 = 86$ von 500 Fällen der simulierte Pegelbestand P_j diese Grenze unterschreitet. Das heißt, dass die relative Häufigkeit (interpretiert als Wahrscheinlichkeit) für die Nichtdurchführbarkeit des Transports $86/500 = 0.172$ bzw. 17.2% beträgt. Damit ist die Wahrscheinlichkeit für die zeitgerechte Transportausführung mit (geschätzten) 82.8% zu gering. Der Zusatzauftrag sollte nicht angenommen werden.

Aufgabe 10.3:

Aufgrund der Fläche $\pi \cdot r^2$ eines Kreises mit Radius r entspricht die Fläche des Einheitskreises (r = 1) der Zahl π. Zu deren Bestimmung kann man sich auf den Teil des Einheitskreises im ersten Quadranten des Koordinatensystems beschränken und diesen durch ein Einheitsquadrat überdecken (siehe Abbildung).

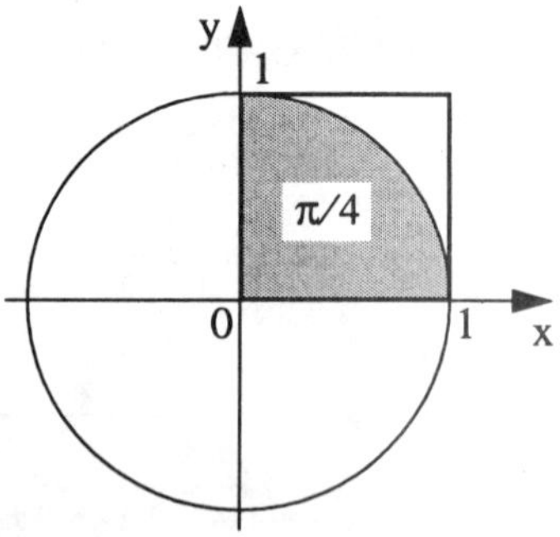

Die Fläche des Einheitsquadrates mit Seitenlänge a = 1 ist gerade $a^2 = 1$. Daher erzeugen wir zufällig eine größere Anzahl n von Koordinaten (x_i, y_i) mit $0 \le x_i, y_i \le 1$ und $i = 1,\ldots,n$. Nun zählen wir diejenigen Koordinaten (x_i, y_i), die innerhalb des Kreisviertels liegen. Dies kann mit Hilfe der Kreisgleichung $x^2 + y^2 = r^2 = 1$ überprüft werden. Gilt also $x^2 + y^2 \le 1$, so liegt eine Koordinate innerhalb des Kreisviertels, ansonsten außerhalb. Bilden wir den Quotienten aus der Anzahl k innerhalb des Kreisviertels liegender Punkte und n, so erhalten wir eine Näherung für $\pi/4$. Algorithmisch lässt sich die Vorgehensweise wie folgt beschreiben:

```
n := Anzahl der Zufallszahlen;
k := 0;
for i := 1 to n do
begin
    bestimme (0,1)-gleichverteilte Zufallszahlen x_i und y_i;
    if x_i^2 + y_i^2 ≤ 1 then k := k + 1;
end;
π := 4·(k/n);
```

Aufgabe 10.4:

a) *Alternative 1:* Seien z_i die vorgegebenen Standardzufallszahlen. Wir bestimmen jeweils einen Winkel $\theta_i = 2 \cdot \pi \cdot z_i$, der dadurch $(0, 2\pi)$-gleichverteilt ist, und berechnen den zugehörigen Punkt $P_i = (x_i, y_i) = (r \cdot \cos \theta_i, r \cdot \sin \theta_i)$ auf dem Kreisbogen.

Alternative 2: Für jeden auf dem Kreisbogen zu generierenden Punkt sind zwei im Intervall $(-1, 1)$-gleichverteilte Zufallszahlen u_i und v_i zu erzeugen. Gilt $u_i^2 + v_i^2 \leq 1$, so repräsentiert das Paar (u_i, v_i) einen Punkt auf einer Kreisfläche mit Radius 1. Durch eine lineare Transformation projizieren wir ihn in einen Punkt (x_i, y_i) auf dem Kreisbogen mit (gegebenem) Radius r.

	A	B	C	D
1	Zufallszahl	2*Pi*A(i)	xi	yi
2	0,7191991	4,5165705	-19,45695	-98,08887
3	0,2602488	1,6343626	-6,352348	99,798034
4	0,1150122	0,7222769	75,030245	66,109473
5	0,7465436	4,6882941	-2,409253	-99,97097
6	0,0165037	0,1036433	99,463384	10,345785
7	0,2942699	1,8480151	-27,36817	96,182033
8	0,2362024	1,4833513	8,7333621	99,617912
9	0,9554623	6,000303	96,025492	-27,91245
10	0,8062592	5,0633078	34,376074	-93,90573
11	0,4829109	3,0326803	-99,40749	10,869713

Für diesen Punkt muss $r = \sqrt{x_i^2 + y_i^2}$ gelten. Damit ergeben sich als vorzunehmende Transformationen $x_i = \lambda \cdot u_i$ bzw. $y_i = \lambda \cdot v_i$ mit dem Faktor $\lambda = r / \sqrt{u_i^2 + v_i^2}$.

Alternative 2 besitzt den Nachteil, dass sich Zufallszahlenpaare mit $u_i^2 + v_i^2 > 1$ nicht zur Generierung von Punkten auf dem Kreisbogen verwenden lassen und somit mehr Zufallszahlen generiert werden müssen als bei Alternative 1.

Beide Alternativen lassen sich leicht z.B. mit Microsoft Excel realisieren; vgl. hierzu Domschke und Drexl (2005, Kap. 11). In Spalte A der obigen Tabelle wird eine im Intervall (0,1) gleichverteilte Zufallszahl mit Hilfe des Befehls „= `ZUFALLSZAHL()`" erzeugt. In den Spalten B bis D wird entsprechend Alternative 1 die Transformation in Koordinaten x_i und y_i vorgenommen (für $r = 100$). Erzeugt man so 100 Punkte und stellt die ermittelten Koordinaten in Form eines Punktdiagramms dar, so ergibt sich die nebenstehende Abbildung.

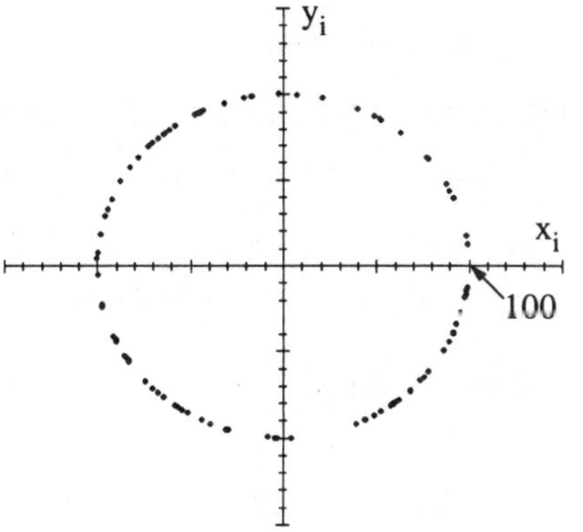

b) Außer Zufallszahlen θ_i für Winkel (wie unter a) sind Zufallszahlen m_i für Radien $0 < m_i \leq r$ zu bestimmen. Da ein Kreis mit Radius m_i den Umfang $2\pi \cdot m_i$ besitzt, dieser also proportional zu m_i wächst, genügt es nicht, m_i gleichverteilt aus dem Intervall $(0, r)$ zu erzeugen. Die Dichtefunktion $f(m_i)$ ist vielmehr dreiecksverteilt mit dem Minimum $f(0) = 0$ und (wegen $r \cdot f(r) = 2$) dem Maximum $f(r) = 2/r$.

In Abhängigkeit von m_i mit $0 < m_i \leq r$ lautet die dreiecksverteilte Dichtefunktion $f(m_i) = 2 \cdot m_i / r^2$. Die zugehörige Verteilungsfunktion ist $F(m_i) = m_i^2 / r^2$, deren Umkehrfunktion $m_i = r\sqrt{z_i}$. Mittels dieser Umkehrfunktion transformieren wir jede Standardzufallszahl z_i in eine dreiecksverteilte Zufallszahl m_i.

Die folgende linke Abbildung zeigt eine mit obiger Vorgehensweise erzeugte Gleichverteilung, während die rechte Darstellung dadurch zustande kommt, dass die Werte m_i gleichverteilt (also nicht dreiecksverteilt) aus dem Intervall $(0, r)$ gezogen wurden.

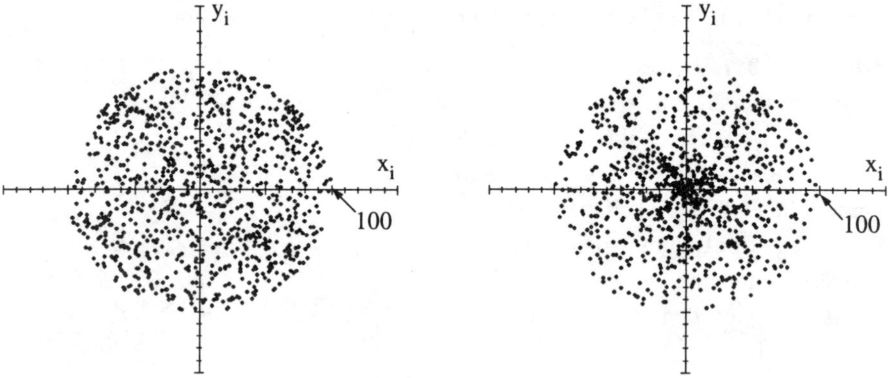

c) Eine relativ einfache Möglichkeit ergibt sich durch Verallgemeinerung der Alternative 2 aus Teil a). Statt zwei sind drei $(-1, 1)$-gleichverteilte Zufallszahlen u_i, v_i und w_i mit $u_i^2 + v_i^2 + w_i^2 \leq 1$ zu erzeugen und so linear in Koordinaten (x_i, y_i, z_i) zu transformieren, dass die Kugelgleichung $r = \sqrt{x_i^2 + y_i^2 + z_i^2}$ erfüllt ist. Es gilt $x_i = \lambda \cdot u_i$, $y_i = \lambda \cdot v_i$ sowie $z_i = \lambda \cdot w_i$ mit dem Multiplikator $\lambda = r / \sqrt{u_i^2 + v_i^2 + w_i^2}$.

Aufgabe 10.5:

Die gewünschten Zufallszahlen lassen sich wie folgt bestimmen:

$z_i := n_1 + \text{trunc}(\text{rand}(0;1) \cdot (n_2 - n_1 + 1))$

Da trunc(x) jeweils die reellen Zahlen abrundet, ist im letzten Klammerausdruck die Addition von 1 erforderlich, um auch n_2 zu erzeugen.

Aufgabe 10.6:

Der folgende in Pseudocode-Schreibweise angegebene Algorithmus liefert aus Standardzufallszahlen z der diskreten Verteilung $(1, p_1; 2, p_2; ...; n, p_n)$ folgende Zufallszahlen d:

```
z := rand(0;1);
p := 0;
i := 0;
while (p < z) do
begin
  i := i + 1;
  p := p + p_i;
end;
d := i;
```

Aufgabe 10.7:

Die Periodenlänge der Zufallszahlenfolgen ist – infolge Degeneration – sehr klein. Wie bei der Lehmer-Methode hängt die Güte der Zahlenfolge wesentlich von den zu wählenden Parametern (hier: k und Startwert) ab. Anhand unserer Vorgaben erhält man die in der Tabelle angegebenen Zahlenfolgen.

i	0	1	2	3	4	5	6	7
x_i	23	52	70	90	10	10	10	...
x_i^2	0529	2704	4900	8100	0100	0100	0100	...
x_i	47	20	40	60	60	60	60	...
x_i^2	2209	0400	1600	3600	3600	3600	3600	...
x_i	58	36	29	84	05	02	00	...
x_i^2	3364	1296	0841	7056	0025	0004	0000	...

Aufgabe 10.8:

a) Die Veränderungen der beiden Warteschlangen sind aus der folgenden Tabelle ersichtlich:

Zeit	Ereignis		Länge WM	Länge WW
0	Ankunft m1	Zugang WW	0	$0 \rightarrow 1$
10	Ankunft m2	Zugang WM	$0 \rightarrow 1$	1
20	Weggang m2	Abgang WM	$1 \rightarrow 0$	1
25	Ankunft w3	Zugang WM	$0 \rightarrow 1$	1
30	Weggang m1	Abgang WW	1	$1 \rightarrow 0$
35	Ankunft w4	Zugang WW	1	$0 \rightarrow 1$
40	Ankunft m5	Zugang WW	1	$1 \rightarrow 2$
45	Weggang w4	Abgang WW	1	$2 \rightarrow 1$
50	Ankunft w6	Zugang WM	$1 \rightarrow 2$	1
55	Ankunft m7	Zugang WW	2	$1 \rightarrow 2$
75	Weggang w3	Abgang WM	$2 \rightarrow 1$	2
95	Weggang w6	Abgang WM	$1 \rightarrow 0$	2
105	Weggang m5	Abgang WW	0	$2 \rightarrow 1$
115	Weggang m7	Abgang WW	0	$1 \rightarrow 0$

Die nebenstehende Abbildung veranschaulicht die zeitliche Belegung der beiden Mitarbeiter.

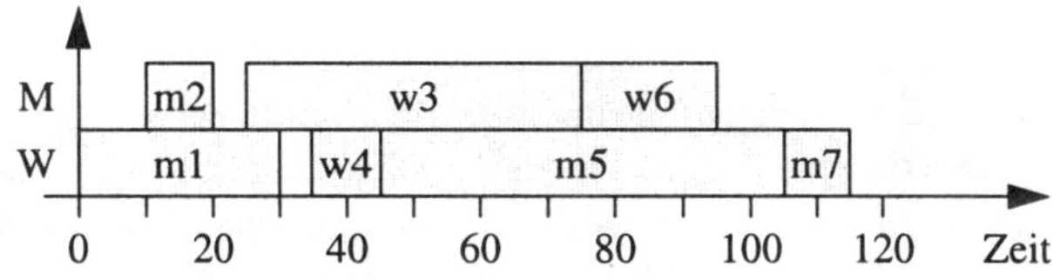

b) Mitarbeiter M kann rechtzeitig in die Mensa gehen, da er – bei zwei Pausen – insgesamt 95 Minuten für die Sprechstunde benötigt, die damit um 12.35 Uhr endet. Mitarbeiterin W berät die Studierenden ununterbrochen 115 Minuten lang und kann erst um 12.55 Uhr zum Essen gehen.

Aufgabe 10.9:

a) Es liegt ein Warteschlangenmodell vom Typ M/G/1/FIFO/5/∞ vor. Die Ankünfte sind poissonverteilt (M), die Abfertigungsdauern folgen einer beliebigen Verteilung (G). Es handelt sich um ein Einkanalmodell (1). FIFO bezeichnet die Schlangendisziplin. Die Systemkapazität ist auf 4 + 1 (4 Plätze im Wartezimmer und ein Behandlungsplatz) begrenzt, während ein unbeschränktes Kundenreservoir vorliegt.

b) Wir diskutieren eine mögliche Lösung mit dem Programm Microsoft Excel.[1] Das auf der nächsten Seite abgebildete Arbeitsblatt unterteilt sich in drei Blöcke, wobei aus Darstellungsgründen die Zeilen 14-57 und 70-163 ausgeblendet sind und in Dezimalzahlen Kommas anstelle von Punkten verwendet werden. Der erste Block (Zeilen 1-5) dient der Definition von Konstanten. Im zweiten Block (Zeilen 8-61) erfolgt die Simulation der Ankünfte eines einzelnen Tages. Der dritte Block (Zeilen 64-167) ist erforderlich, um die Simulationsergebnisse von 100 Tagen zu erzeugen, zu speichern und auszuwerten.

Im **ersten Block** werden zunächst die Anzahl an Plätzen im Wartezimmer und die Simulationsdauer in Stunden für einen einzelnen Tag festgelegt. Eine separate „Speicherung" von Konstanten besitzt gegenüber einer expliziten Kodierung in Formeln den Vorteil, dass das Modell leichter an geänderte Daten angepasst werden kann. Außerdem wird eine Definition von Patientengruppen vorgenommen. In Abhängigkeit von den Werten in Spalte A soll auf später geschilderte Weise jeder Patient einer der Gruppen 0 bis 3 zugeordnet werden. Dabei entsprechen die Gruppen 1-3 den Behandlungsarten „Kontrolle", „Füllung" und „Extraktion". Bei Patienten der Gruppe 0 handelt es sich um Personen, die abgewiesen werden.

Der **zweite Block** dient der Simulation eines einzelnen Tages. Dabei sehen wir für die *eigentliche Simulation* die Spalten A bis J und für die statistische Auswertung die Spalten K bis M vor. Außerdem verzichten wir auf eine Konvertierung der Zeitangaben in Stunden und Minuten, was in Excel problemlos möglich ist.

Spalte A enthält die Nummer des i-ten Patienten, der die Praxis betritt und dort behandelt oder abgewiesen wird. In Spalte B generieren wir jeweils eine exponentialverteilte Zufallszahl z_i `= -(0.3)*LN(ZUFALLSZAHL())` für die Zwischenankunftszeit zwischen Patient i und i−1 und addieren diese in Spalte C zur Ankunftszeit (ab Zeitpunkt 0) auf (scheinbare Rechenfehler resultieren daraus, dass nur zwei Nachkommastellen dargestellt werden, Excel jedoch mit größerer Stellenanzahl rechnet).

1 Generell ist darauf hinzuweisen, dass sich Excel nur sehr bedingt zur Durchführung von Simulationsexperimenten eignet. Das zeigt sich spätestens, wenn man im vorliegenden Fall eine andere als die FIFO-Reihenfolge für die Behandlung untersuchen möchte. Für praktische Anwendungen ist daher auf geeignete Standardsoftware zurückzugreifen; vgl. Domschke und Drexl (2005, Kap. 10.5).

	A	B	C	D	E	F	G	H	I	J	K	L	M
1	Patientengruppen			Plätze im Wartez.									
2	-1	0		4									
3	0	1											
4	0,34	2		Simulationszeitraum									
5	0,88	3		10									
6													
7													
8	Patient	Zwischen-	Ankunfts-	wartende	(0,1)-vert.	Patienten-	(0,1)-vert.	Bedien-	Bedien-	Bedien-	Wartezeit	Wartezeit	abgew.
9		ankunftszeit	zeit	Patienten	Zufallszahl	gruppe	Zufallszahl	dauer	beginn	ende	Patient	gesamt	Patienten
10	0	0	0	0					0	0	0	0,00	0
11	1	0,14	0,14	0	0,85	2	0,13	0,44	0,14	0,58	0,00	0,00	0
12	2	0,40	0,55	0	0,19	1	0,03	0,21	0,58	0,79	0,03	0,03	0
13	3	0,96	1,50	0	0,06	1	0,47	0,29	1,50	1,80	0,00	0,03	0
58	48	0,02	12,91	4	-1,00	0	0,36	0,00	12,91	14,53	0,00	34,65	15
59	49	0,05	12,96	3	0,20	1	0,71	0,34	14,53	14,87	1,57	36,22	15
60	50	0,32	13,28	3	0,47	2	0,87	0,66	14,87	15,53	1,59	37,81	15
61	37		9,46							12,32		25,02	9,00
62													
63													
64		behandelte	abgew.	durchschn.	durchschn.								
65		Patienten	Patienten	Wartende	Wartezeit								
66		28	9	2,03	0,89								
67	1	31	15	2,37	0,93								
68	2	28	7	1,57	0,67								
69	3	28	7	2,18	0,93								
164	98	29	6	2,19	0,95								
165	99	29	5	2,24	0,93								
166	100	32	6	2,07	0,77								
167	Mittelwert	27,33	5,11	1,87	0,78								

In Spalte D wird ermittelt, wie viele Patienten zur Zeit der Ankunft des Patienten i im Wartezimmer sitzen. Allgemein ist dazu für den Patienten i die Anzahl derjenigen Patienten 1 bis i–1 zu bestimmen, deren Behandlungsbeginn (in Spalte I) später liegt als die Ankunftszeit von i. Das Berechnen solcher bedingter Summen ist in Excel mit Hilfe so genannter *Matrixformeln* möglich. Für den 49. Patienten in Zeile 59 besitzt die entsprechende Formel folgendes Aussehen: `{=SUMME(WENN($I$11:I58>C59;1;0))}`

Mit Hilfe der „`WENN`-Bedingung" im Inneren der Anweisung wird eine Matrix im Speicher von Excel erzeugt, in der für alle Patienten, die die Bedingung erfüllen, eine 1 und ansonsten eine 0 eingetragen wird. Die Anweisung „`SUMME`" addiert sämtliche Elemente der Matrix. Die geschweiften Klammern werden nicht explizit eingegeben. Um Excel anzuzeigen, dass es sich bei einer erstellten Formel um eine Matrixformel handelt, wird die Eingabe anstatt mit der „Enter"-Taste durch gleichzeitiges Drücken der Tasten „Strg", „Shift" und „Enter" abgeschlossen.

In Spalte E weisen wir dem Patienten i (dargestellt an Patient 3 in Zeile 13) über den Befehl `=WENN(D13>=$D$2;-1;ZUFALLSZAHL())` den Wert –1 zu, falls im Wartezimmer bereits 4 Personen sitzen und er abgewiesen werden muss. Ansonsten ziehen wir eine in (0,1) gleichverteilte Zufallszahl, die in Spalte F zur Ermittlung der Patientengruppe erforderlich ist. Für diese Zuordnung verwenden wir den für die Abbildung diskreter Zufallsvariablen geeigneten Befehl `=VERWEIS(E13;$A$2:$A$5;$B$2:$B$5)`. Dieser Befehl sucht in einem Vektor, der aus nur einer Zeile oder Spalte besteht, nach einem bestimmten Wert und liefert den Eintrag an derselben Position in einem zweiten Vektor zurück. Kann die Funktion keinen Wert finden, der mit dem Suchkriterium exakt übereinstimmt, verwendet sie den zum Suchvektor gehörenden Wert, der bezogen auf das Suchkriterium der nächstkleinere ist. In unserem Beispiel vergleicht er den Wert E13 mit den Werten A2 bis A5 und ordnet F13 den zugehörigen Eintrag aus B2 bis B5 zu, nämlich 0, 1, 2 bzw. 3, falls E13 < 0, < 0.34, < 0.88 bzw. ≥ 0.88.

In Spalte G erfolgt die Ermittlung einer (0,1)-gleichverteilten Zufallszahl, die in Spalte H je nach Patientengruppe in eine entsprechende Behandlungsdauer (oder 0 bei Gruppe 0) transformiert wird. Dazu ist eine Folge von bedingten Anweisungen nötig; der zugehörige Befehl für Patient 3 lautet:

```
=WENN(F13=0;0;WENN(F13=1;0.2+G13*0.2;
 WENN(F13=2;0.4+G13*0.3;0.5+G13*0.5)))
```

Bei Gruppe 0 ordnet der Befehl eine Behandlungsdauer von 0 zu, bei den Gruppen 1, 2 bzw. 3 eine gleichverteilte Zeit aus den Intervallen (0.2;0.4), (0.4;0.7) bzw. (0.5;1.0).

In Spalte I ermitteln wir den Behandlungsbeginn jedes Patienten mit Hilfe des Befehls `=WENN(E13=-1;C13;MAX(C13;J12))`. Erfolgt eine Behandlung, so ist dies das Maximum aus der Ankunftszeit des betreffenden Patienten und dem Behandlungsende des vorhergehenden Patienten. Wird er jedoch abgewiesen, so setzen wir seine Ankunftszeit als Behandlungsbeginn ein; dies ist bedeutsam für die Ermittlung der Anzahl an Patienten im Wartezimmer (siehe Spalte D).

Spalte J dient der Berechnung des Behandlungsendes jedes Patienten durch den Befehl `=WENN(E13=-1;J12;I13+H13)`. Im Falle einer Behandlung entspricht dies der Summe aus Behandlungsanfang und -dauer. Andernfalls übernehmen wir das Behandlungsende des vorhergehenden Patienten, um den Behandlungsbeginn nachfolgender Patienten in Spalte I korrekt zu ermitteln.

Wesentlich einfacher als die eigentliche Simulation lässt sich die erforderliche Statistik erstellen. Dazu verwenden wir jeweils eine Spalte für die Wartezeit jedes Patienten (K), die Summe der Wartezeiten aller nicht abgewiesenen Personen (L) und die Zahl der abgewiesenen Personen (M). Da sich die Anzahl behandelter Patienten, die durchschnittliche Anzahl wartender Patienten sowie die durchschnittliche Wartezeit leicht aus den so ermittelten Werten berechnen lassen, werden zunächst keine eigenen Spalten vorgesehen. Die Werte in Spalte K ergeben sich aus der Differenz der entsprechenden Werte in den Spalten I und C. Die kumulierte Wartezeit einer Zeile i in Spalte L ermittelt sich als Summe des

Wertes in Zeile i–1 und der Wartezeit des Patienten in Zeile i. Die Anzahl der abgewiesenen Personen in Spalte M wird in einer Zeile i immer dann um 1 erhöht, wenn der zugehörige Patient der Gruppe 0 angehört.

Zur Durchführung der Simulation für einen Tag ist nun z.B. Zeile 11 so lange zu vervielfältigen, bis eine Person „erzeugt“ wurde, für die der Ankunftszeitpunkt den Simulationszeitraum von 10 Stunden überschreitet. Da die benötigte Anzahl an Zeilen in unterschiedlichen Simulationsläufen i.d.R. schwankt, ist es sinnvoll, einen hinreichend großen Bereich des Arbeitsblattes für die Simulation vorzusehen. Für den Parameter $1/\delta$ = 0.3 ergeben sich durchschnittlich 33.33 Ankünfte im Simulationszeitraum, die durch die im Arbeitsblatt betrachteten 50 Ankünfte deutlich überschritten werden. Ein Problem besteht nun darin, die letzte Person, deren Ankunftszeit kleiner als 10 Stunden ist, sowie die zugehörigen Kenngrößen zu ermitteln. Dabei hilft uns erneut der bereits vorgestellte Befehl `VERWEIS`. Man erhält die Nummer der letzten zu berücksichtigenden Person in Zelle A61 durch `=VERWEIS($D$5;$C$11:$C$60;A11:A60)`. Analog lassen sich entsprechende Werte für das Behandlungsende des letzten Patienten (J), die Summe der Wartezeiten aller nicht abgewiesenen Personen (L) und die Zahl der abgewiesenen Personen (M) ermitteln.

In den Feldern B66 bis E66 des **dritten Blocks** ermitteln wir für einen Simulationslauf die in der Aufgabenstellung verlangten Kenngrößen. Die Anzahl abgewiesener Personen kann unmittelbar übernommen werden. Die Anzahl der behandelten Patienten ergibt sich als Differenz der im Simulationszeitraum eingetroffenen Personen und dem zuvor ermittelten Wert. Die durchschnittliche Anzahl an Wartenden wird durch die Formel `=L61/MAX(D5;J61)` berechnet. Grundsätzlich lässt sich diese Anzahl ermitteln, indem man den Quotienten aus gesamter Wartezeit und dem Behandlungsende des letzten Patienten bildet. Dies gilt allerdings nicht, wenn das Behandlungsende des letzten Kunden vor dem Ende des Simulationszeitraums liegt. In diesem Fall muss man durch die Länge des Simulationszeitraums teilen, um das am Ende leere Wartezimmer angemessen zu berücksichtigen. Schließlich wird die durchschnittliche Wartezeit durch die Formel `=L61/B66` bestimmt.

Nachdem eine Simulation für einen einzelnen Tag implementiert wurde, sind entsprechend der Aufgabenstellung Simulationsläufe für 100 Tage durchzuführen und auszuwerten. Dazu existiert das Konzept der „Datentabelle“, das in älteren Versionen von Excel noch unter dem Namen „Mehrfachoperation“ zu finden ist. Dieses Konzept ermöglicht es, auf einfache Weise die Änderungen in den Ergebnissen eines Modells in Abhängigkeit von einem variierenden Parameter zu ermitteln. Da in unserem Modell die Parameter in jedem Lauf gleich sind, wählen wir – um das Konzept trotzdem anwenden zu können – die Nummer des Simulationslaufs als zu variierenden Parameter, der entgegen der ursprünglichen Idee des Konzepts nicht in die Auswertung eingeht.

Zur Durchführung einer Mehrfachoperation sind zuerst die möglichen Ausprägungen des Parameters untereinander in einer Spalte anzuordnen; in unserem Fall handelt es sich um den Bereich A67:A166. Die Formeln für die Berechnung der gewünschten Ergebnisse in Abhängigkeit von den Parameterausprägungen sind in den Zellen rechts neben der Parameterspalte unmittelbar oberhalb des ersten Parameterwertes einzutragen. In unserem Fall ist dies in den Zellen B66:E66 bereits erfolgt. Nun markiert man den Bereich A66:E166 und wählt im Menü „Daten" den Befehl „Tabelle" bzw. „Mehrfachoperation". In dem folgenden Dialog wird festgelegt, in welcher Zelle des Modells die Werte aus der Parameterspalte eingesetzt werden sollen. Wir tragen dazu in dem Feld „Werte aus Spalte:" z.B. die Zelle A66 ein, auf die in unserem Modell ansonsten kein Bezug genommen wird. Excel füllt nun den Bereich B67:B166, indem es für jede Zeile i = 67,...,166 den Wert aus Spalte A in Zelle A66 einsetzt, das Simulationsmodell durchrechnet und anschließend die Werte aus dem Bereich B66:E66 in die entsprechenden Zellen von Zeile i kopiert.

Abschließend muss die Auswertung der 100 Simulationsläufe erfolgen. Dazu sind die Mittelwerte der untersuchten Kenngrößen zu bestimmen. Dies geschieht z.B. für die Anzahl an behandelten Patienten mit dem Befehl `=MITTELWERT(B67:B166)`. Für die im abgebildeten Excel-Blatt durchgeführte Simulation ergab sich eine durchschnittliche Anzahl von 27.33 Patienten mit einer mittleren Wartezeit von 0.78 Stunden. 5.11 Personen mussten im Schnitt ohne Behandlung abgewiesen werden. Die Anzahl an Wartenden betrug durchschnittlich 1.87 Patienten. Man erkennt des Weiteren, dass die Werte für die einzelnen Tage erheblich schwanken. Damit erhebt sich die Frage, inwieweit die Durchschnittsergebnisse ein realistisches Bild liefern. Dies lässt sich leicht überprüfen, indem man Excel durch Drücken der Taste „F9" zur erneuten Durchführung des Experiments veranlasst. Die großen Schwankungen in den sich ergebenden Durchschnittswerten deuten darauf hin, dass gegebenfalls ein erheblich größerer Betrachtungszeitraum als die gewählten 100 Tage simuliert werden muss, um zu stabilen Ergebnissen zu gelangen.

c) Eine effiziente Möglichkeit zur Durchführung von geeigneten Simulationen besteht erneut in dem Konzept der „Datentabelle" bzw. „Mehrfachoperation". Dazu ist neben der Nummer des Simulationslaufs die Anzahl der Plätze im Wartezimmer zu variieren. Im Falle zweier variierender Parameter kann jedoch durch Excel nur noch ein einzelnes Ergebnis automatisch ermittelt werden; wir wählen die Anzahl der abgewiesenen Personen. In einer Kopie des in Aufgabenteil b) abgebildeten Arbeitsblattes tragen wir im Bereich B66:F66 die mögliche Anzahl an Plätzen im Wartezimmer ein. In der Zelle A66 verweisen wir auf die Zelle M61, die die in einer Simulation eines Tages abgewiesenen Personen enthält. Nach Markieren des Bereichs A66:F167 und Aufruf des Befehls „Tabelle" im Menü „Daten" ist zusätzlich zu Aufgabenteil b) in dem Feld „Werte aus Zeile:" zu spezifizieren, in welche Zelle die Parameter aus dem Bereich B66:F66 einzusetzen sind. In unserem Beispiel ist das die Zelle D2. Im Anschluss daran vervollständigt Excel die Tabelle automatisch. Ermittelt man die durchschnittliche Anzahl an abgewiesenen Personen, so erkennt man, dass erst durch die Erweiterung auf 6 Stühle die Anzahl der abgewiesenen Personen signifikant reduziert werden kann.

	A	B	C	D	E	F
65		Plätze im Wartezimmer:				
66	11	4	5	6	7	8
67	1	6	0	1	0	9
68	2	9	2	0	0	6
69	3	13	5	5	0	1
164	98	4	0	1	3	0
165	99	13	7	1	1	0
166	100	3	4	6	0	0
167	Mittelwert	6,55	4,16	3,32	1,38	1,30

Kapitel 11: Fallbeispiele mit Standardsoftware

Während in den vorherigen Kapiteln die Erarbeitung grundlegender Techniken des Operations Research (OR) mit Hilfe kleinerer Übungsaufgaben erfolgte, enthält dieses Kapitel umfangreichere Fallbeispiele, die potentielle Einsatzmöglichkeiten des OR in der betrieblichen Praxis aufzeigen sollen. Es handelt sich dabei nicht um reale Fallstudien, da deren Darstellung und Aufbereitung den Umfang dieses Übungsbuches sprengen würden.

Durch die Bearbeitung der Fallbeispiele sollen zugleich Modellierungs- und Lösungsmöglichkeiten geeigneter Standardsoftware vermittelt und ihre Anwendung eingeübt werden. Darüber hinaus verknüpfen die Beispiele verschiedene Teilgebiete des OR (lineare, ganzzahlige, nichtlineare Optimierung) miteinander.

11.1 Standardsoftware

In einem ständig wachsenden Markt existiert inzwischen eine Vielzahl an Softwarepaketen zur Modellierung und Lösung von Optimierungsproblemen. Im Folgenden sollen Grundkomponenten solcher Softwarepakete beschrieben und Hinweise auf ihre Bezugsquellen gegeben werden. Eine nähere Beschreibung des Produkts XPress-MP von Dash Associates erfolgt im Lösungsteil des Kapitels. Wir haben dieses Paket gewählt, da es leicht zugänglich ist und umfangreiche Hilfetexte enthält.

Neben eigenständigen Paketen existieren Systeme, die sich in Tabellenkalkulationsprogramme integrieren lassen und deren Funktionalität und Benutzeroberfläche verwenden. Teilweise sind sie inzwischen fester Bestandteil solcher Programme; so enthält Microsoft Excel eine Komponente zur Lösung linearer (ganzzahliger) Optimierungsprobleme. Für Beispiele zu ihrer Anwendung verweisen wir auf Braun (1999), Günther (1999) sowie Domschke und Drexl (2005, Kap. 11).

Zu einigen Programmen werden kostenlose Testversionen über das Internet zur Verfügung gestellt (vgl. Tab. 11.1 auf S. 180).

Hinweise zu Software für andere Teilgebiete des OR finden sich in den einzelnen Kapiteln von Domschke und Drexl (2005).

Komponenten von Standardsoftware

Grundsätzlich unterstützen alle eigenständigen Systeme die Schritte 3 bis 6 des in Domschke und Drexl (2005, Kap 1.1) beschriebenen OR-gestützten Planungsprozesses und bestehen aus folgenden Komponenten: Der *Modellgenerator* erlaubt die Formulierung von Optimierungsproblemen und die Verwaltung zugehöriger Daten. Seine Hauptaufgabe ist die Umsetzung eines Modells in eine vom *Optimierer* lesbare Form. Dieser bildet den Kern der Systeme und beinhaltet eine Reihe von Lösungsmethoden. Bei der zur Entscheidungsunterstützung nötigen Aufbereitung von Ergebnissen hilft der Einsatz eines *Report-* bzw. *Berichtsgenerators*. In neueren Systemen werden alle diese Komponenten in einer einheitlichen *Entwicklungsumgebung* zusammengefasst, die insbesondere das Erstellen und Austesten von Modellen erleichtert. Ferner besteht die Möglichkeit, aus anderen Programmen mit Hilfe von *Bibliotheken* auf die Funktionalität einzelner Komponenten zuzugreifen. Im Folgenden beschreiben wir die einzelnen Komponenten etwas ausführlicher, wobei nicht auf alle Möglichkeiten moderner Pakete eingegangen werden kann:

- Der **Modellgenerator** ähnelt einem Übersetzer, wie man ihn von konventionellen Programmiersprachen wie C oder JAVA kennt. Seine Hauptaufgabe ist es, eine in einer Modellierungssprache vorgegebene Beschreibung eines Optimierungsmodells in eine durch den Optimierer lesbare Form umzusetzen. Im Rahmen der Übersetzung erfolgt eine syntaktische und semantische Analyse der Beschreibung bezüglich möglicher Fehler. So wird z.B. überprüft, ob alle Variablen deklariert sind.
  Neben der Übersetzung des Modells muss eine Verknüpfung mit den Problemdaten erfolgen. Diese können entweder fest in das Modell integriert werden oder lassen sich von externen Quellen einlesen. Die zweite Variante ist grundsätzlich vorzuziehen, da sie die mehrfache Lösung des Modells mit unterschiedlichen Parameterkonstellationen erleichtert. Dabei bieten die meisten Produkte neben dem Einlesen aus Dateien standardisierte Schnittstellen, die einen direkten Zugriff auf Datenbanken und Dateien von Tabellenkalkulationsprogrammen erlauben.
  Das übersetzte Modell kann entweder direkt oder mittels einer Datei an den Optimierer übergeben werden. Hierzu existieren standardisierte Formate (z.B. das MPS-Format), die von unterschiedlichen Optimierern akzeptiert werden. Diese Möglichkeit nutzen vor allem Systeme, die keinen eigenen Optimierer integriert haben und stattdessen auf leistungsfähige „Stand-alone“ Optimierer wie CPLEX zurückgreifen. Bekannte Produkte dieser Art sind AMPL, MPL, GAMS oder OPL.

- Der **Optimierer** besteht meistens aus einer Reihe unterschiedlicher Lösungsverfahren der linearen, ganzzahligen linearen und nichtlinearen Optimierung. Für lineare Optimierungsprobleme werden neben dem primalen und dualen Simplex-Algorithmus häufig noch Netzwerkflussalgorithmen sowie Interior-Point-Methoden angeboten, deren Effizienz in Abhängigkeit vom vorliegenden Problem(typ) variiert. Zusätzlich erfolgt der Einsatz von Preprocessing-Techniken, um z.B. redundante Nebenbedingungen zu entfernen.
  Die Verfahren zur ganzzahligen linearen Optimierung beruhen zumeist auf dem B&B-Prinzip. Hier existiert in der Regel eine Vielzahl von Möglichkeiten, den Lösungsablauf zu steuern. So kann z.B. die Verzweigungsstrategie (LIFO oder MLB bzw. MUB) gewählt werden. Einige Systeme wie Lindo sind in der Lage, nichtlineare Zielfunktionen und Nebenbedingungen zu verarbeiten. Allerdings kann das Finden einer optimalen Lösung für solche Modelle nicht garantiert werden.

- Die Aufbereitung von Ergebnissen zur Entscheidungsfindung bzw. zur Übernahme in andere Anwendungen (z.B. Datenbanken) unterstützt der **Reportgenerator**. Grundsätzlich fasst er dazu relevante, während des Lösungprozesses gesammelte Informationen zusammen. Neben den Werten der Entscheidungsvariablen sind dies z.B. die Werte von Schlupfvariablen oder Reduzierten Kosten und Schattenpreisen. Häufig lassen sich zusätzlich einfache Sensitivitätsanalysen durchführen. Schließlich können Informationen über den Verfahrensablauf, wie die benötigte Rechenzeit und der Speicherplatzbedarf, erfasst werden. Die so gewonnenen Daten lassen sich analog zur Dateneingabe über Dateien oder festgelegte Schnittstellen an andere Anwendungen übergeben.

- Die **Entwicklungsumgebung** stellt eine graphische Oberfläche mit einheitlicher Menüführung zur Bedienung und Konfiguration der vorher geschilderten Komponenten dar. Sie löst damit eine unkomfortable Steuerung über Kommandozeilen ab, wie sie bei vielen Systemen bis vor kurzem üblich war. Zur Modell- und Dateneingabe beinhaltet sie in der Regel einen Editor. Während der Optimierung erfolgt die Ausgabe von Informationen zum Lösungsfortschritt, z.B. über die Anzahl der im Rahmen des Simplex-Verfahrens ausgeführten Iterationen oder den besten bisher erreichten Zielfunktionswert. Nach Abschluss werden die Ergebnisse zumeist in Form von Tabellen zusammengefasst. Weitere Bestandteile sind Komponenten zur graphischen Darstellung von Ergebnissen sowie Makro- bzw. Skript-Sprachen. Letztere erlauben es, bei der Bedienung wiederkehrende Aktions- bzw. Befehlsfolgen zusammenzufassen und somit zu automatisieren. So kann z.B. ein Skript definiert werden, das nacheinander verschiedene Instanzen eines Modells löst und die erzielten Ergebnisse protokolliert.
- Häufig wird der Optimierer von anderen Programmen wie Entscheidungsunterstützungssystemen genutzt. Alternativ kann ein in einem System enthaltener Optimierungsalgorithmus als Bestandteil eines übergeordneten Verfahrens eingesetzt werden, um den Implementierungsaufwand möglichst gering zu halten. Dazu wird von den meisten Paketen die entsprechende Funktionalität in Form von **Bibliotheken** zusammengefasst, die sich von anderen Programmen aufrufen lassen. Dies erfolgt über festgelegte Schnittstellen mittels spezieller Anweisungen. Eine typische Anweisung besteht z.B. darin, die Daten einer Probleminstanz an den Optimierer zu übertragen.

Verfügbare Software

Wie bereits erwähnt, wird eine Vielzahl von Softwaresystemen zur Modellierung und Lösung von Optimierungsproblemen angeboten, die sich bezüglich Leistungsfähigkeit und Preis deutlich unterscheiden. Auf eine vergleichende Gegenüberstellung soll verzichtet werden; sie erfolgt z.B. regelmäßig in der vom Institute for Operations Research and the Management Sciences (INFORMS) herausgegebenen Zeitschrift OR/MS Today. Stattdessen beschränken wir uns darauf, die Internetadressen der Hersteller der gängigsten Pakete anzugeben (vgl. Tab. 11.1). Die Spalte „Typ“ gibt dabei an, ob es sich bei dem Paket um ein eigenständiges System (S), einen reinen Modellgenerator (M) bzw. Optimierer (O) oder eine Erweiterung für Tabellenkalkulationsprogramme (T) handelt. Der letzten Spalte ist zu entnehmen, ob eine kostenlose Testversion über das Internet verfügbar ist.

Zusätzlich möchten wir auf die an der TU Darmstadt entwickelte Lernsoftware TENOR (Tutorial Environment for Operations Research) verweisen, die kostenlos über das Internet (*http://www.bwl.tu-darmstadt.de/bwl3/*) bezogen werden kann.

Produkt	Hersteller	Internetadresse	Typ	Testv.
AMPL	Lucent Technologies	www.ampl.com	M	ja
ClipMOPS	Prof. Dr. U. Suhl	www.mops.fu-berlin.de	T	ja
CPLEX	Ilog	www.ilog.com	O	nein
Frontsys	Frontline Systems	www.frontsys.com	T	ja
GAMS	GAMS Development	www.gams.com	M	nein
LINGO	Lindo Systems	www.lindo.com	S	ja
MOPS	Prof. Dr. U. Suhl	www.mops.fu-berlin.de	O	nein
MPL	Maximal Software	www.maximal-usa.com	M	ja
OPL Studio	Ilog	www.ilog.com	S	ja
OSL	IBM	www6.software.ibm.com/es/oslv2/welcome.htm	O	ja
What's Best!	Lindo Systems	www.lindo.com	T	ja
XPress-MP	Dash Associates	www.dashopt.com	S	ja

Tab. 11.1: Auswahl an verfügbaren Softwaresystemen

11.2 Fallbeispiele

Fallbeispiel 1

Der Winzer B. Accus hat von seinem Onkel ein kleines Weingut geerbt. In den dazugehörigen Weinbergen werden die Rebsorten Trollinger, Lemberger und Portugieser angebaut, aus denen sich entsprechende Prädikatsweine gewinnen lassen. Darüber hinaus ist in der Region ein Landwein sehr beliebt, zu dessen Herstellung die Moste aller drei Rebsorten vor der Vergärung verschnitten werden. Zur Vermarktung seiner Ernte hat der Winzer zwei Möglichkeiten:

- Nach der Lese und Kelterung verkauft er den gewonnenen Most direkt an die Winzergenossenschaft, die daraus Weine herstellt, abfüllt und anschließend vertreibt. Je Liter Most wird ihm ein von der Rebsorte abhängiger Betrag ausgezahlt.
- Alternativ kann er die Produktion der Weine, d.h. die Mostbehandlung, Vergärung, Lagerung und Abfüllung, selbst übernehmen. Erst danach übergibt er die Weine zur Vermarktung an die Winzergenossenschaft. Der von ihm je Liter Wein erzielte Preis liegt in diesem Fall deutlich über dem für Most.

B. Accus steht nun vor der Entscheidung, welche der beiden Alternativen er in Zukunft wählen soll. Dabei stellt sich ihm das Problem, dass keine gesicherten Prognosen über Erntemengen, Kosten, Preise usw. zur Verfügung stehen. Um trotzdem zu einer Entscheidung zu gelangen, untersucht er, welche Alternative über den Zeitraum der letzten fünf Jahre besser abgeschnitten hätte. Dazu sammelt er zunächst alle relevanten Informationen und Daten.

Aus den Unterlagen seines verstorbenen Onkels entnimmt er, dass dieser stets die erste Alternative wählte. Die jährlich erwirtschaftete Menge an Most je Rebsorte sowie die von der Winzergenossenschaft gezahlten Preise je Liter Most sind in Tab. 11.2 zusammengefasst.

Sorte	Jahr 1	Jahr 2	Jahr 3	Jahr 4	Jahr 5
Trollinger	200/3.80	180/4.20	180/5.10	220/3.90	230/4.30
Lemberger	240/3.20	210/3.60	140/2.60	190/3.40	255/4.20
Portugieser	160/4.10	170/4.15	180/5.30	180/4.50	160/4.70

Tab. 11.2: Erntemengen in Hektolitern / Preise pro Liter Most in €

Zum Weinanbau und zur Kelterung unterhielt der Onkel einen Maschinenpark, der Kosten in Höhe von 110 000.- € pro Jahr verursachte. Zusätzlich entstanden je Liter gepresstem Most (unabhängig von der Rebsorte) nochmals Kosten in Höhe von 0.94 €, die im Wesentlichen auf zu zahlende Löhne für bei der Lese eingesetzte Arbeitskräfte zurückzuführen waren.

Die Ankaufspreise je Liter Wein erfragt er bei der Winzergenossenschaft (vgl. Tab. 11.3). Dabei erfährt er, dass von der jährlich zu Wein verarbeiteten Menge an Most je Rebsorte mindestens 10% und höchstens 50% in den Landwein eingehen müssen bzw. dürfen. Außerdem ist das Verhältnis, in dem die einzelnen Rebsorten zu Landwein zu mischen sind, fest vorgegeben:

Trollinger : Lemberger : Portugieser $\equiv$ 3 : 4 : 3

Sorte	Jahr 1	Jahr 2	Jahr 3	Jahr 4	Jahr 5
Trollinger	7.40	8.20	9.00	7.90	8.50
Lemberger	6.60	7.00	5.20	6.80	8.20
Portugieser	8.00	8.10	9.20	8.30	8.50
Landwein	3.90	4.40	5.80	4.20	4.70

Tab. 11.3: Preise je Liter Wein in €

Aus den Aufzeichnungen eines befreundeten Winzers ermittelt er die vermutlichen Kosten, die die Produktion der einzelnen Weine nach der Kelterung verursacht hätte. Sie betrugen 2.- € je Liter Trollinger, 1.80 € je Liter Lemberger, 2.60 € je Liter Portugieser und 2.20 € je Liter Landwein.

Zur Entscheidungsfindung stellt B. Accus die folgenden Fragen:

a) Wie hoch ist der Gesamtgewinn, den sein Onkel mit der ersten Variante erzielte?

b) Wie hoch ist der maximale Gesamtgewinn, den er bei der zweiten Variante, also bei Eigenproduktion, hätte realisieren können? Führen Sie zur Beantwortung dieser Frage folgende Schritte durch:

- Ermitteln Sie die Deckungsbeiträge der Weine je Liter für alle fünf Jahre!
- Formulieren Sie für jedes Jahr ein Optimierungsmodell zur Bestimmung eines Produktionsprogramms mit maximalem Gewinn!
- Übertragen Sie ihre Formulierungen in XPress-MP und lösen Sie die Modelle! Wie hoch sind die erzielbaren Jahresgewinne und der Gesamtgewinn über alle fünf Jahre?

- Bestimmen Sie die Mengen der einzelnen Weine, die in jedem Jahr produziert worden wären!

Die Einführung eines neuen Verfahrens zur Mostbehandlung ermöglicht die Lagerung für maximal ein Jahr, ohne dass der Gärungsprozess einsetzt. Allerdings kauft die Winzergenossenschaft stets frischen Most, so dass diese Technik nur im Rahmen der zweiten Variante (Eigenproduktion) verwendet werden kann. Der Winzer überlegt nun, ob sich der Einsatz dieses Verfahrens während der vergangenen fünf Jahre gelohnt hätte. In Anbetracht seiner durchschnittlichen Erntemengen erachtet er die Anschaffung jeweils eines Edelstahltanks mit einer Kapazität von 150 hl für jede Rebsorte als sinnvoll. Zur Beschaffung der Tanks muss der Winzer einen Kredit aufnehmen, den er im Laufe der fünf Jahre tilgen möchte. Dazu muss er jährlich für jeden Tank einen Betrag von 5 000.- € (einschließlich Zinsen) an die Bank zahlen. Im Rahmen seiner Analyse ergeben sich die folgenden Fragen:

c) Wie hoch ist der erzielbare Gesamtgewinn bei Anschaffung der Tanks, wenn unterstellt wird, dass die Tanks zu Beginn und Ende des Planungszeitraums leer sein sollen? Fassen Sie die in b) formulierten Modelle zu einem entsprechenden Gesamtmodell zusammen und lösen Sie dieses mit XPress-MP!

d) In welchen Jahren würde sich für welche Rebsorte die Anmietung zusätzlicher Lagerkapazität eventuell lohnen, wenn man davon ausgeht, dass dies für beliebig kleine Mostmengen möglich ist? Wie hoch dürften die Kosten für einen Hektoliter Lagerkapazität je Rebsorte höchstens sein, damit sich der Gesamtgewinn vergrößert?
Hinweis: Verwenden Sie die Ergebnisse der Berechnungen aus c).

e) Wie ändert sich die Situation, wenn die Bank ihm einen Kredit zur Beschaffung von höchstens zwei Tanks bewilligt? Mit welchen Rebsorten sollte er diese befüllen, wenn während des Planungszeitraums kein Wechsel zwischen unterschiedlichen Rebsorten möglich wäre?

f) Um seinen Lebensunterhalt zu finanzieren, will B. Accus in jedem Jahr einen Mindestgewinn von 75 000.- € erzielen und entnehmen. Verbleibende Überschüsse können zu einem Zinssatz von 5% angelegt werden. Steuerliche Aspekte sollen nicht berücksichtigt werden. Wie lassen sich diese Sachverhalte im Modell abbilden? Rechnet sich die Anschaffung von Tanks unter dieser Annahme noch immer?

Fallbeispiel 2

Die aus Fallbeispiel 1 bekannte Winzergenossenschaft hat einen Liefervertrag mit einer Handelskette abgeschlossen, die deutschlandweit 10 Distributionszentren (im Weiteren als *Kunden* bezeichnet) unterhält. Da die Genossenschaft diese Zentren direkt zu beliefern hat, steht sie nun vor der Entscheidung, ein eigenes Distributionsnetzwerk aufzubauen oder auf die Dienste einer Spedition zurückzugreifen.

Eine Analyse zeigt, dass im Fall der Eigendistribution die Belieferung der Kunden über (Zwischen-) Lager sinnvoll ist. Grundsätzlich kommen vier Standorte für die Lager in Frage, wovon man aber maximal drei einrichten möchte. Um ein Lager zu betreiben, fallen in jeder Periode sowohl Fix- als auch variable Kosten an. Fixkosten entstehen durch die Anmietung von Räumlichkeiten sowie Anschaffung und Betrieb von Kühleinrichtungen, variable Kosten durch den Transport des Weins zu den Lagern. Weiterhin unterscheiden sich die Lager bezüglich ihrer Kapazität. Die Daten lassen sich Tab. 11.4 entnehmen.

	Lager 1	Lager 2	Lager 3	Lager 4
Fixkosten in T€	22.5	40	25	32
Transportkosten in € je hl	26	21	28	21
Kapazität in hl	280	570	305	365

Tab. 11.4: Kosten und Kapazitäten der Lager

Die Periodenbedarfe der Kunden sind in Tab. 11.5, die aufzuwendenden Transportkosten in Tab. 11.6 wiedergegeben.

Kunde	1	2	3	4	5	6	7	8	9	10
Bedarf in hl	90	75	90	75	85	80	80	95	95	110

Tab. 11.5: Periodenbedarfe der Kunden

Auf Wunsch der Handelskette sollen die Kunden mit einem Bedarf von maximal 90 hl pro Periode genau einem Lager zugeordnet, d.h. nur von diesem beliefert werden. Für Kunden mit höheren Bedarfen ist eine Versorgung von mehreren Lagern erlaubt.

Kunde	1	2	3	4	5	6	7	8	9	10
Lager 1	41	41	42	40	42	44	43	41	39	43
Lager 2	39	40	41	41	43	40	43	42	41	43
Lager 3	44	44	39	42	49	43	41	45	40	46
Lager 4	42	41	40	44	45	41	44	49	40	42

Tab. 11.6: Transportkosten zwischen Lagern und Kunden in € / hl

Helfen Sie der Winzergenossenschaft bei der Entscheidungsfindung! Gehen Sie wie folgt vor:

a) Zunächst soll abgeschätzt werden, ob sich die Einrichtung eines eigenen Distributionssystems rentieren kann. Die Spedition hat ein Angebot in Höhe von 125 000.- € je Periode vorgelegt. Ermitteln Sie dazu ohne Formulierung eines Optimierungsmodells eine möglichst gute untere Schranke für die zu erwartenden eigenen Distributionskosten! Überlegen Sie sich dazu, welche Fix- und variablen Kosten mindestens aufzuwenden sind!

b) Um eine genauere Abschätzung zu erhalten, soll nunmehr ein gemischt-binäres, lineares Optimierungsmodell formuliert und in XPress-MP übertragen werden. Lösen Sie die LP-Relaxation und prüfen Sie, ob die dadurch erhältliche untere Schranke für die Distributionskosten das Angebot der Spedition unterschreitet!
Überprüfen Sie anhand der Reduzierten Kosten und Schattenpreise, ob es neben der von Ihnen berechneten weitere optimale Lösungen für die LP-Relaxation gibt!

c) Ermitteln Sie nun eine optimale Lösung des Problems! Wie hoch sind die minimalen Distributionskosten? Welche Lager sind dabei zu unterhalten, welche Lieferbeziehungen vorzusehen?

Im Rahmen weiterer Analysen stellen sich der Winzergenossenschaft folgende Fragen:

d) Um welchen Betrag verändern sich die Distributionskosten, wenn für keinen bzw. sämtliche Kunden eine Zuordnung zu mehr als einem Lager möglich wäre?

e) Wie ist das Modell zu verändern, wenn gefordert wird, dass im Falle der Realisierung des Lagers 3 der Kunde 5 vollständig von diesem zu beliefern ist? Um welchen Betrag erhöhen sich dadurch die Distributionskosten?

f) Wie verändern sich die Gesamtkosten, wenn der Kunde 4 entweder vom Lager 1 oder vom Lager 2 zu beliefern ist? Wie ist das Modell zu verändern?

Fallbeispiel 3

Die bereits bekannte Winzergenossenschaft setzt einen Teil ihrer Erzeugnisse über 11 Weinhandlungen ab, die über vier Regionen verteilt sind. Zur Betreuung dieser Weinhandlungen (im Weiteren als *Kunden* bezeichnet) stellt sie den Außendienstmitarbeiter H. Klinkenputzer (H.K.) ein. Zur Planung seiner Verkaufsaktivitäten für das kommende Quartal sammelt er die folgenden Informationen bzw. trifft die folgenden Annahmen:

- Je Quartal stehen höchstens 60 Arbeitstage für Besuche bei Kunden zur Verfügung.
- Unabhängig davon, welche und wie viele Kunden einer Region besucht werden, resultiert ein fixer Zeit- und Kostenaufwand für die An- und Abreise in die Region (vgl. Tab. 11.7). Die Gesamtdauer für An- und Abreise ist in Anteilen von Arbeitstagen angegeben. Bei jeder Reise in eine Region können mehrere ihrer Kunden – jedoch jeder maximal einmal – besucht werden. Die Gesamtdauer einer solchen Reise ergibt sich also aus den Dauern der An- und Abreise sowie den Dauern der vorgesehenen Besuche. Dabei wird unterstellt, dass jede Reise eine beliebige Dauer (in Bruchteilen von Tagen) aufweisen kann.

Region	1	2	3	4
An-/Abreisedauer	1	0.7	1.2	0.5
Kosten in €	1150.-	430.-	1600.-	370.-

Tab. 11.7: Zeit- und Kostenaufwand je Besuch in einer Region

- Reisen lassen sich zu jedem beliebigen Zeitpunkt des betrachteten Planungszeitraums beginnen.[1] Des Weiteren ist eine Festlegung, in welcher Reihenfolge die ermittelten Reisen durchzuführen sind, nicht erforderlich. Sie wird durch Herrn Klinkenputzer kurzfristig entsprechend seiner Präferenzen und derjenigen seiner Kunden vorgenommen und muss daher bei mittelfristiger Betrachtung nicht abgebildet werden.

1 Eine solche Abstraktion von der Kalenderproblematik (z.B. die nicht erfolgende Berücksichtigung von Sonn- und Feiertagen) ist in der betrachteten mittelfristigen Planung üblich und gerechtfertigt.

- Jeder Kunde muss mindestens dreimal je Quartal besucht werden, damit er eine Mindestmenge fl_{min} an Flaschen bestellt. Sie lässt sich durch häufigere Besuche bis zu einer Höchstmenge fl_{max} steigern, die sich ergibt, wenn insgesamt zwölfmal ein Gespräch mit dem Kunden geführt wird. Allgemein ist der Zusammenhang zwischen der Anzahl an Besuchen b bei einem Kunden und der im Quartal georderten Menge an Flaschen m(b) für $b \in [3, 12]$ durch die folgende Absatz- bzw. Reaktionsfunktion beschreibbar:

$$m(b) = fl_{min} + (fl_{max} - fl_{min}) \cdot \left(\frac{b-3}{9}\right)^{5/6}$$

Die durchschnittliche Besuchsdauer (in Anteilen von Arbeitstagen) ist vom jeweiligen Kunden abhängig. Alle kundenspezifischen Daten sind in Tab. 11.8 zusammengefasst.

Kunde	1	2	3	4	5	6	7	8	9	10	11
Region	1	1	1	2	2	3	3	3	4	4	4
Preis / Flasche	3.10	2.90	2.85	2.70	3.15	2.75	3.05	2.80	3.20	2.95	3.10
Besuchsdauer	0.30	0.50	0.20	0.25	0.45	0.25	0.35	0.30	0.15	0.40	0.35
fl_{min} (in Tsd.)	10	12	5	9	18	3	12.5	6	4	13	10.5
fl_{max} (in Tsd.)	15	20	8	12.5	26.5	4.5	17	12	7.5	16	14.5

Tab. 11.8: Daten für die Weinhandlungen

- Der erzielbare Durchschnittspreis je verkaufter Flasche Wein variiert von Kunde zu Kunde (vgl. Tab. 11.8); eine Differenzierung nach unterschiedlichen Weinsorten soll der Einfachheit halber nicht vorgenommen werden. Die Kosten für Verpackung und Transport betragen je Flasche Wein unabhängig vom Kunden 1.20 €.
- Um einen Leistungsanreiz für H.K. zu schaffen, hat die Geschäftsleitung beschlossen, regionenabhängige Prämien für jede verkaufte Flasche Wein zu zahlen. Für die Regionen 1, 2, 3 und 4 setzt sie die Prämien je Flasche auf 0.11, 0.07, 0.15 und 0.05 € fest.

Basierend auf den Ergebnissen dieser Analyse steht H.K. nun vor der Aufgabe, seine Besuchsaktivitäten für das kommende Quartal zu planen. Dabei möchten wir Sie bitten, ihn durch die Lösung folgender Teilaufgaben zu unterstützen:

a) Um die Reaktionsfunktionen der einzelnen Kunden in einem Optimierungsmodell leichter berücksichtigen zu können, sollen sie in dem Intervall [3, 12] stückweise linearisiert werden. Dazu bestimmen Sie anhand der Reaktionsfunktionen für die Stützstellen 3, 6, 9 und 12 die jeweils bestellten Flaschenmengen. Ermitteln Sie anschließend eine stückweise lineare Reaktionsfunktion, indem Sie die Bestellmengen benachbarter Stützstellen geradlinig miteinander verbinden! Runden Sie die Steigungen der linearisierten Reaktionsfunktionen jeweils auf die nächstkleinere ganze Zahl ab!

b) H.K. möchte nun seine Besuchsaktivitäten so gestalten, dass er eine möglichst hohe Gesamtprämie erzielt. Formulieren Sie ein lineares Optimierungsmodell, das festlegt, wie oft welcher Kunde im Quartal zu besuchen ist! Verwenden Sie dazu die stückweise linearisierten Reaktionsfunktionen und gehen Sie von beliebiger Teilbarkeit der Arbeitstage aus!

Lösen Sie Ihr Modell mit Hilfe von XPress-MP! Wie hoch ist die maximal erreichbare Prämie im Quartal?

Nach Abschluss des Quartals führt die Winzergenossenschaft eine Gewinnanalyse durch und stellt sich folgende Fragen:

c) Welchen Gesamtgewinn hat sie bei dem von H.K. optimierten Besuchsprogramm erzielt? Um welchen Betrag ließe sich der Gewinn maximal steigern, wenn ein alternatives Besuchsprogramm gewählt würde? Um wie viel Prozent würde sich dadurch die Prämie von H.K. verringern?

d) Welchen Besuchsplan soll die Genossenschaft vorgeben, so dass bei Gewinnmaximierung H.K. höchstens 5% seiner maximalen Prämie verliert?

e) Um eine für die Genossenschaft und auch für H.K. akzeptable Planung der Besuchsaktivitäten zu erhalten, soll eine Kompromisslösung bestimmt werden. Die jeweilige Abweichung vom bestmöglichen Zielerreichungsgrad wird dazu in Prozent relativ zum größtmöglichen Gewinn und zur größtmöglichen Prämie ausgedrückt. Der Plan soll so ermittelt werden, dass die maximale Abweichung minimiert wird. Welcher Gewinn und welche Prämie ergeben sich?

11.3 Lösungen zu den Fallbeispielen

Fallbeispiel 1

Lösung zu Teilaufgabe 1 a):

Der von seinem Onkel in jedem Jahr erzielte Gewinn (siehe Tab. 11.9) sowie der Gesamtgewinn lassen sich am einfachsten mit Hilfe eines Tabellenkalkulationsprogramms (z.B. Microsoft Excel) ermitteln. Den Gewinn für Jahr 1 erhalten wir wie folgt:

$$20000 \cdot (3.80 - 0.94) + 24000 \cdot (3.20 - 0.94) + 16000 \cdot (4.10 - 0.94) - 110000 = 52000$$

Die Jahresgewinne addieren sich zu **354 220.- €.**

	Jahr 1	Jahr 2	Jahr 3	Jahr 4	Jahr 5
Gewinn	52 000.-	59 110.-	66 600.-	65 940.-	110 570.-

Tab. 11.9: Gewinne je Jahr in €

Lösung zu Teilaufgabe 1 b):

Die Deckungsbeiträge der einzelnen Weinsorten zeigt Tab. 11.10. Der Deckungsbeitrag für Trollinger ergibt sich im ersten Jahr wie folgt: $7.4 - 2 - 0.94 = 4.46$

Anstelle eines allgemeinen mathematischen Optimierungsmodells geben wir für das erste Jahr eine Formulierung an, wie sie sich bei Einsatz der Standardsoftware XPress-MP ergibt. Die Formulierungen für die verbleibenden Jahre erhält man durch Anpassung der Problemdaten. Anhand dieses Modells erläutern wir die wichtigsten syntaktischen Elemente von Mosel, der

Sorte	Jahr 1	Jahr 2	Jahr 3	Jahr 4	Jahr 5
Trollinger	4.46	5.26	6.06	4.96	5.56
Lemberger	3.86	4.26	2.46	4.06	5.46
Portugieser	4.46	4.56	5.66	4.76	4.96
Landwein	0.76	1.26	2.66	1.06	1.56

Tab. 11.10: Deckungsbeiträge je Liter Wein in €

Modellierungssprache von XPress-MP. Zur Erstellung und Bearbeitung von Modellen in Mosel dient die Windows-Entwicklungsumgebung XPress-IVE. Eine genauere Beschreibung findet sich in den der Software beigefügten elektronischen Handbüchern.

```
! Lösung zu Fallbeispiel 1 (Teilaufgabe b)
! ~~~~~~~~~~~~~~~~~~~~~~~~~~~~~~~~~~~~~~~~

model "fallbsp_1_b"
  uses "mmxprs"
  declarations
    NS = 3                            ! Anzahl Rebsorten
    S = 1..NS                         ! Indexmenge der Rebsorten

    EM: array(S) of real              ! Erntemengen der Rebsorten in hl
    DB: array(S+{NS+1}) of real       ! Deckungsbeiträge der Weine in €/hl

    x: array(S) of mpvar              ! Menge an Prädikatswein in hl je Sorte
    y: array(S) of mpvar              ! in Landwein eingehende Menge in hl je Sorte
  end-declarations

  EM := [200, 240, 160]               ! vgl. Tab. 11.2
  DB := [446, 386, 446, 76]           ! vgl. Tab. 11.10

  MaxGew := sum(i in S) (DB(i)*x(i) + DB(4)*y(i)) - 110000

  forall(i in S) do
    Gesamt(i)  := x(i)  + y(i)  <= EM(i)
    Min(i)  := y(i)  >= 0.1*(x(i)  + y(i))
    Max(i)  := y(i)  <= 0.5*(x(i)  + y(i))
  end-do
  Misch1 := 4*y(1)  = 3*y(2)
  Misch2 := 3*y(2)  = 4*y(3)

  maximize(MaxGew)
  writeln("Maximaler Gewinn: ", getobjval)
  forall(i in S) do
    writeln("x(", i, ") = ", getsol(x(i)))
    writeln("y(", i, ") = ", getsol(y(i)))
  end-do
end-model
```

Eine **Modellformulierung in XPress-Mosel** ist in Blöcke unterteilt:

- Alle Blöcke beginnen mit einer Zeile der Form „**<blockname>...**“ und müssen mit der Anweisung „**end-<blockname>**“ abgeschlossen werden. Blöcke können ineinander verschachtelt sein, d.h. ein Block kann wiederum andere Blöcke enthalten.

- Der äußerste Block definiert den Namen des Modells und enthält alle Anweisungen, die zur Beschreibung des Modells erforderlich sind. Er beginnt mit der Zeile „**`model`** `"..."`“, wobei in Anführungszeichen der Name des Modells angegeben wird, und endet mit der Zeile „**`end-model`**“.
- Mit der Anweisung „**`uses`** `"..."`“ lassen sich Module etwa zur graphischen Darstellung von Ergebnissen einbinden. Das Optimierer-Modul von XPress, welches mit „**`uses`** `"mmxprs"`“ geladen wird, ermöglicht die Lösung von Optimierungsmodellen und die textuelle Ausgabe ihrer Lösung.
- Der Block „**`declarations`**“ innerhalb des „**`model`**“-Blocks dient der Definition von Konstanten, Indexmengen, Parametern mit zugehörigen Datenarrays (-feldern) in Vektoren- bzw. Matrizenform sowie von Entscheidungsvariablen eines Modells. In den entsprechenden Bezeichnern sind alphanumerische Zeichen sowie das Zeichen „_“ zugelassen; Groß- und Kleinschreibung werden unterschieden.

  Im Fallbeispiel wird durch die Konstante `NS = 3` die Anzahl der Rebsorten bestimmt. Durch den Ausdruck „`S = 1..NS`“ wird „`S`“ als eine Indexmenge definiert, welche Indexwerte für die drei Rebsorten enthält. Die Indexwerte 1, 2 und 3 entsprechen dabei den Rebsorten Trollinger, Lemberger und Portugieser. Indexmengen ermöglichen die Dimensionierung von Arrays und die Indizierung von Variablen und Parametern in der Zielfunktion sowie den Nebenbedingungen des Modells. Kommentare werden durch Ausrufezeichen eingeleitet.
- Die Dimensionierung von Datenarrays zur Beschreibung von Parametern erfolgt mit Hilfe des Schlüsselworts „**`array`**“ und Angabe des Paramtertyps (z.B. „**`of real`**“ für reellwertige Größen). Der Ausdruck „`EM:` **`array`**`(S)` **`of real`**“ definiert entsprechend einen reellwertigen Vektor zur Aufnahme der Erntemengen der Rebsorten 1,...,S und „`DB:` **`array`**`(S+{NS+1})` **`of real`**“ erzeugt einen Vektor für die Deckungsbeiträge der vier verschiedenen Weinsorten (Sorte NS + 1 = 4 entspricht dem Landwein). Das erste „+“-Zeichen in der Definition des Vektors DB repräsentiert den Vereinigungsoperator, die geschweiften Klammern um NS + 1 ergeben die einelementige Menge {4}; zur Dimensionierung von mehrdimensionalen Arrays vgl. Aufgabenteil c).

  Die zuvor deklarierten Arrays lassen sich nach dem „**`declarations`**“-Block mit Werten belegen. Die Elemente von Vektoren werden nach den Zeichen „`:=`“ in eckigen Klammern sequentiell und durch Kommas getrennt bestimmt. Bei langen Vektoren kann eine Unterteilung in mehrere Zeilen erfolgen. Dies ist z.B. durch Einfügung von Zeilenumbrüchen nach Kommas möglich.

  Bei Matrizen erfolgt eine zeilenweise Dateneingabe, ebenfalls mit der Möglichkeit der Unterteilung (vgl. Aufgabenteil c).

  Anstatt Parameterwerte explizit im Modell zu definieren, lassen sie sich alternativ aus einer Datei einlesen, was – wie bereits erwähnt – die mehrfache Lösung eines Modells mit unterschiedlichen Parameterkonstellationen erleichtert. Im obigen Modell lautet die Anweisung zum Einlesen der Vektoren der Deckungsbeiträge und Erntemengen wie folgt:

```
initializations from 'jahr1.dat'
    EM DB
end-initializations
```

In der Datei (jahr1.dat) werden den Vektoren nach einem Doppelpunkt die Vektorelemente in eckigen Klammern – optional durch Kommas getrennt – zugewiesen:

```
EM: [200, 240, 160]
DB: [446, 386, 446, 76]
```

- Entscheidungsvariablen sind im Block „**declarations**" durch die Angabe des Typs „**of mpvar**" zu kennzeichnen. Variablenarrays lassen sich analog zu Datenarrays definieren. Sofern man für Variablen keine Beschränkungen vorsieht (z.B. auf Binarität bzw. Ganzzahligkeit wie in den Fallbeispielen 2 und 3), werden sie als reellwertig und nichtnegativ interpretiert.

  Im obigen Modell definieren `x` bzw. `y` jeweils einen 3-elementigen Variablenvektor für die Mengen an Prädikatsweinen bzw. die je Sorte in den Landwein eingehende Menge.

- Nach dem „**declarations**"-Block erfolgt in der Regel die Beschreibung der Zielfunktion und der Nebenbedingungen, die jeweils mit Namen – vorangestellt und durch die Zeichenfolge „`:=`" abgeschlossen – zu versehen sind, um die Darstellung von Modellen und Lösungen zu erleichtern. Dabei gleicht die Notation grundsätzlich der bei der Formulierung eines allgemeinen mathematischen Modells, wobei die Zeichenfolgen „<=" und „>=" den $\leq$- und $\geq$-Relationen entsprechen. Darüber hinaus sind die folgenden Anweisungen zur Umsetzung eines Modells notwendig bzw. hilfreich:

  Die Definition mehrerer Nebenbedingungen gleichen Typs, die sich nur bezüglich der Ausprägung von Indexwerten unterscheiden, ist mit Hilfe der Laufanweisung „**forall**" möglich. Zu diesem Zweck sind in Klammern ein Indexname und eine Indexmenge – getrennt durch das Schlüsselwort „**in**" – anzugeben. Im Beispiel wird durch den Ausdruck „`Gesamt(i) := x(i) + y(i) <= EM(i)`" eine Gruppe mit insgesamt NS Nebenbedingungen `Gesamt(1)`, `Gesamt(2)`, ..., `Gesamt(NS)` eingeführt, wobei der Index i die Werte 1,...,NS annimmt. Soll sich eine „**forall**"-Anweisung auf mehrere Nebenbedingungstypen beziehen, so können diese in einen „**do ... end-do**"-Block eingeschlossen werden. Ist eine Nebenbedingung von den Ausprägungen mehrerer Indizes abhängig, so lassen sich entweder mehrere „**forall**"-Anweisungen verschachteln oder nach „**forall**" mehrere Indizes durch Kommas getrennt angeben (vgl. die Nebenbedingung `Lagert` in Teilaufgabe c).

  Summen können mit Hilfe der Anweisung „**sum**" gebildet werden. Die Einträge in Klammern geben dabei jeweils an, welche Indizes bei der Summation zu berücksichtigen sind. Mehrfachsummen lassen sich durch die Angabe mehrerer Indizes bilden (vgl. die Zielfunktion in Teilaufgabe c).

  Erfordert eine übersichtliche Formulierung von Nebenbedingungen eine mehrzeilige Eingabe, so können dafür Zeilenumbrüche verwendet werden. Diese sind so zu platzieren, dass aufgrund der Syntax in der nächsten Zeile eine Fortsetzung der Nebenbedingung zu erwarten ist. Beispielsweise darf ein Zeilenumbruch nicht vor, sondern nur nach einem „+“ erfolgen.

Die Optimierungsrichtung der Zielfunktion lässt sich mit den Befehlen „**maximize**“ bzw. „**minimize**“ festlegen. Ihre Definition kann entweder unmittelbar als mathematischer Ausdruck in Klammern nach „**maximize**“ bzw. „**minimize**“ oder separat erfolgen. In diesem Fall ist der Name der zugehörigen Definitionsgleichung in Klammern anzugeben.

- Mit dem „**writeln**“-Befehl lassen sich in der Entwicklungsumgebung XPress-IVE Informationen über die Lösung einer Modellinstanz anzeigen. Z.B. gibt die Anweisung „`writeln("Maximaler Gewinn: ", getobjval)`“ den optimalen Zielfunktionswert aus. Durch „`writeln("x(", i, ") = ", getsol(x(i)))`“ werden die optimalen Werte der Entscheidungsvariablen `x(i)` ausgegeben, wozu eine Schleife von sämtlichen Indexwerten $i = 1, \ldots, NS$ durchlaufen wird.

Weitere Hinweise zum Modell für Teilaufgabe 1 b):

Alternativ zu den drei Variablen y_i wäre eine Variable z ausreichend, die der Gesamtmenge an produziertem Landwein entspricht. Die benötigte Menge an Most von jeder Rebsorte lässt sich dann über das Mischungsverhältnis ermitteln; so gilt z.B. $y_1 = 0.3 \cdot z$.

Die Zielfunktion `MaxGew` bestimmt den erzielten Gesamtgewinn. Dazu sind die Mengen der Rebsorten, die zu Prädikatswein verarbeitet werden, mit den entsprechenden Deckungsbeiträgen zu multiplizieren und anschließend zu addieren. Das Gleiche gilt für die Mengen, die in den Landwein eingehen. Schließlich sind die Fixkosten vom erzielten Gesamtdeckungsbeitrag zu subtrahieren.

Die Nebenbedingungen `Gesamt` stellen für jede Rebsorte sicher, dass nicht mehr Most verarbeitet wird, als in dem Jahr zur Verfügung steht.

Die Einhaltung des vorgeschriebenen Mischungsverhältnisses bei der Herstellung von Landwein wird durch die Nebenbedingungen `Misch1` und `Misch2` gewährleistet. Eine weitere Nebenbedingung, die die Mengen y_1 und y_3 in Beziehung zueinander setzt, wäre redundant. Die Nebenbedingungen `Min` stellen sicher, dass von der jährlich zu Wein verarbeiteten Menge an Most je Rebsorte i mindestens 10% in den Landwein eingeht.

Lösungsermittlung für Teilaufgabe 1 b):

Die optimale Lösung des Modells erhält man durch Aufruf des in XPress-IVE integrierten Simplex-Verfahrens unter dem Menüpunkt `Build/Run`.

	Jahr 1	Jahr 2	Jahr 3	Jahr 4	Jahr 5
Gewinn	120 133.32	131 320.00	124 360.00	136 420.01	207 489.99

Tab. 11.11: Gewinne je Jahr in €

Die maximal in jedem Jahr erzielbaren Gewinne sind in Tab. 11.11 angegeben. Der realisierbare Gesamtgewinn beträgt damit **719 723.32 €**. Die herzustellenden Mengen an Wein sind Tab. 11.12 zu entnehmen. Durch Vergleich mit den von seinem Onkel erzielten Gewinnen kommt

B. Accus zu dem Schluss, dass eine Eigenproduktion in den letzten fünf Jahren wesentlich profitabler gewesen wäre als die reine Mostgewinnung.

Sorte	Jahr 1	Jahr 2	Jahr 3	Jahr 4	Jahr 5
Trollinger	180.00	162.00	162.00	198.00	207.00
Lemberger	213.33	186.00	116.00	160.66	224.33
Portugieser	140.00	152.00	162.00	158.00	137.00
Landwein	66.67	60.00	60.00	73.33	76.67

Tab. 11.12: Herzustellende Mengen in hl

Lösung zu Teilaufgabe 1 c):

Durch die Möglichkeit der Lagerung werden die Entscheidungen für die einzelnen Jahre (Perioden) zeitlich miteinander verknüpft, so dass die jeweils zu verarbeitenden Mengen simultan durch ein einziges Modell zu ermitteln sind. Dafür werden die Parameter zusätzlich mit Periodenindizes $t = 1, \ldots, 5$ versehen, so dass die Daten nun in einer zweidimensionalen Matrix erfasst sind. Dem Parameter EM_{it} entspricht die Erntemenge von Rebsorte i in Periode t.

Analog werden die Variablen zur Bestimmung der zu Prädikats- bzw. Landwein zu verarbeitenden Mengen je Rebsorte angepasst. Die Variable x_{it} bzw. y_{it} gibt an, wie viele hl von Rebsorte i in Periode t zu Prädikats- bzw. Landwein ausgebaut werden sollen. Schließlich sind noch Variablen l_{it} einzuführen, die die Lagermenge an Most je Rebsorte i in hl am Ende von Periode t spezifizieren. Es reicht aus, diese Variablen nur für $t = 1, \ldots, 4$ zu definieren, da eine Lagerung am Ende der letzten Periode unter den getroffenen Annahmen ökonomisch nicht sinnvoll ist. Daher wird in der zweiten Indexmenge der Entscheidungsvariablenmatrix `l` der Index NP (= 5) mit dem Differenzoperator „-" ausgeschlossen.

Die Zielfunktion `MaxGew` ergibt sich durch Summation der periodenbezogenen Zielfunktionen. Die Nebenbedingung `Gesamt` wird durch die Lagerbilanzgleichungen `Lager1`, `Lagert` und `LagerP` ersetzt, mit deren Hilfe sich der Lagerendbestand l_{it} von Rebsorte i in Periode t aus dem Anfangsbestand $l_{i,t-1}$ zuzüglich der Erntemenge EM_{it} und abzüglich der verarbeiteten Menge $x_{it}+y_{it}$ errechnet. Die erste und die letzte Periode werden gesondert behandelt, da die Lager zu Beginn und Ende des Planungszeitraums leer sein sollen. Alternativ lassen sich Variablen l_{i0} und l_{i5} definieren, denen jeweils der Wert 0 zugewiesen wird. Die Nebenbedingungen `Misch1`, `Misch2`, `Min` und `Max` aus Teilaufgabe b) sind an die geänderten Daten und die erweiterte Variablendefinition angepasst.

Die zusätzlichen Nebenbedingungen `Halt` stellen für jede Rebsorte sicher, dass in den Perioden $t = 2, \ldots, 5$ mindestens so viel Most zu Wein verarbeitet wird, wie in der Vorperiode eingelagert wurde. Schließlich ist durch die Nebenbedingungen `Kap` zu gewährleisten, dass die Lagermengen l_{it} die Kapazität der einzelnen Lager nicht überschreiten.

Durch Lösung des Modells ermittelt man, dass der erzielbare Gesamtgewinn bei Anschaffung der Tanks **730 868.- €** beträgt. Gegenüber der Variante ohne Lagerung wird also ein zusätzlicher Überschuss von 11 144.68 € erzielt.

```
! Lösung zu Fallbeispiel 1 (Teilaufgabe c)
! ~~~~~~~~~~~~~~~~~~~~~~~~~~~~~~~~~~~~~~~~~

model "fallbsp_1_c"
  uses "mmxprs"
  declarations
    NS = 3    S = 1..NS                   ! Anzahl Rebsorten
    NP = 5    P = 1..NP                   ! Anzahl Perioden

    EM: array(S,P) of real                ! Erntemengen der Rebsorten in hl
    DB: array(S+{NS+1},P) of real         ! Deckungsbeiträge der Weine in €/hl

    x: array(S,P) of mpvar                ! Menge an Prädikatswein je Sorte & Periode
    y: array(S,P) of mpvar                ! in Landwein eingeh. Menge je Sorte & Periode
    l: array(S,P-{NP}) of mpvar           ! gelagerte Menge je Sorte & Periode
  end-declarations

  EM := [200, 180, 180, 220, 230,
         240, 210, 140, 190, 255,
         160, 170, 180, 180, 160]         ! vgl. Tab. 11.2

  DB := [446, 526, 606, 496, 556,
         386, 426, 246, 406, 546,
         446, 456, 566, 476, 496,
          76, 126, 266, 106, 156]         ! vgl. Tab. 11.10

  MaxGew := sum(i in S, t in P) (DB(i,t)*x(i,t) + DB(4,t)*y(i,t)) -
            NP*110000 - 3*NP*5000

  forall(i in S) do
    Lager1(i) := l(i,1) = EM(i,1)-x(i,1)-y(i,1)
    forall(t in P-{1,NP}) Lagert(i,t) := l(i,t) = l(i,t-1)+EM(i,t)-x(i,t)-y(i,t)
    LagerP(i) := 0 = l(i,NP-1)+EM(i,NP)-x(i,NP)-y(i,NP)
  end-do

  forall(t in P) do
    Misch1(t) := 4*y(1,t) = 3*y(2,t)
    Misch2(t) := 3*y(2,t) = 4*y(3,t)
  end-do

  forall(i in S, t in P) do
    Min(i,t) := y(i,t) >= 0.1*(x(i,t) + y(i,t))
    Max(i,t) := y(i,t) <= 0.5*(x(i,t) + y(i,t))
  end-do

  forall(i in S, t in P-{1}) Halt(i,t) := x(i,t)+y(i,t) >= l(i,t-1)
  forall(i in S, t in P-{NP}) Kap(i,t) := l(i,t) <= 150

  maximize(MaxGew)
  writeln("Maximaler Gewinn: ", getobjval)
end-model
```

Lösung zu Teilaufgabe 1 d):

Grundsätzlich kann sich die Anmietung zusätzlicher Lagerkapazität für eine Rebsorte nur in den Jahren lohnen, in denen der entsprechende Tank in der optimalen Lösung vollständig genutzt wird, d.h. die entsprechende Nebenbedingung keinen Schlupf aufweist. Für die einzelnen Rebsorten sind die entsprechenden Perioden in Tab. 11.13 grau hinterlegt. Die Werte in der Tabelle sind die von XPress-MP ermittelten Schattenpreise der Schlupfvariablen der Kapazitätsrestriktionen Kap. Sie geben Aufschluss darüber, wie sich der Zielfunktionswert bei einer Erhöhung bzw. Verringerung der Tankkapazität um eine (kleine) Einheit ε verändert; sie stellen also den marginalen Wert einer Ressource dar.

Sorte	Jahr 1	Jahr 2	Jahr 3	Jahr 4
Trollinger	80.00	0.00	0.00	0.00
Lemberger	43.25	0.00	0.00	177.50
Portugieser	0.00	103.27	0.00	20.00

Tab. 11.13: Schattenpreise je Tank und Jahr in €

In Periode 4 führt eine Erhöhung der Kapazität des Tanks für Portugieser um ε hl zu einer Erhöhung des Gewinns um 20ε €. Nun muss noch überprüft werden, bis zu welchem maximalen Wert von ε diese Aussage Gültigkeit behält. Eine Möglichkeit dazu bieten die in Domschke und Drexl (2005, Kap. 2.5.4) vorgestellten Methoden der Sensitivitätsanalyse. Alternativ lässt sich der Wert durch systematische Variation der Tankkapazität und Ermittlung der jeweiligen optimalen Lösungen bestimmen. Man erkennt, dass eine Gewinnsteigerung nur bis zu einer Ausweitung um 3 hl möglich ist. Eine Anmietung von zusätzlicher Kapazität in diesem Ausmaß lohnt sich nur bei Kosten, die geringer als 20.- € je hl sind.

Leider gilt eine derartige Aussage grundsätzlich nur für nichtdegenerierte LPe. Dass im vorliegenden Fall eine Degeneration besteht, erkennt man, wenn man obige Untersuchungen für die Rebsorte Portugieser im Jahr 2 durchführt. Bei einer Ausweitung der Kapazität um ε hl ergibt sich statt der ausgewiesenen $103.27 \cdot \varepsilon$ € lediglich ein Gewinnzuwachs von $20.27 \cdot \varepsilon$ €.[2]

Lösung zu Teilaufgabe 1 e):

Zur Beantwortung dieser Frage kann das Modell so erweitert werden, dass neben den zu verarbeitenden und zu lagernden Mengen auch noch die anzuschaffenden Tanks ermittelt werden. Dies erfordert jedoch zusätzlich die Definition von Binärvariablen analog der Standortvariablen in Fallbeispiel 2, so dass das Modell nicht mehr mit dem Simplex-Algorithmus lösbar ist. Um dies zu vermeiden, lässt sich das Modell alternativ mehrfach lösen, wobei jeweils die Kapazität eines bzw. zweier Tanks auf 0 gesetzt wird. Nach Überprüfung der fünf möglichen Kombinationen ergibt sich ein bestmöglicher Zielfunktionswert in Höhe von **723 310.83 €**, der für einen Tank bei ausschließlicher Lagerung der Rebsorte Lemberger erzielt wird.

Lösung zu Teilaufgabe 1 f):

Zusätzlich zu den bisherigen Variablen führen wir noch Variablen u_t $(t = 1, \ldots, 5)$ ein, die den nach der Gewinnentnahme am Ende der Periode t verbleibenden Überschuss repräsentieren. Variablen zur Bestimmung der Höhe des jährlich entnommenen Gewinns sind nicht erforderlich, da man sich leicht überlegt, dass es aufgrund der Verzinsung von Überschüssen ökono-

2 Zur theoretischen Behandlung von Opportunitätskosten bei Degeneration verweisen wir auf Gal (1986) sowie Domschke und Klein (2004).

misch nicht sinnvoll ist, mehr als den geforderten Mindestbetrag zu entnehmen. Der erzielte Gesamtgewinn errechnet sich dann aus der Summe der erfolgten Gewinnentnahmen und des am Ende des 5. Jahres erzielten Überschusses. Damit ergibt sich die folgende zu maximierende Zielfunktion:

```
MaxGew := u(5) + 5*75000
```

Des Weiteren sind dem Modell Nebenbedingungen hinzuzufügen, die die Zulässigkeit der Gewinnentnahmen sicherstellen und die Verzinsung der Überschüsse berücksichtigen. Sie sind bei Anschaffung aller drei Tanks wie folgt definiert:

```
Entn1 := u(1) = sum(i in S) (DB(i,1)*x(i,1) + DB(4,1)*y(i,1)) -
                110000 - 3*5000 - 75000

forall(t in P-{1})
  Entnt(t) := u(t) = sum(i in S) (DB(i,t)*x(i,t) + DB(4,t)*y(i,t)) +
                     1.05*u(t-1) - 110000 - 3*5000 - 75000
```

Wie man erkennt, ähneln die Nebenbedingungen in ihrem Aufbau den Lagerbilanzgleichungen aus Teilaufgabe c). Der Überschuss in Periode t errechnet sich aus dem erzielten Gesamtdeckungsbeitrag dieser Periode zuzüglich der verzinsten Überschüssse der Vorperiode abzüglich der Summe aus anfallenden Kosten und des entnommenen Betrages. Der größte erzielbare Gesamtgewinn in Höhe von **746 457.69 €** ergibt sich, wenn auf die Anschaffung der Tanks gänzlich verzichtet wird.

Fallbeispiel 2

Lösung zu Teilaufgabe 2 a):

Um die Entscheidungsfindung sinnvoll zu unterstützen, sollte eine möglichst gute (hohe) untere Schranke für die zu erwartenden Distributionskosten bestimmt werden. Die möglichen Vorgehensweisen unterscheiden sich im Wesentlichen darin, ob Sie untere Schranken für die relevanten Kostenarten – Fixkosten für die Lager (FK), Transportkosten zur Versorgung der Lager (TKL) sowie Transportkosten zur Versorgung der Kunden (TKK) – getrennt oder (teilweise) simultan bestimmen. Weitere Unterschiede ergeben sich durch den Grad, in dem Restriktionen und Informationen der Problemstellung berücksichtigt werden. Wir betrachten die folgenden drei Möglichkeiten:

Alternative 1: Getrennte Berechnung von unteren Schranken für FK, TKL und TKK

- *Fixkosten der Lager:* Die Kunden besitzen einen Gesamtbedarf von 875 hl. Zur Bestimmung der mindestens entstehenden Fixkosten sind daher alle Lagerkombinationen mit einer ausreichenden Gesamtkapazität zu untersuchen. Man erkennt relativ leicht, dass nur die Kombinationen $\{2, 3\}$ mit Fixkosten 65 000.- €, $\{2, 4\}$ mit Fixkosten 72 000.- € und $\{1, 3, 4\}$ mit Fixkosten 79 500.- € effizient sind. Alle übrigen zulässigen Kombinationen sind Erweiterungen der ersten beiden um jeweils ein Lager. Minimale Fixkosten von **65 000.- €** verursacht damit die Kombination $\{2, 3\}$.
- *Transportkosten zur Versorgung der Lager:* Die geringsten Transportkosten zur Versorgung von Lagern mit 875 hl in Höhe von **18 375.- €** würden bei Belieferung der Lager 2 und 4 entstehen.

- *Transportkosten zur Versorgung der Kunden:* Gehen wir davon aus, dass jeder Kunde von dem für ihn günstigsten Lager aus beliefert wird, so entstehen Kosten in Höhe von **35 290.- €**. Eine deutlich schlechtere untere Schranke (34 125.- €) für diese Kostenart erhält man durch Multiplikation von 875 hl mit den insgesamt günstigsten Transportkosten einer einzelnen Verbindung in Höhe von 39.- €.

Die Summe **118 665.- €** der oben fett hervorgehobenen Beträge ist somit eine *untere Schranke* für die bei Eigendistribution entstehenden Kosten.

Alternative 2: Simultane Berechnung von unteren Schranken für FK und TKL

Für alle zulässigen Lagerkombinationen sind deren Fixkosten sowie die Mindesttransportkosten für ihre Versorgung mit 875 hl zu ermitteln. Die Summe der beiden Kostenblöcke ist mit 65000 + 20 510 = 85 510.- € für die Kombination {2, 3} am niedrigsten. Addiert man 35 290.- € für TKK hinzu, so ergibt sich eine untere Schranke von **120 800.- €**.

Alternative 3: Simultane Berechnung von unteren Schranken für TKL und TKK

Die Transportkosten in Tab. 11.6 erhöhen wir (zeilenweise) um die Transportkosten zur Versorgung des betreffenden Lagers. Ermitteln wir in dieser Tabelle für jeden Kunden die günstigste Liefermöglichkeit, so erhalten wir minimale Gesamttransportkosten in Höhe von 54 265.- €. Zusammen mit den minimalen Fixkosten aus Alternative 1 ergibt sich eine untere Schranke von **119 265.- €**.

Die bei Einrichtung eines eigenen Distributionssystems entstehenden Kosten betragen damit mindestens **120 800.- €**, so dass noch keine endgültige Entscheidung getroffen werden kann.

Lösung zu Teilaufgabe 2 b):

Bei dem zu entwickelnden gemischt-binären linearen Optimierungsmodell handelt es sich um eine Verallgemeinerung des aus der Literatur bekannten Warehouse Location-Problems (vgl. Domschke und Drexl (1996, Kap. 3.2)), das wir zunächst unabhängig von XPress-MP formulieren. Dabei verwenden wir die folgenden Parameter:

b_j Bedarf des Kunden $j = 1, \ldots, 10$ in hl

f_i Fixkosten bei Einrichtung von Lager $i = 1, \ldots, 4$ in €

k_i Kapazität von Lager i in hl

cl_i Transportkosten zur Belieferung von Lager i in €/hl

ck_{ij} Transportkosten bei Belieferung von Kunde j durch Lager i in €/hl

Zur Entscheidung über die Einrichtung von Lagern werden binäre Standortvariablen y_i mit $i = 1, \ldots, 4$ verwendet. y_i nimmt den Wert 1 an, wenn Lager i einzurichten ist, und besitzt ansonsten den Wert 0.

Die Zuordnungsvariable x_{ij} (mit $i = 1, \ldots, 4$ und $j = 1, \ldots, 10$) gibt den Anteil des Bedarfs des Kunden j an, der von Lager i aus befriedigt wird. Für die Kunden $j = 1, \ldots, 7$ mit exklusiver Versorgung darf sie nur Werte 0 oder 1 annehmen; für die übrigen besitzt sie Werte aus dem Intervall $[0, 1]$. Die tatsächliche Liefermenge ergibt sich durch Multiplikation von x_{ij} mit dem Bedarf b_j des Kunden j. Damit erhalten wir folgendes Modell:

Minimiere $ZF(\mathbf{x}, \mathbf{y}) = \sum_{i=1}^{4} f_i\, y_i + \sum_{i=1}^{4} \sum_{j=1}^{10} (cl_i + ck_{ij})\, b_j\, x_{ij}$ (1)

unter den Nebenbedingungen

$\sum_{i=1}^{4} x_{ij} = 1$ für $j = 1, \ldots, 10$ (2)

$\sum_{j=1}^{10} b_j\, x_{ij} \le k_i\, y_i$ für $i = 1, \ldots, 4$ (3)

$\sum_{i=1}^{4} y_i \le 3$ (4)

$y_i, x_{ij} \in \{0, 1\}$ für $i = 1, \ldots, 4$ und $j = 1, \ldots, 7$ (5)

$x_{ij} \ge 0$ für $i = 1, \ldots, 4$ und $j = 8, 9, 10$ (6)

Die Zielfunktion (1) minimiert die Summe aller Kostenarten. Die Nebenbedingungen (2) stellen sicher, dass der Bedarf jedes Kunden befriedigt wird. Die Bedingungen (3) garantieren die Einhaltung der Kapazitätsrestriktionen der Lager. Die Verknüpfung $k_i\, y_i$ gewährleistet, dass seitens eines nicht eingerichteten Lagers keine Lieferungen erfolgen. Bedingung (4) beschränkt die Zahl der Lager auf maximal drei.

Eine mögliche Umsetzung in XPress-MP ist nachfolgend angegeben, wobei die Parameter durch sprechende Namen ersetzt wurden. Durch die Anweisung „**`is_binary`**" wird die Binaritätseigenschaft von Variablen definiert.

Eine optimale Lösung der **LP-Relaxation** erhält man dadurch, dass man in der Modellformulierung zum Befehl „**`minimize`**" bzw. „**`maximize`**" den Parameter „`XPRS_LIN`" hinzufügt und anschließend das in XPress-IVE integrierte Simplex-Verfahren unter dem Menüpunkt `Build/Run` aufruft. Die Software sorgt in diesem Fall dafür, dass die eigentlich binären x- und y-Variablen kontinuierliche Werte aus dem Intervall [0,1] annehmen dürfen.

Jede derartige optimale Lösung verursacht Kosten in Höhe von **120 251.78 €** und besitzt für die Lager die Werte $y_1 = y_2 = 1$, $y_4 = 0.0685$ und $y_3 = 0$. Über die Lager werden die Mengen $M_1 = 280$, $M_2 = 570$ und $M_4 = 25$ umgeschlagen.
Hinsichtlich der Zuordnung von Kunden zu Lagern gibt es mehrere optimale Lösungen. Eine lautet: $x_{21} = x_{22} = x_{23} = x_{14} = x_{26} = x_{27} = x_{18} = x_{19} = 1$, $x_{15} = 0.18$, $x_{25} = 0.82$, $x_{2,10} = 0.77$ und $x_{4,10} = 0.23$. Die Existenz parametrischer Lösungen lässt sich z.B. daran erkennen, dass die Reduzierten Kosten der Nichtbasisvariablen x_{24}, x_{28} und x_{43} in der geschilderten Lösung den Wert 0 besitzen.

Die oben berechnete untere Schranke lässt sich übrigens noch erhöhen, wenn man zusätzlich zu den geschilderten Nebenbedingungen die für das gemischt-binäre (nicht aber für das kontinuierliche) Problem redundanten Bedingungen $x_{ij} \le y_i$ für alle i und j berücksichtigt. Man spricht in diesem Fall von einer *disaggregierten Formulierung* des Modells (vgl. Domschke und Drexl (1996, Kap. 3.2)). Die durch LP-Relaxation erhältliche untere Schranke besitzt den

```
! Lösung zu Fallbeispiel 2 (Teilaufgabe b)
! ~~~~~~~~~~~~~~~~~~~~~~~~~~~~~~~~~~~~~~~~~

model "fallbsp_11_2_b"
  uses "mmxprs"
  declarations
    NL =  4   L = 1..NL         ! Anzahl der Lager
    NK = 10   K = 1..NK         ! Anzahl der Kunden

    Fixko: array(L) of real   ! Fixkosten der Lager
    Kapaz: array(L) of real   ! Kapazität der Lager
    Bedarf: array(K) of real  ! Bedarf der Kunden
    CL: array(L) of real      ! Transportkosten zu den Lagern
    CK: array(L,K) of real    ! Transportkosten von den Lagern zu den Kunden

    y: array(L) of mpvar      ! Binärvariablen für Lager
    x: array(L,K) of mpvar    ! Zuordnungsvariablen Lager - Kunde
  end-declarations

  Fixko := [22500, 40000, 25000, 32000]
  CL := [26, 21, 28, 21]
  Kapaz := [280, 570, 305, 365]                              ! vgl. Tab. 11.4
  Bedarf := [90, 75, 90, 75, 85, 80, 80, 95, 95, 110]        ! vgl. Tab. 11.5
  CK(1,1) := [41, 41, 42, 40, 42, 44, 43, 41, 39, 43]
  CK(2,1) := [39, 40, 41, 41, 43, 40, 43, 42, 41, 43]
  CK(3,1) := [44, 44, 39, 42, 49, 43, 41, 45, 40, 46]
  CK(4,1) := [42, 41, 40, 44, 45, 41, 44, 49, 40, 42]        ! vgl. Tab. 11.6

  forall(i in L) y(i) is_binary
  forall(i in L, j in K| Bedarf(j) <= 90) x(i,j) is_binary

  ZF := sum(i in L) Fixko(i)*y(i)+
        sum(i in L, j in K) (CL(i)+CK(i,j))*Bedarf(j)*x(i,j)

  forall(j in K) Kunden(j) := sum(i in L) x(i,j) = 1
  forall(i in L) Kapazi(i) := sum(j in K) Bedarf(j)*x(i,j) <= Kapaz(i)*y(i)
  ZLager := sum(i in L) y(i) <= 3

  minimize(XPRS_LIN,ZF)
  writeln("untere Schranke für die Distributionskosten: ", getobjval)
end-model
```

Wert **120 267.87 €**; der benötigte Rechenaufwand ist durch die größere Zahl an Nebenbedingungen jedoch in der Regel höher.

Lösung zu Teilaufgabe 2 c):

Entfernt man den Parameter „`XPRS_LIN`" des „**`minimize`**"-Befehls, so wird durch Aufruf der Option `Build/Run` das in XPress-IVE integrierte B&B-Verfahren gestartet. Die ermittelte optimale Lösung ist $y_2 = y_3 = 1$, $y_1 = y_4 = 0$; $x_{21} = x_{22} = x_{33} = x_{34} = x_{25} = x_{26} = x_{37} = x_{28} = x_{2,10} = 1$, $x_{29} = 0.37$, $x_{39} = 0.63$ mit dem Zielfunktionswert **121 370.- €**.

Insgesamt werden im Rahmen des B&B-Prozesses durch die zum Zeitpunkt der Buchererstellung verfügbare Version des Optimierers von XPress-MP 16 Teilprobleme gebildet und analysiert. Die Version, die im Rahmen der vorangegangenen Auflage Verwendung fand, benötigte noch 99 Knoten. Dieser Leistungsfortschritt ist auf verbesserte Methoden zur Bestimmung unterer Schranken für den Zielfunktionswert zurückzuführen. Setzt man die oben angesprochene disaggregierte Formulierung ein, so wird wegen der besseren unteren Schranke sogar nur ein einziger Knoten generiert, dessen Auswertung jedoch aufwendiger ist. Dies zeigt generell, dass es bei der Notwendigkeit einer wiederholten Lösung eines Problems mit unterschiedlichen Parameterkonstellationen sinnvoll ist, zunächst verschiedene Modellierungsvarianten bezüglich ihrer Effizienz zu untersuchen.

Lösung zu Teilaufgabe 2 d):

Falls kein Kunde zwingend von nur einem Lager beliefert werden soll, können alle x_{ij} auf das Intervall [0,1] relaxiert werden. Die Distributionskosten sinken dadurch um **70.- €**. Statt der Belieferung des Kunden 9 wird diejenige des Kunden 4 gesplittet.

Fordert man für sämtliche Kunden eine eindeutige Belieferung, so verteuert sich die Distribution auf **126 845.- €**. In diesem Fall werden Lager an den Standorten 2 und 4 eingerichtet.

Lösung zu Teilaufgabe 2 e):

Es ist eine der beiden Bedingungen $x_{35} \geq y_3$ oder $x_{35} = y_3$ hinzuzufügen. Die optimale Lösung verteuert sich gegenüber c) um **445.- €**.

Lösung zu Teilaufgabe 2 f):

Für eine möglichst effiziente Modellierung dieser Bedingung sollte man durch Fixierung der Variablen $x_{34} = x_{44} = 0$ die Belieferung des Kunden 4 seitens der Lager 3 und 4 verbieten. Alternativ könnte man z.B. die Bedingung $x_{14} + x_{24} = 1$ hinzufügen. Die optimale Lösung verteuert sich gegenüber c) um **10.- €**.

Fallbeispiel 3

Bei den zu lösenden Problemen handelt es sich um spezielle Probleme der nichtlinearen Optimierung. Die zulässigen Bereiche stellen konvexe Polyeder dar; die zu maximierenden Zielfunktionen sind zerlegbar (separabel) und konkav. Mit solchen Problemen beschäftigt sich die *separable konvexe Optimierung*, die von zu minimierenden konvexen bzw. zu maximierenden konkaven Zielfunktionen ausgeht; vgl. Williams (1999, Kap. 7.3), Domschke und Klein (2000) sowie Domschke und Drexl (2005, Kap. 8.7).

Lösung zu Teilaufgabe 3 a):

Zur stückweisen Linearisierung der individuellen Reaktionsfunktion $m_i(b)$ eines Kunden $i = 1, \ldots, 11$ müssen zuerst die georderten Mengen an Flaschen für jede Stützstelle berechnet werden. Dies lässt sich einfach mit Hilfe eines Tabellenkalkulationsprogramms realisieren; wir verzichten auf die Angabe dieser Werte. Seien β_1 und β_2 zwei benachbarte Stützstellen mit $\beta_1 < \beta_2$ sowie $m_i(\beta_1)$ und $m_i(\beta_2)$ die zugehörigen Bestellmengen, dann ergibt sich die gesuchte Abschätzung für die Reaktionsfunktion im Intervall $[\beta_1, \beta_2)$ durch lineare Interpolation wie folgt:

$$\tilde{m}_i(b) = m_i(\beta_1) + \frac{m_i(\beta_2) - m_i(\beta_1)}{\beta_2 - \beta_1} \cdot (b - \beta_1)$$

Der Term $s_i = (m_i(\beta_2)-m_i(\beta_1))/(\beta_2-\beta_1)$ entspricht der Steigung der linearen Approximation im Intervall $[\beta_1, \beta_2)$; vgl. die Werte in Tab. 11.14.

Eine alternative Darstellung erhält man, wenn die Anzahl der Besuche b bei Kunde i in Abhängigkeit von Variablen x_{i1}, x_{i2} und x_{i3} definiert wird, so dass $b = 3+x_{i1}+x_{i2}+x_{i3}$ gilt. Fordert man weiter, dass $x_{i1}, x_{i2}, x_{i3} \in [0,3]$ und dass $x_{i3}>0$ bzw. $x_{i2}>0$ nur im Falle $x_{i2} = 3$ bzw. $x_{i1} = 3$ erlaubt ist, so lässt sich die gesuchte Abschätzung für die Reaktionsfunktion $m_i(b)$ wie folgt darstellen:

$$\tilde{m}_i(\mathbf{x}) = m_i(3) + \frac{m_i(6)-m_i(3)}{3} \cdot x_{i1} + \frac{m_i(9)-m_i(6)}{3} \cdot x_{i2} + \frac{m_i(12)-m_i(9)}{3} \cdot x_{i3}$$

Die Konstante $m_i(3)$ stellt die Mindestabnahmemenge fl_{min} des Kunden i dar. Die Faktoren vor den Variablen entsprechen den Steigungen aus Tab. 11.14.

Kunde i	1	2	3	4	5	6	7	8	9	10	11
s_i in $[3,6)$	667	1067	400	467	1134	200	600	800	467	400	533
s_i in $[6,9)$	521	834	312	365	886	156	469	625	365	312	417
s_i in $[9,12]$	477	764	286	334	812	143	430	573	334	286	382

Tab. 11.14: Steigungen der linearisierten Reaktionsfunktionen

Lösung zu Teilaufgabe 3 b):

Skizziert man die stückweise linearisierten Reaktionsfunktionen, so lässt sich erkennen, dass sie – wie die ursprünglich gegebenen Funktionen – einen konkaven Verlauf besitzen, d.h. ihre Steigungen monoton fallend sind. Die zu maximierende Prämienfunktion entsteht durch Gewichtung und Addition der einzelnen Reaktionsfunktionen und ist ebenfalls stückweise linear und konkav.

Derartige Zielfunktionen erlauben eine sehr effiziente Modellierung, vorausgesetzt man wählt zu ihrer Repräsentation die zweite in Teilaufgabe a) vorgestellte Alternative. Im Rahmen einer Maximierung des Gesamtzielfunktionswertes ist sichergestellt, dass x_{ij} nur dann einen positiven Wert erhält, wenn $x_{i,j-1}$ seine obere Schranke erreicht hat. Das liegt daran, dass x_{ij} einen niedrigeren Zielfunktionskoeffizienten besitzt als $x_{i,j-1}$.

Im Rahmen von XPress-MP werden im Block „`declarations`" die Parameter des Problems definiert. Zur Beschreibung der Reaktionsfunktionen sind die Mindestbestellmengen je Kunde sowie die Steigungen der approximierten Funktionsverläufe anzugeben.

Zur Formulierung des Problems definieren wir Variablen x_{ij} für alle Kunden $i = 1,\ldots,11$ und jedes Intervall von Stützstellen, die wir mit $j = 1,\ldots,3$ indizieren. Zusätzlich werden Variablen y_r eingeführt, die angeben, wie oft eine Region $r = 1,\ldots,4$ insgesamt besucht wird. Sowohl bei den x_{ij} als auch den y_r handelt es sich um ganzzahlige Variablen, was durch die Anweisung „`is_integer`" ausgedrückt wird.

Die in der Zielfunktion zu maximierende Hilfsvariable `Praemie` bestimmt die für alle verkauften Weinflaschen anfallende Gesamtprämie des Herrn Klinkenputzer.

```
! Lösung zu Fallbeispiel 3 (Teilaufgabe b)
! ~~~~~~~~~~~~~~~~~~~~~~~~~~~~~~~~~~~~~~~~

model "fallbsp_3_b"
  uses "mmxprs"
  declarations
    NWH = 11    WH = 1..NWH      ! Anzahl Weinhandlungen
    NRG = 4     RG = 1..NRG      ! Anzahl Regionen
    NIS = 3     IS = 1..NIS      ! Anzahl Intervalle zwischen Stützstellen
    KO = 1.20                    ! Kosten je Flasche
    Epsilon = 0.0000001          ! Strafkosten für überflüssige Reisen

    AD: array(RG) of real        ! An- und Abreisedauer
    AK: array(RG) of real        ! An- und Abreisekosten
    DP: array(WH) of real        ! Durchschnittspreis pro Flasche
    BD: array(WH) of real        ! Besuchsdauer
    MF: array(WH) of real        ! Mindestbestellmenge an Flaschen
    ZF: array(WH,IS) of real     ! zusätzliche Flaschen
    PR: array(RG) of real        ! Prämie

    x: array(WH,IS) of mpvar     ! Anzahl der zusätzl. Besuche bei einem Kunden
    y: array(RG) of mpvar        ! Anzahl der Reisen in Regionen
    Praemie: mpvar               ! Praemie
  end-declarations

  AD := [1, 0.7, 1.2, 0.5]
  AK := [1150, 430, 1600, 370]                    ! vgl. Tab. 11.7
  DP := [3.10, 2.90, 2.85, 2.70, 3.15, 2.75,
         3.05, 2.80, 3.20, 2.95, 3.10]
  BD := [0.30, 0.50, 0.20, 0.25, 0.45, 0.25,
         0.35, 0.30, 0.15, 0.40, 0.35]
  MF := [10000, 12000, 5000,  9000, 18000, 3000,
         12500,  6000, 4000, 13000, 10500]        ! vgl. Tab. 11.8
  ZF(1,1) := [667, 521, 477, 1067, 834, 764, 400, 312, 286,
              467, 365, 334, 1134, 886, 812, 200, 156, 143,
              600, 469, 430,  800, 625, 573, 467, 365, 334,
              400, 312, 286,  533, 417, 382]      ! vgl. Tab. 11.14
  PR := [0.11, 0.07, 0.15, 0.05]

  forall(i in WH, j in IS) x(i,j) is_integer
  forall(r in RG) y(r) is_integer

  Praemie = sum(i in {1..3})  PR(1)*(MF(i) + sum(j in IS) ZF(i,j)*x(i,j)) +
            sum(i in {4..5})  PR(2)*(MF(i) + sum(j in IS) ZF(i,j)*x(i,j)) +
            sum(i in {6..8})  PR(3)*(MF(i) + sum(j in IS) ZF(i,j)*x(i,j)) +
            sum(i in {9..11}) PR(4)*(MF(i) + sum(j in IS) ZF(i,j)*x(i,j))

  Zeit := sum(i in WH) BD(i)*(3 + sum(j in IS) x(i,j))+
          sum(r in RG) AD(r)*y(r) <= 60

  forall(i in {1..3})  Reg1(i) := y(1) >= 3 + sum(j in IS) x(i,j)
  forall(i in {4..5})  Reg2(i) := y(2) >= 3 + sum(j in IS) x(i,j)
  forall(i in {6..8})  Reg3(i) := y(3) >= 3 + sum(j in IS) x(i,j)
  forall(i in {9..11}) Reg4(i) := y(4) >= 3 + sum(j in IS) x(i,j)

  forall(i in WH, j in IS) Max1(i,j) := x(i,j) <= 3

  maximize(Praemie - Epsilon*sum(r in RG) y(r))
  writeln("Prämie: ", getsol(Praemie))
end-model
```

Die Nebenbedingung `Zeit` beschränkt die Besuchsaktivitäten. Hierzu sind die für die Gespräche benötigten Dauern sowie die anfallenden An- und Abreisedauern zu addieren und auf insgesamt maximal 60 Arbeitstage zu beschränken. Aufgrund der beliebigen Startzeitpunkte der Reisen, ihrer nicht beschränkten Dauern sowie der beliebigen Reihenfolge ihrer Durchführung lassen sich beide Komponenten getrennt voneinander ermitteln:

- Die gesamte für die Gespräche benötigte Zeit ergibt sich aus der Summe der jeweils durchgeführten Kundenbesuche multipliziert mit den Besuchsdauern. Dabei ist zu beachten, dass die Summe der Werte x_{ij} für einen Kunden i der Anzahl Besuche entspricht, die über die geforderte Mindestanzahl von 3 Besuchen hinausgeht. Die Anzahl insgesamt bei einem Kunden i durchgeführter Besuche ergibt sich wie im Aufgabenteil a) erläutert durch $3+\sum_{j=1}^{3} x_{ij}$.
- Um die für die An- und Abreise benötigte Zeit zu ermitteln, werden Variablen y_r eingeführt, die jeweils die Anzahl der Reisen in eine Region r erfassen. Diese ergeben sich – da jeder Kunde pro Reise in eine Region höchstens einmal besucht werden darf – jeweils als maximale Anzahl von Besuchen, die für einen Kunden der Region vorgesehen sind. Die entsprechenden Verknüpfungen werden in den Bedingungen `Reg1` bis `Reg4` hergestellt. In der Zielfunktion werden unnötige Reisen, die über diese Mindestanzahl hinausgehen, dadurch vermieden, dass die y_r mit einem Strafkostenfaktor `Epsilon` bewertet werden. Dieser wird hinreichend klein gewählt, damit er keinen Einfluss auf die originäre Zielsetzung der Maximierung der Gesamtprämie hat.

`Max1` garantiert, dass keine der Entscheidungsvariablen x_{ij} einen Wert größer 3 annimmt.

Durch Lösung des Modells erhält man die Besuchshäufigkeiten je Kunde in der Zeile „Prämie" von Tab. 11.15. Die erzielbare Gesamtprämie beträgt **13 197.68 €**.

Kunde	1	2	3	4	5	6	7	8	9	10	11	Prämie	Gewinn
3b) Prämie	12	12	12	5	5	10	12	12	3	3	3	13 197.68	188 499.92
3c) Gewinn	10	10	10	12	12	3	3	3	12	12	12	12 246.28	210 488.92
3d) Prozent	10	10	10	12	12	5	5	5	9	9	9	12 575.98	207 786.32
3e) Kompromiss	12	12	12	9	9	6	6	6	8	7	8	12 840.96	204 467.84

Tab. 11.15: Besuchshäufigkeiten, Prämien und Gewinne unterschiedlicher Lösungen

Im Allgemeinen entspricht die erhaltene optimale Lösung des Modells nicht genau der optimalen Lösung des Ausgangsproblems, was durch die Abschätzung der Reaktionsfunktionen mit Hilfe stückweiser Linearisierung zu erklären ist. Wird die potenzielle Abweichung zwischen den Lösungen als relevant angesehen, so besteht eine Möglichkeit zur besseren Annäherung in der Erhöhung der Anzahl an Stützstellen. Alternativ kann auch nach der Lösung des Modells in der Nachbarschaft der Werte der betroffenen Entscheidungsvariablen eine verfeinerte Abschätzung der Reaktionsfunktionen vorgenommen und anschließend ein modifiziertes Modell gelöst werden. Dieser Prozess lässt sich so lange wiederholen, bis eine hinreichende Genauigkeit erreicht ist.

Lösung zu Teilaufgabe 3 c):

Der von der Winzergenossenschaft erzielte Gesamtgewinn der in b) ermittelten Lösung beträgt nach Zahlung der Prämie **188 499.92 €**. Zu seiner Berechnung wird eine Bestimmungsgleichung für eine neue Hilfsvariable „`Gewinn`" eingefügt:

```
Gewinn = sum(i in WH) (DP(i)-KO)*MF(i)+
         sum(i in WH,j in IS) (DP(i)-KO)*ZF(i,j)*x(i,j)-
         sum(r in RG) AK(r)*y(r)-Praemie
```

Der Gesamtgewinn ermittelt sich dabei aus der Differenz zwischen dem durch die Besuche erzielten Deckungsbeitrag (ohne Reisekosten und Prämie) und der Summe aus Kosten für An- und Abreise sowie der zu zahlenden Prämie. Zur Ermittlung des maximalen Gesamtgewinns ist die Zielfunktion „**`maximize`**`(Gewinn)`" zu verwenden und der optimale Wert mit „**`writeln`**`("Gewinn: ", `**`getsol`**`(Gewinn))`" auszugeben.[3]

Die optimale Lösung ist in der Zeile „Gewinn" von Tab. 11.15 wiedergegeben. Zur Berechnung der bei diesem Besuchsprogramm zu zahlenden Gesamtprämie dient wiederum die Hilfsvariable `Praemie`. Der Gewinn der Genossenschaft erhöht sich um **21 989.- €**; die Prämie von H.K. verringert sich um **7.2%**. Es ist erkennbar, dass die Ziele Prämien- und Gewinnmaximierung konkurrierend sind.

Lösung zu Teilaufgabe 3 d):

Es handelt sich hierbei um die Berücksichtigung eines Zieles durch Vorgabe eines Anspruchsniveaus. Die zu ergänzende Nebenbedingung lautet:

```
Praemie >= 0.95*13197.68
```

Man erhält die Lösung in der Zeile „Prozent" von Tab. 11.15.

Lösung zu Teilaufgabe 3 e):

Es wird ein Zielkompromiss mittels Goal-Programming gesucht. Zu minimieren ist die größte auftretende Abweichung vom bestmöglichen Zielerreichungsgrad (Tschebyscheff-Norm). Das Mosel-Modell wird um eine Variable Z (Typ „**`mpvar`**") für die Zielabweichung sowie die folgenden Bedingungen erweitert:

```
Grad1 :=  Gewinn >= 210488.92*(1 - 0.01*Z)
Grad2 := Praemie >=  13197.68*(1 - 0.01*Z)
```

Die durch Minimierung von Z („**`minimize`**`(Z)`") erhaltene Lösung ist in der Zeile „Kompromiss" von Tab. 11.15 angegeben. Die ermittelten Abweichungen betragen 2.70% bei der Prämie und Z = **2.86%** beim Gewinn. Damit ergeben sich Zielerreichungsgrade von 97.30% bzw. 98.14%.

Hinweis: Die Abweichungen für die beiden Ziele differieren wegen der Ganzzahligkeitsforderung an die Variablen.

3 Im Gegensatz zu Teilaufgabe b) ist in der Zielfunktion kein Strafkostenterm notwendig, da Reisen mit Kosten verbunden sind und somit die y(r) stets kleinstmögliche Werte annehmen.

Literaturverzeichnis

Basisliteratur:

Domschke, W. und A. Drexl (2005): Einführung in Operations Research. 6. Aufl., Springer, Berlin u.a.

Weitere Lehrbuchliteratur:

Bazaraa, M.S.; H.D. Sherali und C.M. Shetty (1993): Nonlinear programming – Theory and algorithms. Wiley, New York u.a.

Beisel, E.-P. und M. Mendel (1987): Optimierungsmethoden des Operations Research, Bd. 1: Lineare und ganzzahlige lineare Optimierung. Vieweg, Braunschweig - Wiesbaden.

Berens, W. und W. Delfmann (2004): Quantitative Planung. 4. Aufl., Schaeffer-Poeschel, Stuttgart.

Dinkelbach, W. (1992): Operations Research – Ein Kurzlehr- und Übungsbuch. Springer, Berlin u.a.

Domschke, W. (1995): Logistik: Transport. 4. Aufl., Oldenbourg, München - Wien.

Domschke, W. und A. Drexl (1996): Logistik: Standorte. 4. Aufl., Oldenbourg, München - Wien.

Domschke, W.; A. Scholl und S. Voß (1997): Produktionsplanung – Ablauforganisatorische Aspekte. 2. Aufl., Springer, Berlin u.a..

Ellinger, T.; G. Beuermann und R. Leisten (2003): Operations Research – Eine Einführung. 6. Aufl., Springer, Berlin u.a.

Gal, T. (Hrsg.) (1989): Grundlagen des Operations Research (3 Bände). 2. Aufl., Springer, Berlin u.a.

Hauke, W. und O. Opitz (2003): Mathematische Unternehmensplanung – Eine Einführung. 2. Aufl., Books on Demand GmbH, Norderstedt.

Hillier, F.S. und G.J. Lieberman (1997): Operations Research – Einführung. 5. Aufl., Oldenbourg, München - Wien.

Kistner, K.-P. (2003): Optimierungsmethoden. 3. Aufl., Physica, Heidelberg.

Klein, R. und A. Scholl (2004): Planung und Entscheidung – Konzepte, Modelle und Methoden einer modernen betriebswirtschaftlichen Entscheidungsanalyse. Vahlen, München.

Meyer, M. und K. Hansen (1996): Planungsverfahren des Operations Research. 4. Aufl., Vahlen, München.

Neumann, K. und M. Morlock (2002): Operations Research. 2. Aufl., Hanser, München - Wien.

Runzheimer, B. (1999): Operations Research. 7. Aufl., Gabler, Wiesbaden.

Taha, H.A. (1992): Operations Research – An introduction. 5. Aufl., MacMillan, New York - London.

Winston, W.L. (2004): Operations Research – Applications and algorithms. 4. Aufl., Duxbury Press, Belmont.

Zimmermann, H.-J. (2004): Operations Research – Methoden und Modelle. Vieweg, Wiesbaden.

Zimmermann, W. und U. Stache (2001): Operations Research. 10. Aufl., Oldenbourg, München - Wien.

Zusätzliche Literatur zu Kapitel 11:

Biederbick, C. und L. Suhl (1998): Optimierungssoftware im Internet. Wirtschaftsinformatik 40, S. 158 - 162.

Braun, B. (1999): Simultane Investitions- und Finanzplanung mit dem Excel-Solver. WISU – Das Wirtschaftsstudium 28, S. 73 - 80.

Domschke, W. und R. Klein (2000): Produktionsprogrammplanung bei nichtlinearen Deckungsbeitragsfunktionen. WISU – Das Wirtschaftsstudium 29, S. 1649 - 1655.

Domschke, W. und R. Klein (2004): Bestimmung von Opportunitätskosten am Beispiel des Produktionscontrolling. Zeitschrift für Planung und Unternehmenssteuerung 15, S. 275 - 294.

Gal, T. (1986): Shadow prices and sensitivity analysis in linear programming under degeneracy. OR Spektrum 8, S. 59 - 71

Günther, H.-O. (1999): Lösung linearer Optimierungsprobleme mit Hilfe von Tabellenkalkulationsprogrammen. WiSt – Wirtschaftswissenschaftliches Studium 28, S. 443 - 448 und 506 - 508.

Schrage, L. (1997): Optimization modeling with LINDO. 5. Aufl., Duxbury Press, Belmont.

Suhl, U.H. (1994): MOPS – Mathematical OPtimization System. European Journal of Operational Research 72, S. 312-322.

Van Hentenryck, P. (1999): The OPL optimization programming language. The MIT Press, Cambridge u.a.

Williams, H.P. (1999): Model building in mathematical programming. 4. Aufl., Wiley, Chichester u.a.

Winston, W.L. und S.C. Albright (1997): Practical management science – Spreadsheet modeling and applications. Duxbury Press, Belmont.